Арина Холина — автор романов:

Роскошным
стервам
большого
города

АРИНА
Холина

Когда
Бог был
женщиной

Москва   Эксмо   2008

УДК 82-3
ББК 84(2Рос-Рус)6-4
    Х 71

Оформление серии *Н. Никоновой*

Серия основана в 2006 г.

Холина А. И.
Х 71   Когда Бог был женщиной: Роман / Арина Холина. —
М.: Эксмо, 2008. — 352 с. — (Роскошным стервам большо-
го города).

    ISBN 978-5-699-26896-2

Не просто быть ведьмой — за каждую сбывшуюся мечту приходится платить. Алиса Трейман, главный редактор журнала «Глянец», став
колдуньей, получает все, но вдруг понимает, что это «все» ей дали
взаймы и очень скоро потребуют вернуть долг. Но бывший главный
редактор женского журнала — совсем не тот человек, которым можно
манипулировать. И магия тут ни при чем. Главное — знать правила
игры и... нарушать их в нужный момент!

УДК 82-3
ББК 84(2Рос-Рус)6-4

ISBN 978-5-699-26896-2

ГЛАВА 1

— Н еужели ты в детстве мечтала спать по пять часов, торчать в жутком офисе с этими опасными кондиционерами, работать четырнадцать часов в сутки, а потом еще и выискивать в прокуренных барах... — тут Лера скривилась: сигарету она приравнивала к инцесту, и, в общем, могла быть права, если бы не силиконовая грудь, силиконовые губы и такое количество ботокса в лице, что лошадь точно бы свалилась, не дожидаясь никотина, — мужчину на одну ночь? Это именно то, к чему ты шла всю жизнь?

Лера среди них была самой отпетой. Ее стиль — бесцеремонность. Типа — всю правду-матку в глаза. Она еще и выпячивала эту свою манеру, гордилась, а остальные клуши ее за это уважали — потому что уважать им друг дружку, кроме как за дурные манеры, было не за что.

— Вообще-то... да, — кивнула Алиса. — Я всегда об этом мечтала. Но, конечно, и мне бывает не по себе: говорят, в последнее время кондиционеры совсем разошлись — бросаются на людей. Уже есть жертвы.

Все уставились на нее.

— Ха-ха! — произнесла Лера.

Здоровая, как йеть, спортивная, в платье от «Кавальи» — это за городом в три часа дня! — закомплексованная лошадь! Жена банкира.

Она была похожа на одну из тех девиц, которых показывают по MTV в программах «Отрежь себе все, а потом пришей заново»: все искусственное, включая длинные, до попы, белокурые волосы и жутковатый кварцевый загар цвета молочного шоколада. Розовый блеск для губ. Тени с блестками. Васильковая подводка для глаз — причудливый выбор. Румяна, конечно.

Лера считала, что у нее плотное расписание: с утра отправляла детей с водителем в школу, поучала кухарку, отправлялась в спортзал, обедала с подругой (а может, с любовником) в городе, возвращалась домой, переодевалась, изучала журналы по интерьеру — муж купил дом в Сочи, и его следовало обставить так, чтобы попасть в журнал «Интерьер», принимала массажистку, отчитывала няню, переодевалась и ехала в город на презентацию какого-нибудь магазина. Ну просто Хиллари Клинтон.

И она первая заявила, что деловые женщины успешны в бизнесе потому, что ими движет страх — у них нет мужчины, нет защиты, нет уверенности в завтрашнем дне. Поэтому, мол, у них к сорока морщины на морде, целлюлит на животе и нервное истощение.

Алиса, которую легко было разозлить (к тому же она была единственной работающей женщиной на этом празднике жизни), отрезала, что неделовые женщины — то есть те, которые значение слова «работа» проверяют по словарю, профессиональные домохозяйки, имеют успех только на встречах одноклассников.

— Алиска! — завопила Наташа, именинница.

Когда Алиса приехала, Наташа переодевалась, а теперь вот объявилась в платье от «Эскада», последняя коллекция. С Наташей Алиса была знакома со школы, но тогда они не общались — Наташин папа работал в Газпроме, и она воротила от Алисы нос — за ней приезжал водитель, а Алиса на метро тащилась от Пушкинской в Тушино. Но когда Алиса стала главным редактором «Глянца», Наташа отловила ее на какой-то вечеринке и пригласила к себе — точнее, к своему мужу, в Жуковку. Муж тоже работал в Газпроме — он занял место Наташиного папы, и Алиса не сомневалась, что их дети — два мальчика в галстуках «бабочка» — уже читают журнал «Финансы» — такими они были благовоспитанными и серьезными.

— Что-то ты выглядишь уставшей! — забеспокоилась Наташа.

— Работа... — развела руками девица в жутком розовом мини. — Карьера — это не для женщин!

— Эй! Я все еще с вами! — одернула ее Алиса, сто раз пожалевшая, что ввязалась в эту сатанинскую оргию — день рождения рублевской домохозяйки.

Это был вражеский стан. Зачем она сюда приперлась — одному богу известно, но вот прямо сейчас у нее созрел отличный план.

Дело в том, что все, кого приглашала Наташа, были чьими-то женами. Даже одна известная актриса и певичка, платиновая блондинка с интеллектом кактуса — и та вышла замуж за миллионера, чтобы ничего, или почти ничего, не делать — разве что помогать мужу тратить деньги. Одиноких женщин звали лишь тогда, когда эти одиночки были редакторами журналов, устроительницами недель моды или дизайнерами одежды — даже звезд не приглашали, потому что знаем мы их — сначала получают деньги за корпоративные вечеринки, а потом решают: «А зачем такому богатому жена с пробегом?»

И эти жены к ней цеплялись.

Сначала они все сватали ей богатеньких женихов — и Алиса не отказывалась, но как только эта шайка просекла, что она отбилась от стада — то есть больше не желает быть такой пушистой кисой, пригревшейся на диване за сорок пять тысяч долларов, — все ее представители выпустили когти.

Они обратили внимание, что Алиса не умеет готовить.

Что она не хочет жить за городом.

Что предпочитает «Дискэйрд» «Прадо».

Что она то и дело говорит по мобильному.

Она стала их врагом — то есть одной из тех свободных женщин, за которыми увиваются их ненаглядные мужья и которыми время от времени попрекают своих кисельных женушек. Она была Женщиной, Которая Делает Карьеру.

О, да! Этим «девушкам» было чем гордиться. Почти у всех имеется от двоих до четырех детей. Каждая может запросто приготовить настоящий крембрюле под дивной карамельной корочкой. Любая с лету перечислит (с адресами и мобильными телефонами) пять лучших в Москве мастеров по шторам. У каждой в запасе есть двадцать-тридцать советов на случай, если муж заведет молоденькую любовницу.

Кого угодно спроси, что было написано в январском выпуске журнала «Вог» за 2004 год — выпалит наизусть. Это их жизнь. Жизнь обеспеченных домохозяек в идеальных домах, которые они создали «своими руками» — то есть с помощью всего лишь одного дизайнера и одного архитектора. Жизнь, в которой так много нарядов, что приходится задумываться о расширении гардеробной и переодеваться семь раз в день — прямо как идеальная степфордская жена.

Алиса, конечно, тоже обожала шопинг, но у нее не было времени покупать что-либо просто от скуки. Например, юбку от «Оскара Де ля Рента» — на всякий случай, вдруг пригодится.

— Пойдемте за стол! — пригласила всех Наташа.

Увы, это был девичник. И не потому, что существуют некие запретные, но страшно увлекательные темы, которые неловко обсуждать при мужчинах. Нет. Просто дамы были рады избавиться от мужей, друзей мужчин у них не было, а гомосексуалистов приглашать они не решались, ведь большинство рассекреченных педиков — из сферы обслуживания, а это плохой тон.

Сейчас начнется конкурс кулинарных талантов.

Тут было принято гордиться изысканными блюдами, приготовленными собственноручно, и Алиса, которая могла разве что хлеб красиво порезать, каждый раз веселилась, наблюдая за тем, как они гордятся, как переживают и мимоходом замечают, что рецепты какой-нибудь там Марты Стюарт — это попса, несмотря на то, что их подруга два дня вкалывала словно сумасшедшая, выпекая профитроли по книге Марты.

Вообще-то некого было винить, кроме себя, за то, что ввязалась в эту авантюру — дружбу с Наташей Лопухиной, по мужу Сотниковой.

Алиса несколько лет делала вид, что она одна из них, потому что одинокому главному редактору женского журнала не составляло труда познакомиться с незатейливым манекенщиком, или закрутить роман с какой-нибудь поп-звездой, или рвануть на Мальдивы с отвязным модным режиссером... Но Алиса слишком хорошо помнила, каково это, когда тебя не замечают только потому, что ты носишь жуткие серые штаны, которые отдала тебе мамина подруга, и куртку цвета детской неожиданности — с клочьями искусственного меха, который настолько искусственный, что от него бьет током... Все смотрели сквозь нее!

И больше всего на свете она хотела не чувств — потому что мальчики почему-то любили девочек только в модных туфлях (так она считала), а мужчину, который сможет дать ей весь мир. В денежном эквиваленте.

Поэтому Наташа, которой льстило появление в светской хронике и очень нужны были приглашения на все замечательные вечеринки, куда звали главного редактора «Глянца» — надо же где-то носить юбки от «Оскара Де ля Рента», в ответ открыла Алисе двери лучших домов — домов банкиров, владельцев заводов, нефтяников, газовщиков, политиков... В узком дружеском кругу легче было знакомиться с правильными мужчинами — не было ни моделей, которых не признавали ревнивые жены, ни красоток полусвета — вечно молодых содержанок (второй фронт), ни случайных охотниц за черными картами «Америкэн Экспресс» — были только свои.

После закусок подали морской язык в изумительном соусе из меда, апельсинов и белого вина. И Алиса устояла — уж очень красиво это выглядело.

Но когда Наташа с едва сдерживаемым торжеством подала закрытый слоеный пирог с креветками, семгой, артишоками и еще какой-то фантастически сложной начинкой, Алиса рискнула отыграться. Наташа все уши прожужжала — мол, рецепт пирога она клещами вытянула из какого-то мишленовского повара, так что этот выход был ее триумфом.

Роскошные домохозяйки крепко поджали губы.

Пирог выглядел чудесно — нежная корочка, дивный запах...

Серебряной лопаткой Наташа разложила яство по тарелкам, дамы вооружились ножами и вилками, положили в идеально напомаженные рты первый кусок и... успокоились. Пирог был сухой, как солома. Его явно передержали в духовке. Ну, и артишоки недозрели. Не то чтобы все это было отчаянно невкусно, но явно не шедевр.

Наташа с трудом сдерживала слезы.

— Алиса! — воскликнула она, когда домработница убрала приборы. — Я слышала, что вы расстались с Димой?

— О, да, — подтвердила Алиса.

Дамочки оживились.

— Я видела Машу, — продолжала Наташа. — Я с ней, кстати, давно знакома. Мы вместе учились в Англии. Ты знаешь, кто у нее папа?

— В ее возрасте это уже не имеет значения, — парировала Алиса. — И мой ответ «да». Знаю.

— На помолвку он подарил ей черный «Бентли»! — выдала Наташа, которой нужно было на ком-то отыграться за пирог. — Маша дивная! Она все у него переделала — теперь у них все такое изысканное, бежевое...

— Бежевое?! — ужаснулась Алиса.

— Да, все в пастельных тонах...

— Какой кошмар! — Алиса отложила вилку и откинулась на спинку стула.

— Не расстраивайся! — подала голос Лера. — Он тебе не подходит! Они с Машей люди одного круга, так что...

Алиса почувствовала, что у нее руки холодеют. Нехороший признак. Ну ладно, к чему скромность...

— Спасибо, Лер! — со всей возможной душевностью произнесла она. — Ты ведь меня понимаешь лучше, чем кто-либо другой. Мало того что тебе изменяет муж, так еще и с девятнадцатилетней стриптизершей!

— Что?! — подскочила на стуле смуглая брюнетка в зеленом кашемировом джемпере.

Лера сидела с открытым ртом.

— Алиса! — воскликнула Наташа, у которой глаза заблестели. Лучшая подруга Лера, которую Наташа считала вульгарной и презирала за то, что ее мать работала швеей, а отец гаишником, опростоволосилась, и это на время отвлекло именинницу от сухого пирога.

Конечно, это конфуз, но, скажите, когда на девичниках у Наташи бывало весело? В этом и была соль — показать остальным, и даже не показать, а подчеркнуть, что ты лучше других. Но все-таки скандал быстро замяли — женщина со впалыми щеками и высокими скулами, которой, очевидно, казалось, что она смахивает на Мишель Пфайфер, громко заговорила о прошедшем аукционе Сотбис и о том, как они с мужем с превеликим трудом выторговали две картины Краснопевцева, которые пять лет назад шли по двести долларов, а сейчас они отдали за них семьсот тысяч.

Подали торт. Он был потрясающий! Алиса даже пожалела себя — от такого дивного шоколадного десерта с пралине и сочной шоколадно-коньячной пропиткой, в придачу с нежной крошкой из карамели, трудно было отказаться.

Но все-таки, когда Наташа, отрезав первый кусок, побледнела, Алиса решила, что страдает не зря. Очень уж приятно было смотреть на опрокинутое лицо этой надменной стервы!

Из торта вытекало тесто. Вместе с пралине и коньячной пропиткой.

Вскоре после этого торжественного мгновения Алиса уехала, оставив Наташу с телефонной трубкой — та в истерике заказывала пирожные в ресторане.

Хорошо все-таки, что она, Алиса, ведьма... Конечно, мелкие пакости — это глупость, не стоит до этого опускаться, но из таких вот пустячков и складывается жизнь — так, кажется, пишет любимый автор «Глянца» Вера Квливидзе?

Еще полгода назад Алиса бы сидела и унижалась, выслушивая бредятину, которую несли все эти Леры-Марины, а сейчас она походя испортила и пирог, и торт, и вообще дурацкую вечеринку! И репутацию Леры, которая строила из себя принцессу

Диану! Идеальную жену с идеальной жизнью, у которой все под контролем! Ха-ха! Ха-ха-ха!

Конечно, все эти женщины по-своему хороши: у них идеальные задницы, в которых после липосакции нет ни капли целлюлита, и они действительно разбираются в драгоценностях, а еще им можно посочувствовать, так как они тратят безумные деньги на внешность не потому, что хотят выглядеть хорошо, а потому, что истерически боятся молодых и хорошеньких секретарш — хотя кто сейчас спит с секретаршами?.. Но Алиса готова была признать себя бездушной и недалекой — сопереживать этим злыдням ей совершенно не хотелось.

Все дело в том, что, когда Алиса и банда домохозяек были заодно, она все равно не ощущала себя одной из них. И не потому, что у нее карьера. Просто все эти отношения с мужчинами, все эти ухищрения, сложные многоуровневые интриги, ведущие к покупке заветной шубки — это было их жизнью, а Алисе всегда казалось, что она играет некую роль. Она не умела так искренне радоваться тому, что задержавшийся после работы на три дня муж приходит с сережками от «Тиффани», не умела давить на совесть, если у него любовница, и получать за это компенсацию в виде нового кольца от «Графф», да и мужа у нее ни разу не было — только любовники, с которыми она старалась побыстрее расстаться.

Проезжая мимо кондитерской, Алиса так резко затормозила, что водитель темно-зеленого «Мицубиси» пригрозил ей кулаком, кое-как припарковала машину и бросилась за шоколадным тортом. Ей нужна была поддержка.

Хоть какая-нибудь.

В последнее время она так уставала, что никак не могла выспаться.

Елена приходила во сне, и это было так тяжело, что Алиса уже проклинала мгновение, когда узнала, что она ведьма. Сначала ей казалось, что учиться колдовству во сне будет легко — спишь и видишь сон, ничего страшного, но выяснилось, что твой собственный сон, в который проникает чужой, — то еще испытание для нервной системы. Утреннее состояние можно сравнить с тяжелым похмельем, когда всю ночь твой мозг создавал затейливых чудовищ, а очнувшись, ты некоторое время не можешь понять, были ли они на самом деле, или же это всего лишь результат воспаленной фантазии.

Алиса притащила домой самый шоколадный торт на свете, отрезала большой кусок, сочившийся ромом, налила в кружку сладкий чай с лимоном, поставила умиротворяющие «Дневники принцессы», с вожделением отправила в рот первую ложку десерта, и с ужасом поняла, что опять она ничего не хочет!

Аппетит пропал. Из-за этого бесчеловечного недосыпания она была сама не своя — точно была уверена лишь в том, что хочет курить и пить — жажда мучила все время. Алиса с грохотом поставила тарелку на стол, положила голову на колени, сосредоточилась и зарыдала.

Она так больше не может! Не хочет! Не будет!

Ее тянуло за город — на воздух, к природе, но это она уже проходила — уезжала на дачу в блаженной уверенности, что, надышавшись землей, заснет как младенец, но кошмар повторялся — она просыпалась с квадратной головой, злая, несчастная и уставшая.

А с утра на работу!

Работа, кстати, надоела ей смертельно. Мало того что выспаться невозможно, так еще и все, что она там делала — в своем самом успешном женском журнале, представлялось ей несусветной глупостью.

Вчера, например, она час таращилась в текст о «мужском взгляде на секс». Кто это читает? Зачем это надо, если они придумали данную тему только потому, что ничего лучшего в голову не пришло, а журналист написал статью только ради того, чтобы заработать лишние пять-семь тысяч рублей? Без огонька, без души, без личного...

Все это было ловушкой, однако Алиса застряла и не знала, как выбраться.

Спать идти не хотелось, но если она сейчас не ляжет в кровать, не примет снотворное и не пройдет через этот Ад, то завтра вообще не выйдет из квартиры — сил и так уже нет, несмотря на колдовские отвары и на витамины из аптеки.

Она еще немного поплакала и поплелась в спальню.

Почему Марик уехал в этот дурацкий Воронеж? Зачем ему встречаться с читателями?

Из-за мыслей о нем Алиса окончательно разволновалась, откинула одеяло и отправилась за сигаретами. Не пойдет она завтра на работу. У нее... воспаление среднего уха! Гастрит! Она отравилась! Пошли все...

Вернувшись с прикуренной сигаретой и пепельницей, Алиса отодвинула штору, чтобы впустить лунный свет, и уставилась в выключенный телевизор.

Марик был первым мужчиной, с которым она могла спать в одной кровати — и ее это не убивало. Мало того — под одним одеялом. В обнимку!

С остальными ей всегда было тесно, душно, неуютно, а с ним — тепло. Конечно, это ничего не значит, и, вообще, у них пока просто секс, тем более, что все эти придурочные поклонницы заваливают его истерическими посланиями: «Ты лучший! Я тебя обожаю!», и, вообще, он самый красивый автор детективов... Но ей с ним легко. Никаких ролевых игр, никакого притворства — ей от него ничего не нужно, ему от нее ничего не нужно — кроме секса, конечно, и им весело, по-настоящему весело вместе, но, главное, и в этом трудно и странно самой себе признаться, она чувствует: он — ее мужчина.

С другими, даже очень богатыми, и влиятельными, и еще более знаменитыми, она всегда была сама по себе — сильная и независимая женщина Алиса Трейман. И ни на какую их поддержку она не рассчитывала. Конечно, Алиса получала подарки, и за нее всегда платили, но это была как бы ее заслуга, ее игра, и она втайне немножечко презирала любовников, которые с такой охотой принимали ее правила, прогибались, и ни разу не то чтобы не ощущала, а даже и не представляла, что это такое — мужское начало, которое ни к деньгам, ни к власти, ни к положению в обществе не имеет ни малейшего отношения.

А с ним она почему-то была Женщиной. Хрупкой. Капризной. Нежной. При всем своем глянцево-журналистском опыте Алиса не могла ничего объяснить — это можно было только прочувствовать и принять, и потому их связь была еще крепче, страсти — жарче, а ночи — длиннее. И потому ей так не хватало его сейчас — когда ей плохо, и она ощущала пустоту на той стороне кровати, где он обычно сворачивался калачиком, запутывал ногами одеяло и прижимал к груди подушку.

Алиса затушила сигарету, поменяла свою подушку на его и заснула, вдыхая запах его шампуня и духов.

 ГЛАВА 2

Алиса уже второй час смотрела в экран компьютера, но никак не могла сосредоточиться: абзац, из которого следовало, что «Оксана Акиньшина — самая загадочная актриса будущего поколения суперзвезд русского кино, которой грозит слава непредсказуемой Элизабет Тейлор», казалось, был написан на китайском.

Весь прикол в том, что она, Алиса, ненавидит свою работу. ОК, она ведьма — пусть и выжатая как лимон ведьма с головной болью, и она может внушить всему совету директоров, а также всем сотрудникам — вместе и по отдельности — что с завтрашнего дня они должны публиковать резкие, революционные тексты, фотографии обнаженных мужчин, и вообще журнал должен стать этаким кентавром — внизу «Эсквайр», вверху «Плейгерл»... Но миллион подписчиков, три миллиона читателей — их всех не уговоришь... Раз уж девочки хотят из номера в номер видеть слюнявые тексты о том, как правильно организовать День святого Валентина и сколько способов самоубийства существует — на случай, если твой парень вспомнил об этом Валентине вечером пятнадцатого, то тут уж ничего не поделаешь. Но, черт побери, как же надоел этот искусственный мир, в котором существовали «двадцать вариантов, почему он не позвонил на следующий день» — и все фальшивые, высосанные из пальца... Девочки вместе с «Глянцем» открывали для себя мир иллюзий, мир, в котором ты видишь лишь то, что хочешь увидеть, в котором не существует реальных проблем — такой девичий Диснейленд со сказочными героями и героинями. Журнал продавал мечту, но всем хотелось верить, что это и есть настоящая жизнь.

Алиса закрыла файл и откинулась в кресле. Надо переползти на диван и поспать немного — иначе она уснет за рулем или в лифте.

Так всегда и бывает — только ты закрываешь глаза, звонит телефон.

Алиса сделала вид, что не слышит, но в ее телефоне была такая фишка — каждая новая трель звучит все громче, поэтому через минуту трубка орала так, что слышно было, наверное, даже у конкурентов в «Космо».

Алиса яростно вытряхнула сумку на диван, схватила телефон и рявкнула:

— Да!!!

— Можно Славу? — произнес мужской голос.

— Что?!!

— Извините, я ошибся.

— Марик, прости, я спала! — Алиса плюхнулась на диван и с трудом сдержала проклятия, конечно, она рухнула прямо в кучу косметики, записных книжек и на всякие там угловатые кошельки-ключницы, которые только что вывалила на сиденье.

— Прогуляла? — поинтересовался Марк.

— Неа... А-аа... — она зевнула. — Сплю на работе. Во всех смыслах.

— Чем вчера занималась?

— Как обычно. Бурная вечеринка с абсентом и наркотиками, сексуальные оргии, зажимы на сосках... — пробормотала Алиса.

— А я совратил дочку министра, и теперь мне придется жениться, потому что она беременна, — парировал Марк. — Так что я сегодня заеду — заберу свои стринги и воск для эпиляции.

— Слушай, ты когда-нибудь брил грудь? — ни к селу ни к городу брякнула Алиса.

— Чью?

— Свою!

— У меня на груди волосы не растут, — опечалился Марк.

— Действительно. За это я тебя и люблю.

— А женщины разве не любят волосатых мужиков? — заинтересовался он.

— Некоторые, может, и любят, но меня не очень возбуждает, если во рту застревают кудри, и потом все эти волосья царапают мою нежную кожу, намазанную дорогими кремами! — фыркнула Алиса.

— Ну да, ну да... — согласился Марик. — В общем, ты не против, если я вечером приеду?

— А разврат будет?

— Еще бы!

Они еще немного поболтали, и Алиса ожила. Это что, любовь?

Нет! Не любовь... Но, вполне возможно, что она влюблена — и всерьез, а влюбленность еще лучше, потому что когда любовь — это и в горе и в радости, и в болезни и в здравии, это уже долг, быт, компромисс, а пока что лишь фейерверк чувств, эйфория и сплошное удовольствие.

Алиса отредактировала текст, практически не понимая, о чем он — замечала лишь стилистические погрешности и правила корявые фразы, а потом отправилась обедать, пообещав себе выпить белого вина или коктейль.

Пока она наслаждалась суши — в столовку не пошла, надоело — и запивала их легким сливовым вином, телефон запел песню из «Семейки Адамс». Звонила Лиля.

— Алиса! — строго начала двоюродная бабушка. — Ты помнишь, что у меня сегодня фуршет?

— Не помню, потому что ты мне ничего не говорила, — быстро отбилась Алиса, которая, действительно, ничего такого не помнила.

Лиля помолчала, словно размышляла — вступать ли в драку, но, видимо, решила не тратить время на пререкания:

— В девять, у меня, — сообщила она. — Надень коктейльное платье.

— То есть это какой-то парадный, торжественный случай? — хмыкнула Алиса.

— Деточка, ты ведь ведьма, так что у тебя теперь все случаи — особенные, — менторским тоном заметила Лиля и отключилась.

Алиса развела руками. Она теперь ведьма... Сколько раз она уже это слышала?! Марьяна и Фая талдычат: «Ты теперь ведьма — ох, как круто!». Елена во сне то и дело поучает: «Ты теперь ведьма, так что не жалуйся!». Лиля вечно ноет: «Ты теперь ведьма! Настоящая ведьма так себя не ведет, не ест, не пьет, не дышит, не одевается!». Р-рр!.. Надоело!

Все эти мысли испортили десерт, и она даже чуть не врезалась по дороге в офис в какую-то нервную «Газель» и с таким выражением лица прошла через редакцию в кабинет, что девицы замолкли и даже выключили радио.

Она не понимает, что делать с этим «ты теперь ведьма», потому что старая жизнь ее уже не устраивает, а как начать новую, никто почему-то не посоветовал!

Алиса вовремя поймала себя на том, что ей опять хочется кого-то убить, налила мятного чаю с чабрецом и мелиссой — для успокоения нервов, и зарубила материал о сумках.

— Послушай, я вчера была в трех магазинах из пяти, где ты брала сумки, и смело могу сказать: то, что ты выбрала — самый отстойный отстой! — рявкнула она на ассистентку отдела моды. — Зачем нашим читательницам любоваться на сумки, которые в среднем стоят столько, сколько они получают за год, если эти сумки выглядят как те, что продаются на рынке? Почему вообще ты решила, что темно-коричневая сумка с никаким боковым карманом да еще и на молнии — это правильно? Ты же была в «Гесс», должна была видеть огромную блестящую красную сумку с пряжкой, красоты неописуемой?! А светло-коричневую со здоровенным латунным замком, которая стоит на самом видном месте — будто нарочно для близоруких?

Ассистентка что-то мямлила, но Алиса все равно отослала ее переделывать съемку — в вопросах моды она была безжалостна. Глядя в спину ассистентки, одетой в коричневые клетчатые брюки и голубой свитер, Алиса сорвалась — сгребла в свою «Келли» барахло с дивана, запихнула в карман плаща телефон и вырвалась из офиса. Права была Лера — кондиционеры смертельно опасны для жизни: воздух вторичной переработки подавляет гормоны счастья.

На улице прохожих дразнила весна — было сухо, но прохладно, и почки еще не распустились, но уже все трепетало в ожидании тепла.

Алиса села в машину, настежь открыла окна и поехала куда глаза глядят — ей не хотелось ни о чем думать, не хотелось планировать и решать куда податься, ей вот прямо сейчас хотелось просто жить, и она даже краем сознания поняла и Наташу, и подругу ее Леру, которые, наверное, в то время, когда они не проверяли по мобильной связи местонахождение их благоверных или не обсуждали какую-нибудь там Ляльку, от которой муж ушел, но она отобрала у него дом и счет в «Дойче Банке», — возможно, в эти мгновения были счастливы. Потому что их головы не занимали никакие сложные вопросы (кроме разве что дилеммы — броситься в «Вичини» за босоножками из новой коллекции или поживиться на распродаже в «Патрисии Пепе»).

Алиса ехала, машинально притормаживая на светофорах, и мечтала, как хорошо было бы просыпаться в полдень, валяться в кровати с чашкой кофе — и непременно в загородном доме, чтобы тишина и покой, а потом выходить на балкон и произносить какую-нибудь глупость вроде «Здравствуй, мир!», спускаться и завтракать — белым хлебом домашнего приготовления с черной икрой и салатом из креветок, гулять — много и долго, погружаться в какие-нибудь смешные девичьи фантазии, где роль Марка Дарси исполняет Леонардо ди Каприо, возвращаться, принимать бодрящую ванну с ароматическими маслами, а потом можно и отправиться в город — посмотреть кино, накупить всякой чепухи в «Лаш», заехать в гости к подруге и вернуться домой, чтобы провести вечер за чашкой чая и интересной книгой...

Вместо того чтобы вернуться на работу, Алиса позвонила и наврала секретарше, что у нее воспалилась десна и ей срочно нужно к стоматологу, приехала домой, вынула из холодильника вчерашнюю «Прагу» и съела половину, уставившись в «Дневники принцессы» — первая и вторая серии.

В восемь вспомнила о вечеринке и собралась без всякого вдохновения — надела платье от «Персонаж», которое купила позавчера, кое-как накрасилась, расчесала волосы и с мрачной физиономией спустилась вниз.

Лиля жила в Староконюшенном, в трехкомнатной квартире, переделанной из пятикомнатной. Наверху, на чердаке, правда, были еще три помещения — гостевая спальня, прачечная и гардеробная.

И если бы не домработница Лили, которая встретила ее в дверях, Алиса бы решила, что ошиблась адресом: квартира преобразилась. Видимо, здесь хорошо потрудился флорист — повсюду громоздились букеты с красными (всех оттенков) розами, появилась какая-то особенная подсветка, горели толстые, как дуб у лукоморья, свечи, пахшие мятой и апельсином, а на диваны и кресла были натянули бархатные темно-зеленые чехлы. Казалось, гостиная превратилась в ресторан — все было шикарное, но чужое.

— Ух ты... — прошептала Алиса на ухо двоюродной бабушке, которая вышла ее встречать. — Ну ты даешь!

Лиля, которая не любила жаргон, предпочла, чтобы Алиса выразилась более внятно: «Дорогая Лиля, ты превратила комнату в парадный зал, все так изысканно, с таким вкусом и вниманием к деталям!», закатила глаза, но не стала отвлекаться на поучения, лишь распахнула объятия и дважды поцеловала воздух — как всегда, яркая помада...

Лиля, надо сказать, выглядела роскошно — в красном платье от «Валентино», в серебряных туфельках и с шикарным белым норковым палантином — вечная классика. Остальные дамы тоже отличились — меха, драгоценности, прически, шпильки... Очень много шляпок, жемчуга и «Шанель». Алиса порадовалась, что надела все-таки шелковое платье от «Персонаж», а не трикотажное, как собиралась. Простое, в стиле шестидесятых — с широкой юбкой и высокой талией — оно было вечерним.

Да уж, это самый настоящий прием, а не вечеринка в пижамах...

Это значит, что и ей придется устраивать вот такие вечеринки? И держаться как на приеме в посольстве?

Лиля уже тащила ее в зал и знакомила — с дамой в шиншилловой горжетке, с дамой в пышном черном платье, с дамой в платье-футляре, с дамой в винтажном наряде от «Ланвен»...

И все они были гламурные, но какие-то правильные, слишком уж великосветские, хоть и с чертовщинкой, но только Алиса собралась заскучать и начать считать минуты до конца банкета, как две дамы в нарядах — одна из серебристой парчи слева и вторая из малиновой тафты справа, — расступились и она увидела Ее. Свою ровесницу. Девушку в странном наряде. Которой тоже было скучно.

— А! — воскликнула Лиля. — Лиза! Я рада, что ты пришла, — враждебно добавила она.

Алиса списала теткино недовольство на платье Лизы: юбку в рюшах пронзительно-розового цвета, черную водолазку с серебряной вышивкой «Любовь — это боль» во всю грудь, черные блестящие лосины и широченный замшевый пояс в заклепках. Ну, и такие военные боты — только на каблуке.

Объективно Лизу нельзя было назвать красавицей. Было в ее лице что-то порочное, признаки вырождения, что ли, но при этом от нее трудно было оторвать взгляд. Высокие скулы, широкая челюсть, немного более мясистые, чем нужно, черты лица. Нос прямой, глаза огромные, губы пухлые, как у Анджелины Джоли, но гладкие. Длинные ресницы, взгляд с поволокой, здоровый румянец. Длинные, ниже лопаток, блестящие, прямые коричневые волосы.

— Ты нас не представишь? — поинтересовалась Алиса.

Лиля, нимало не смутившись, повернулась к ней, закатила глаза, после чего махнула рукой — царственный такой жест получился:

— Это Лиза. А это моя внучка Алиса.

— Привет! — сказала Лиза.

— Привет, — ответила Алиса.

Прибыли новые гости, Лиля умчалась в прихожую, а Алиса глупо смотрела на Лизу и улыбалась. Не знала, как начать разговор.

— Не обращай внимания, — усмехнулась Лиза. — Твоя бабушка в свое время не поделила с моей сферы влияния. Ты ведь знаешь, что ведьмы злопамятны? Проклятия до седьмого колена?

— Ну... — Алиса замялась. — Ты только не подумай... Просто... Если она так к тебе относится, то как ты здесь очутилась?

Лиза пожала плечами и подняла бровь.

— Лично я перед ней ни в чем не провинилась. А привела меня Майя, — Лиза кивком указала на женщину лет пятидесяти в платье от «Вивьен Вествуд», от кутюр. — На таких приемах надо появляться время от времени — чтобы напомнить о себе. Хотя лично я собираюсь удрать.

Алиса улыбнулась. Ей тоже хотелось бы удрать.

— Ладно, давай без кокетства, — вдруг заявила Лиза. — Я все о тебе знаю. Ты у нас просто сенсация.

Алиса выпучила глаза.

— Ведьма, от которой скрывали, что она — ведьма. Ведьма, уделавшая Римму. Ведьма, вызвавшая Елену. Дорогая, да все только о тебе и говорят!

— Жаль, что здесь не принято брать автографы, — вздохнула Алиса. — Мне бы это польстило.

Лиза запрокинула голову и расхохоталась.

— Ладно, я, возможно, попрошу у тебя автограф, но за это ты сядешь со мной в углу и примешь живое участие в обсуждении всех этих старых куриц! — прошептала она заговорщицки.

Алису немного смутило, что вот так легко все старания ее двоюродной бабушки свелись на нет, но в глубине души она была согласна с Лизой.

Атмосфера была принужденной, общество — скучным, а чрезмерно шикарные дамы средних лет выглядели несколько карикатурно.

— Они снобы. Живут прошлым. Магия — шмагия... — Лиза всплеснула руками. — Традиции! Гадания, зелья, астрология, любовь-морковь... — Она фыркнула. — Зачем помогать другим, если можешь помочь сама себе?

— Ты о чем? — нахмурилась Алиса.

Но к ним уже присоединилась Майя, которая ахала и охала, осматривая Алису, и продолжения от Лизы не последовало.

После ужина они распрощались с Лилей и отправились в «Монкафе», где Лизу прельщал полумрак, а Алису — ее любимый крем-брюле. Пусть не лучший в городе, но все еще очень вкусный.

— Зачем прогнозировать для какого-нибудь бизнесмена удачную сделку, если сама можешь ее заключить, а? — наклонилась к ней Лиза. — Все современные ведьмы занимаются бизнесом — это и независимость, и совсем другие капиталы. Ты что, будешь торчать в каком-нибудь офисе, обитом фиолетовым шелком, и принимать клиентов по двести долларов в час? Или, может, ты хочешь работать в этом своем «Блеске»... «Глянце» и выплясывать под дудку начальства? Ты ведьма вообще, или кто?

От третьей порции рома с колой Алиса раздухарилась и готова была прямо сейчас писать заявление об увольнении, но все-таки здравый смысл победил, и она спросила:

— А чем тебе не нравится моя работа?

— Дорогая... — Лиза откинулась на стуле и тряхнула волосами. — А чем тебе нравится твоя работа? Ты пашешь от звонка до звонка, тебя контролируют, ты руководишь группой легкомысленных и по большей части бездарных сотрудников, ты пресмыкаешься перед аудиторией и тебе платят зарплату!

— Последнее скорее хорошо, чем плохо. Если бы я делала все вышеперечисленное бесплатно, это было бы совсем грустно, — сухо ответила Алиса.

— Не обижайся! — Лиза положила ладонь на ее руку. — Для обычной женщины это блестящая карьера... Но ты же ведьма! Ты не можешь получать зарплату — в худшем случае ты должна сама ее платить. Ты должна быть свободна, а у тебя вид кролика, обреченного стать рагу. Свобода, милая, это то, что дает нам наш дар — мы вне общества, но нам все завидуют, нами восхищаются. Даже у твоей Лили есть свой магазин — один из лучших в Европе, а ты батрачишь на дядю. У тебя вид измученного жизнью человека, и ты еще раздуваешь ноздри от возмущения!

— Ничего я не... — но Алиса споткнулась, так как поняла, что Лиза права.

И она ведь не желает ей зла. Если уж на то пошло, то Лиза — первый человек, который сообщил ей что-то разумное.

— И что мне делать? — воскликнула Алиса. — Бросить работу? У меня всех сбережений — тысяч пятнадцать от силы, я все трачу на сумки и заколки!

Лиза расхохоталась.

— Теперь ты видишь, что так жить нельзя?! — спросила она. — Ты главный редактор, и получаешь ровно столько, чтобы выглядеть главным редактором. Все твои деньги уходят на поддержку образа, но у тебя ничего нет — ни уверенности, ни будущего, ни настоящего.

— Ну почему же... — сопротивлялась Алиса. — Я могу стать генеральным директором.

— Ага, лет через десять. Или через пятнадцать, — хмыкнула Лиза. — Это не твоя жизнь. Это жизнь карьеристки из Тушина, которая до сих пор считает шпильки от «Лабутена» роскошью, а не предметом первой необходимости. Давай я покажу тебе настоящую жизнь?

— Давай, — согласилась Алиса, которой хоть и с трудом давалось амплуа бедной родственницы, но любопытство пересиливало. — Когда?

— Прямо сейчас!

ГЛАВА 3

Подъезд роскошного четырехэтажного дома в Зачатьевском переулке был отделан мрамором. С потолка свисала хрустальная люстра. За стойкой находился портье. Дверь, кстати, открыл швейцар. В форме.

В шикарном, изящно отделанном под старину — с настоящими дубовыми панелями, бронзовыми светильниками и зеркалами — лифте они поднялись на третий этаж.

Алиса, конечно, видела разное, но ее зацепило — такой небрежной, повседневной роскоши она еще не встречала. Лепнина оказалась настоящей, а не раскрашенной подделкой из плексигласа.

Лиза отперла высокую дверь и пригласила гостью войти.

Квартира выглядела огромной. Четырехметровые потолки, стены, обшитые изумительной тканью с искусной вышивкой, ковер, а на нем тигровая шкура перед камином, которую, казалось, вывезли из какого-нибудь замка — все здесь было не просто мебелью, подобранной с любовью, а произведением искусства. Никакой «стильной» современной мебели, купленной под влиянием журнала «Архитектура&Дизайн», никаких дизайнерских провокаций — здесь была только Лиза, без чужих влияний и компромиссов. Квартира дышала ею.

Алиса устроилась на полосатой козетке, приняла у Лизы бокал с ромом и зачарованно смотрела, как новая знакомая поджигает дрова в камине.

Вся Алисина жизнь, квартирка на проспекте Мира, которой она так восторгалась, ее смешные надежды и скромные мечты — все это было далеко-далеко, за тридевять земель. Вот она жизнь! Гедонизм! Эгоизм! Успех...

— Ну как? — поинтересовалась Лиза.

— А ты уверена, что ты здесь не домработница, а хозяева не уехали в Аспен? Ой! — на нервной почве Алиса слишком щедро отхлебнула рому.

— А знаешь, в чем самый кайф? — Лиза развалилась на диване.

Гостья пожала плечами.

— В том, что ты всегда будешь так жить! — воскликнула шикарная Лиза. — Ты ведьма, ты все можешь! Можешь подойти к миллиардеру и сказать: дай миллиард поносить! И он даст! Правда, это не приветствуется, — оговорилась она. — Но ты всегда можешь придумать какое-нибудь дело, и оно будет иметь успех — даже если ты решишь продавать черствые бублики. Просто все вдруг сочтут, что черствые бублики — это очень круто.

— А как же... кодекс? — смутилась Алиса.

— Ну... — широко улыбнулась Лиза. — Поэтому

черствые бублики никто не продает. У меня, например, в Китае производство — делают обувь в огромных количествах, марка «Фетиш», в Москве сеть ювелирных и две гостиницы.

Алиса, опешив от такого размаха, лишь кивала.

— И все, что мне нужно — просто убедить людей, что они должны выбрать именно мой товар. А это, дорогая, проще простого. Я делаю качественные, красивые вещи, они всем нравятся, мне всегда сопутствует успех, у меня нет черных полос...

Она еще что-то говорила, но Алиса глубоко нырнула в собственные мысли. Жизнь без черных полос? Жизнь в полной уверенности, что завтра — и через год, и через пятьдесят лет все будет хорошо? Это про нее?!! Она что, тоже так может?

Почувствовав себя членом клуба избранных, она вольготно разлеглась на кушетке и пригубила ром. Даже Дима, ее рефлексирующий миллионер, и мечтать не мог о такой роскоши! Лиза ведь все тратила на себя!

— Мне не нужно одалживать деньги в банке, я просто встречаюсь с каким-нибудь миллиардером и беру в долг — без процентов, — вещала Лиза. — Конечно, я отдаю долги, но тут дело не честности, а в возможностях. Безусловно, тебе еще надо поучиться, не каждая может влиять на людей, и, разумеется, многие просто не способны прыгнуть выше чудо-масок для лица — кстати, это тоже неплохой бизнес, если взяться за дело с умом, но тут все дело в принципе. Если ты считаешь, что настоящая ведьма должна с головой погрузиться в чистую магию — это один вариант, но лично я и многие другие нашли себя в современном мире.

— А кто, например? — полюбопытствовала Алиса.

Лиза вскочила, схватила с журнального столика последний «Харперз Базар» и открыла раздел светской хроники.

— Она. — Лиза ткнула пальцем в фотографию не очень симпатичной, но холеной и модной дамы, за спиной которой робко улыбались юные красавцы.

Дама прославилась тем, что около полугода крутила скандальный роман с актером лет на двенадцать моложе ее, а потом с очередным скандалом бросила его. Говорили, что это был пиар-ход, что актер получил взятку, а дама обрела известность, но достоверно никто не знал — ни подробностей, ни того, чем, собственно, она занимается. Но она была богата. Сказочно богата.

— Она?.. — удивилась Алиса.

— Ну да! — кивнула Лиза. — Эта действует с размахом, но она и была одной из первых, кто с астрологии перекинулся на экспорт черных металлов. И вот еще эта... — Лиза показала на шикарную блондинку, которой по слухам было лет сорок, а выглядела она на двадцать пять. И никаких следов операций.

— А... Устя... — разочаровалась Алиса.

Лиза как-то странно на нее посмотрела.

— Что? — не поняла Алиса.

Лиза отложила журнал и села рядом с ней на козетку.

— Послушай меня, — серьезно произнесла она. — Пока что у тебя здесь... — она приложила палец к голове Алисы, — полный сумбур. Ты еще привыкла сравнивать — себя и свою подругу Наташу...

— Откуда ты... — встрепенулась Алиса, но Лиза лишь отмахнулась:

— Ты привыкла завидовать, ревновать, ненавидеть... Это прекрасно. Замечательно. Но какой смысл завидовать слабому? Это не поединок, это бойня, моя милая. Наташа — лишь ступень эволюции, женщина трудной судьбы, жалкая, беззащитная, рабыня. Она не наслаждается жизнью, она лишь расплачивается — тяжело и скучно — за те крохи, которые подбирает за мужем. Муж у нее, кстати, гомосексуалист.

— Да ты что?! — Алиса подалась вперед и приложила руку к груди.

— Я тебе говорю! Устинья — это картина, шедевр, ее жизнь — искусство. Она прирожденная гедонистка и существует для того, чтобы на нее равняться. Лучшие любовники, от которых она получает все, чего пожелает, не ограничивают ее свободы — вообще ничего не требуют взамен... Красивые мужчины, красивая жизнь — на это не каждый способен. Но если ты полагаешь, что она зря коптит воздух, то ошибаешься. Каждый мужчина, с которым она рассталась, считает время, проведенное с ней, лучшим в своей жизни. И они правы — она приносит удачу. Это древняя магия, и пусть она больше ничего не умеет — но в своем ремесле достигла совершенства. Она делает своих мужчин счастливчиками.

Лиза замолкла и несколько минут наблюдала, как Алиса разглядывает узоры на обивке.

— Я знаю, тебе сейчас непросто. Ты взрослый человек со сложившейся системой ценностей, но у тебя есть два варианта — либо ты останешься заурядной женщиной, которая трясется, как чихуахуа, при мысли о пенсии, о складках на шее и о бесплатной медицине, либо ты рискнешь оставить прошлое в прошлом.

Алиса встала, налила еще рому и села в кресло напротив Лизы.

— Алиса... — тихо позвала та. — Ты теперь другая. Пойми, по большому счету, мы отличаемся от людей именно тем, что умеем жить. Мы знаем правила игры. Человек умирает, а его близкие говорят: «Отмучился». Люди живут в вечном страхе, в ожидании беды, они боятся наказания, страдают, они беззащитны и слабы! Они как дети, которые потерялись в толпе! Неужели ты не понимаешь, что жизнь — это счастье, свобода, наслаждение и Божий дар, а не череда унылых будней, которые люди оправдывают необходимостью, долгом, ответственностью?! Тебе повезло, ты — другая, хоть и узнала об этом слишком поздно, но у тебя есть шанс все наверстать! Не будь мазохисткой!

— И что мне делать? — как-то плаксиво, так, что самой смешно стало, спросила Алиса.

— А все, что хочешь! — воскликнула Лиза.

И Алиса поехала к Марку.

Он жил в переулке между проспектом Мира и Каланчевкой, в старом, после капитального ремонта доме, в просторной трехкомнатной квартире. Алиса любила его уютный беспорядок: на диванах вперемешку навалены пледы, книги, блокноты, одежда, на всех столах громоздились стопки альбомов по искусству, чашки, тарелки, пустые пачки от сигарет, свечи, клочья бумаги, на полу валялись диски с фильмами и музыкой... Здесь хотелось отдыхать, свернувшись в калачик на одном из мягких кресел, накрывшись пледом и уставившись в какую-нибудь глупую развлекательную передачу, казалось, в этом огромном кабинете, в который Марик превратил свой дом, нет места для быстрых рискованных решений, для терзаний, интриг и поспешных выводов.

В квартире у Марика все было таким же ленивым и равнодушным к той огромной части жизни, в которой люди делали карьеру, бурно спорили на тему войны на Ближнем Востоке, пытались создать семьи и т.д., как и он сам. Алиса один раз наблюдала, с каким изумлением Марик смотрел на оппонентов в передаче «К барьеру!» — казалось, он увидел инопланетян.

Он не признавал ничего, что не вписывалось в тот образ жизни, который он выбрал для себя — неспешный писательский труд, прогулки в хорошие дни и встречи в ресторанах в непогоду, красивые женщины, на которых он просто любит смотреть (это он так говорит!), мужчины, пахнущие «Ком де Гарсон», одетые в кашемировые свитера и замшевые куртки, запах дорогого трубочного табака, тяжелый аромат «Шанс» от Шанель или волнительный «Джуси Кутюр», дым сигарет, малиновый закат где-нибудь в Мексике или на Гавайях — все это было настоящим, жизнью, а все эти политики с толстыми мрачными лицами, нервные неухоженные женщины с отросшей прической-сэссон, отстаивающие право... да хоть право женщин не брить подмышки, и уж конечно, программа «Максимум» с подробностями жизненного уклада бомжей, проституток и прочих личностей, при взгляде на которых Ад кажется не таким страшным, выходили за границы его личной, Марка, реальности.

— Это я! — закричала Алиса в домофон.

— А я к тебе собираюсь, — сообщил Марк. — Навожу марафет.

— Ты откроешь, или мне внизу подождать, пока ты примешь ванну, выпьешь кофе и сделаешь маникюр?! — возмутилась Алиса.

— Маникюр я делаю в салоне, — обиделся Марик, но домофон запищал, Алиса толкнула дверь и через пять минут уже пыталась с порога зашвырнуть пальто на диван.

Марк выглядел чертовски соблазнительно в майке-алкоголичке, стильных тренировочных от «Y3» и кожаных шлепках.

— И где марафет? — поинтересовалась Алиса, оценив щетину на подбородке.

— В ванной, — усмехнулся Марик и немедленно полез ей под платье.

— Отстань от меня, животное! — отбивалась Алиса.

— Ни за что, — мрачно ответил Марик, расстегивая молнию.

Закружилась голова — так было всегда, когда Марик ее тискал. Очнулась она уже в спальне, когда он снимал с нее трусы и смотрел особенным взглядом — от этой поволоки в глазах Алиса млела и вряд ли могла в этот момент вспомнить даже номер своей квартиры (если бы кому-то взбрело в голову его спросить). Он был такой крепкий, теплый, близкий и возбуждающий, что ей казалось, будто они находятся в неком условном коконе, за пределами которого происходит нечто странное: растут деревья, ходят люди, кто-то что-то покупает в магазине — в общем, загадочные события, не имеющие никакого отношения к сути вещей, — их с Мариком сексу.

И у него была лучшая задница в городе — таких

круглых, мускулистых и упругих ягодиц не было ни у одного ее мужчины. Алиса сходила с ума, когда он поворачивался спиной — когда чистил зубы, или включал телевизор, или выходил из комнаты.

На этот раз спонтанный секс был быстрым, но отчаянным — Алиса казалась себе портовой шлюхой, на которую набросился залетный морячок, и от этой дурацкой фантазии ей вдруг стало весело.

— Что? — прошептал Марк, когда она захихикала.

— Ты меня не порви только на части! — попросила она.

— Это уж как получится... — пробормотал он и поцеловал ее взасос. — Ничего не могу обещать...

— Знаешь, Марик! — заявила она, вернувшись из ванной. — Я, кажется, хочу выйти за тебя замуж и родить тебе шестерых детей. Я просто не знаю, как еще объяснить, что со мной сейчас! — произнесла она, усевшись рядом с ним на кровать.

Он протянул руку и завалил ее на себя, поцеловал в макушку и погладил по спине.

— А я готов жениться на тебе, даже если у тебя уже есть шесть детей... Или собак.

— Мы же не серьезно? — забеспокоилась она. И даже попыталась вывернуться, чтобы взглянуть ему в глаза, но Марк не позволил.

— Почему это несерьезно? — возмутился он.

Она все-таки выскользнула из его рук и посмотрела на него с плохо скрываемым ужасом.

— Скажи, что это шутка! — потребовала Алиса.

— Шутка! — подтвердил Марк. — Но вообще-то в этом нет ничего страшного. Я два раза был женат. Или три. Нет, два. А у тебя что, замужествофобия?

— Наверное, — кивнула Алиса. — Просто меня

раздражает весь этот бред на тему свадьбы. Все эти «жениться — не жениться»... Я, если честно, не понимаю, зачем это нужно.

— Ну, люди хотят жить вместе и подтвердить свои намерения перед богом и людьми... — Марк пожал плечами.

— Да ну, чушь какая-то! — фыркнула Алиса. — Сейчас-то кому нужна вся эта чепуха со свадебными платьями и родственниками из Моршанска? Мне лично совершенно не интересно весь день щеголять в дурацком белом парашюте, целоваться, когда все орут «горько!», и принимать пожелания плодиться и размножаться!

— А как же мои шесть детей? — ахнул Марк.

— О! — Алиса закатила глаза. — Отобьем парочку у Анджелины Джоли! Она, наверняка, уже со счета сбилась!

— Ты хочешь есть? — Марк оторвался от кровати и поискал треники, но не нашел.

— Хочу чаю и сладостей! — оживилась Алиса.

— Сейчас...

Марк вернулся с сервировочным столиком, на котором исходил паром чайник и была навалена куча пакетов с конфетами, печеньем, ватрушками, пирожными с заварным кремом и фруктами.

Оставив Алису со всем этим добром, Марк пошел в ванную, а она нашла у него в дисках «Других» с Николь Кидман и уставилась в телевизор. Думать ни о чем не хотелось — все переживания лучше было отложить на завтра. Или на послезавтра.

Когда Марк вернулся, она уже спала — с половиной булочки на груди и с пультом в руке. Он стряхнул крошки, выключил свет, забрал ноутбук и пошел в кабинет — дописывать очередной детектив, которого так ждали его преданные поклонники. Он был лучшим. Самым популярным, самым богатым, самым интеллектуальным. И ему это нравилось.

 ГЛАВА 4

На следующий день Алиса позвонила ему часа в три и каким-то странным голосом сообщила, что они встречаются вечером, в восемь, в «Ситории» рядом со станцией метро «Аэропорт».

Когда Марик приехал, Алиса уже была в ресторане, на столе красовались устрицы, сашими из угря и набор суши.

— Я хотела завалиться в какой-нибудь шикарный кабак, но поняла, что суши хочется совершенно неудержимо, так что гулять будем на полную катушку! Ни в чем себе не отказывай! Я угощаю! — заявила она.

Глаза у нее светились каким-то нездоровым возбуждением.

— А что случилось? — насторожился Марк.

— Слушай, я слегка не в себе, поэтому проявляй такт и понимание, но я... уволилась! — выпалила Алиса.

— Что? — удивился Марк, впрочем, не очень сильно.

Он никогда не понимал, что за нужда у творческих людей ходить в офис и прозябать там с десяти до шести, как какой-нибудь персонаж гоголевской «Шинели».

Алиса же так одержимо защищала свою работу, свое сложносочиненное отношение к жизни, что несколько его пренебрежительных замечаний растворилось в шуме и ярости, которые Алиса подняла в поддержку какой-то там карьеры и каких-то планов.

— Что случилось-то? — повторил он, зацепив устрицу.

— На-до-е-ло! — по слогам произнесла она и приняла у официанта текилу. — Я счастлива, и мы сегодня напьемся! — провозгласила Алиса.

Правда, ей и так уже казалось, что она пьяна — события сегодняшнего дня ударили в голову. Началось все с того, что она проснулась на полчаса раньше будильника. Общение с Еленой сегодня отчего-то прошло без потерь — та ее не очень мучила, и с утра не было привычной головной боли и усталости. Елена ведь обнадеживала, что она привыкнет — может, и правда, Алиса приспособилась как-то к этим ночным бдениям во сне?

«Пока все человеческое в тебе сопротивляется, но скоро ты будешь ждать наших встреч с нетерпением, они будут тебе в радость», — увещевала Елена, но Алиса, признаться, не верила.

Настоящая магия оказалась испытанием — приходилось так напрягаться душевно и физически, что иногда чудилось, будто она пробежала двадцать километров задорным галопом, а не лежала спокойно в кровати. Мозг словно отказывался принимать странные вещи, которым учила Елена, и все тело ему помогало — мышцы скрючивало, а в висках тяжело стучало. И это при том, что они пока не разучивали никаких заклинаний — Елена просто рассказывала ей о сути вещей, о том, что такое быть ведьмой, что работает, а что нет, и все эти простые слова было очень тяжело понять.

Она тянула из нее душу — жестоко, клещами, с кусками плоти, и Алиса нечеловеческими усилиями зализывала раны, оставшиеся после новых знаний о жизни.

Но этим утром Алисе было необычайно хорошо. Солнце, впервые показавшееся после долгих пасмурных дней, выставило все в новом свете — краски заиграли, наполнили жизнь восторгом и счастьем. В отличном настроении Алиса сварила чудный кофе, нарезала зеленый бри, отломила кусок булки и позавтракала с большим аппетитом, что было ей не свойственно.

Она заехала домой, вывалила из шкафа все вещи и выбрала драпированное черное платье из шелкового джерси, черные замшевые сапоги и огромную красную сумку.

Подумала и отрыла бабушкино пальто с пышным воротником из черной ламы, шляпу с огромными полями, накрасила губы помадой цвета «русский красный» и отправилась на работу. Она выглядела шикарно. Недоступно. Звездой.

В здание издательского дома вошла она примой, но в офисе настроение поскользнулось и рухнуло с высоты собственного роста. О, боже... Как тут уныло! Скучные офисные столы, запылившиеся компьютеры, уродливые сувенирные кружки с логотипами разных компаний... В глазах потемнело. Неужели за этим тоскливым офисом она не видела жизни? Неужели ей казалось, что здесь, в этих грязно-белых стенах, есть что-то такое, ради чего стоит горбатиться до глубокой ночи — задержав дыхание, бережно расходуя кислород, прячась от акул и пугая мелких рыбешек? Неужели этот мрачный подводный мир, куда (за закрытые даже днем жалюзи — чтобы не отсвечивали экраны мониторов) не проникает солнечный свет, — привлекал ее?

Алиса постояла в дверях офиса, и, пока не передумала, не втянулась в какие-нибудь рутинные дела, развернулась, зашла в кабинет генерального директора и сообщила, что увольняется.

Татьяна Бек, дама лет пятидесяти, провела с ней длинную душеспасительную беседу — как и предписывал корпоративный кодекс, так как совету директоров требовалось знать, отчего сотрудники желают покинуть место, но, впрочем, без особенного трепета. В «Глянце» считалось, что любая должность в самом популярном журнале — манна небесная. Поэтому и платили меньше, чем в «Харперз Базаре», и уж тем более меньше, чем в «Воге», а претензий было больше: мол, ты разве не понимаешь, какая это честь — работать в та-а-аком журнале? Осознаешь, какая это важная веха в твоей жизни?

Поэтому Татьяна отпустила ее без истерик и упреков. Попросила отработать неделю, а это значило, что уже есть кандидат на ее место, пожала руку, поблагодарила за сотрудничество и вернулась к текущим делам.

Алиса все-таки вернулась к себе в кабинет, который сейчас казался ей залом ожидания в каком-нибудь третьесортном аэропорту — неприятно, но ненадолго, выписала премии всем сотрудникам, всем авторам определила повышенный гонорар, заказала за счет редакции шампанского, дождалась пяти вечера и собрала коллег в большом зале.

— Девушки! — обратилась она к ним. — Без лишних слов. Через неделю у вас будет новый главный редактор! Я ухожу!

— Куда? — подпрыгнула Катя, корректор.

— Никуда! — расхохоталась Алиса. — Просто мне все надоело!

Девушки, разумеется, смотрели на нее так, словно она заявила, что у нее СПИД — им она казалась больной, ненормальной: разве может нормальный человек радоваться тому, что у него больше нет работы. И какой работы! По большому счету, уход Алисы для всех этих женщин был лишь хорошим поводом для сплетен — надо же чем-то разбавить унылую жизнь среднего офисного сотрудника? Сплетен хватит на пару-тройку месяцев (это в совокупности с назначением нового главного редактора), а потом все станет как всегда — и ссоры арт-директора с обозревателем рубрики «Культура», и шпильки, которыми обмениваются два младших редактора, и ненависть, пропитавшая отношения автора колонки «Дневник блондинки» и автора «Другими словами»... И так будет всегда. Но без нее. Ура!

— Девушки! — провозгласила Алиса. — В течение получаса я принимаю поздравления! У нас есть шампанское за счет редакции и конфеты за мой счет! Налетай!

Вылетела первая пробка из бутылки «Вдовы Клико», зашелестела обертка шоколадного набора «Линдт», все быстро выпили, набили животы и, правда, разошлись через полчаса — веселиться здесь не принято. Веселых пирушек в редакции не закатывали — не умели. Самым «веселым» событием была загородная вечеринка на Валдае, на которую весь персонал вывезли на автобусах — и два дня они умирали от тоски, распевая в караоке «Айсберг» и «А я все летала».

Алиса села в такси и отправилась в «Ситорию» к Марку. Ей хотелось разделить с ним триумф. Не с Фаей, не с Марьяной, а с ним. Она поняла это и сама удивилась — неужели она превратится в одну из этих типичных женщин, которые ценят дружбу, пока у них нет мужчины, а стоит появиться тому, кто не заглядывается на бюсты четвертого размера, не говорит, что мечтает переспать со Скарлетт Йохансон и не корчит презрительные мины, если ты смотришь «Секс в большом городе», то тебе уже никто не нужен — и прощайте вечеринки с текилой в клубах, светлая память спонтанным поездкам в Питер вчетвером, чтобы курить в купе! И ночные посиделки в пижамах до шести утра — чтобы трепаться, пока не упадешь лицом в подушку, никто и не помянет всуе — табу?! Так, что ли, теперь будет? Алиса думала об этом с двенадцати до трех дня, пока не позвонила Марку, потому что всем нутром чувствовала — это должен быть он. Первый человек, который узнает о переменах в ее жизни. Тот, кто примет удар на себя.

Потому что... Файка с Марьяной будут охать, визжать и кричать, что она сумасшедшая — пусть и с одобрением! В общем, будут вести себя так, будто она купила новую машину.

А у нее началась новая жизнь, и это было так важно, что Алиса не готова была к воплям и экстазу, не хотелось, чтобы торжественность момента растворилась в гвалте.

— А ты уволилась так... под настроение или у тебя большие планы? — Марик задал тот самый вопрос, которого она ждала.

— Ща! — пообещала Алиса и слопала три устрицы, поливая их дивным острым соусом. — Уволилась я под настроение, но планы у меня огромные. Только я еще не знаю — какие.

— Ты что, авантюристка? — неожиданно расхохотался Марик.

— В смысле? — насторожилась Алиса и в ожидании ответа набросилась на суши с угрем.

— Ну... — Марик подлил белого вина. — Ты... Я думал, ты зануда!

— Что?! — Алиса стукнула кулаком по столу. — Зануда? Я?

— Мне даже нравилось за тобой подсматривать... — широко улыбнулся он. — Ты с таким видом бросалась к телефону, словно у тебя мама в больнице и ей делают трепанацию черепа. Когда ты засыпала, то думала о работе. Ты просыпалась за полчаса до будильника, а потом опять засыпала — убедившись, что не проспала работу. Когда ты вся в своих журналистских мыслях, у тебя вид, как у голодного бультерьера...

— Хватит! — оборвала его Алиса. — Неужели все так... жутко? Это я? Была я? Как ты вообще на меня запал?

— Ну... У тебя классная задница и большие сиськи... — хмыкнул Марик.

— У меня нет больших сисек! — Алиса шлепнула его по голове. — Ну, честно-честно! Расскажи, какая я прелесть!

— Ой... — поморщился он. — Очень надо?

— Очень-очень! — Алиса затрясла головой.

— Послушай, я познакомился с тобой только потому, что надеялся — с этой уверенной в себе, умной и, в лучшем смысле слова, стервозной девушкой мне не придется тратить время на пустые комплименты и всякие пошлые обещания, — Марк выразительно посмотрел на нее. — Но раз ты настаиваешь, то самое главное — после того, что ты классно трахаешься, хоть безупречной красавицей тебя и не назовешь, и фигура у тебя не то чтобы идеальная...

— Хватит! — воскликнула Алиса. — Давай опустим вступление и сразу перейдем к приторной, лишенной всякого вкуса, вульгарной лести!

— Ладно, — согласился он. — Ты необыкновенная. Кроме всего того, что я уже перечислил, и несмотря на некоторые ничтожные недостатки, ты самая удивительная женщина в моей жизни. В тебе есть... чертовщинка. Что-то необъяснимое. Загадка.

— Должна же быть в женщине какая-то загадка... — пробормотала Алиса.

— Тебе не понравилось? — спросил Марик.

— Ну... Так себе. И это не твоя вина. Лучший комплимент для девушки — бриллиант.

— Ага! — спохватился Марик. — Кстати, тут вот...

Он перетряхнул все карманы, после чего, наконец, вынул коробочку ручной работы — с какими-то веточками и золотой сетчатой оберткой, и передал ее Алисе.

— Купил после того, как ты позвонила. И это просто подарок.

Алиса быстро подняла крышку, не пощадив упаковки, и обнаружила восхитительное кольцо белого золота с бриллиантом карата в полтора.

— О-о... — растрогалась она. — Как это мило... И щедро... Почему?

— Ну, во-первых, у тебя был такой голос, что мне захотелось поднять тебе настроение. А потом, если мы расстанемся, я у тебя его отниму. Так что в твоих интересах не выпендриваться и быть хорошей девочкой. Чаще заниматься со мной оральным сексом и следить за домработницей — она всегда куда-то девает мой второй носок. Ну, и я рассчитываю, что ты не будешь так часто носить свое жуткое кольцо, как у какого-нибудь Вампира Лестата.

Алиса довольно мрачно посмотрела сначала на любимый перстень с черным опалом, который даже в полумраке играл всеми цветами радуги, а потом на Марика.

— Я пошутил! — он поднял вверх руки.

Алиса же надела на средний палец левой руки новое колечко и залюбовалась — камень был потрясающий, чистый и прозрачный, как родниковая вода.

— Спасибо... — она наклонилась и поцеловала его в уголок губ. — Постараюсь чаще говорить тем самым голосом, что вызывает у тебя сострадание.

— Я ограничен в средствах, — напомнил Марк. — Так что можешь зря не стараться.

После ужина они поехали к нему, часа два валялись в кровати, поедая в перерывах между сексом мороженую малину с сахаром, а потом Алиса укатила домой — хотелось побыть одной. Иногда это было необходимо — и Марик все понимал. Не потому, что они недавно начали встречаться — Алиса была уверена, что он всегда будет такой, ведь когда два эгоиста и сибарита начинают встречаться, и когда они еще не понимают, но уже догадываются, что это любовь, они делают все возможное, чтобы не превратиться в одну из этих жутких парочек, которые перестают быть самими собой, и просто встают на накатанные рельсы — совместная квартира, свадьба, немного нервный медовый месяц, который длится неделю, ремонт, дети, загородный дом, а потом вдруг два отдельных человека приходят в себя и, оказывается, что жизнь занесла их по этим самым рельсам так далеко, что не видно уже, где все начиналось, и они пытаются понять, как так получилось, что случайный попутчик стал спутником жизни.

Алиса сначала направилась в квартиру, но передумала и поехала за город.

Она распахнула двери дома так, словно надеялась, что внутри ждет компания, которая встретит ее криком: «Сюрприз!». Но ее встретила тишина, и это Алису лишь больше возбудило. Это был ее дом и ее тишина. Правда, не такой роскошный, как у Лизы — хоть она и видела только квартиру, но уж наверняка у Лизы особняк сказочной красоты.

Алиса плюхнулась на диван и набрала ее номер.

— Лиза! — воскликнула она. — Не спишь? Ага, хорошо... Так вот, я уволилась! Да! Не вру! Давай! Конечно! Прямо сейчас? Естественно! Жду! Пиши адрес...

Минут через сорок у ворот притормозила «Ауди ТТ» небесно-голубого цвета. Добравшись до подъезда, Лиза вытащила с заднего сиденья две огромные сумки, швырнула их Алисе и велела:

— Открывай!

Расстегнув молнии, Алиса завизжала. В сумках были классические костюмы ведьм — остроконечные шапки, длинные черные платья, шали и поло-

сатые, красно-белые носки! Кроме того: фейерверки, миксер для коктейлей, спиртное, лаймы, длинные гирлянды с хрустальными звездами, свечи в
форме тыквы, и прочая хэллоуиновская чепуха. Пока Алиса развешивала по потолочным балкам гирлянды, Лиза смешивала коктейли, а потом они пе-
реоделись, взяли стаканы и вышли на улицу.

— Я научу тебя нескольким простым приемам! —
пообещала Лиза. — Закрой глаза!

Алиса, которая хоть и была изначально не трез-
ва, но от напитка по рецепту Лизы опьянела, как от
рюмки горячего абсента, покорно закрыла глаза и
закинула голову.

— Раскинь руки! — послышался голос Лизы.

Алиса раскинула руки и ощутила, что открыта для
всего. Для всего мира. Ей было легко и приятно —
ни усталости, ни вины, ни страха не осталось.

— Подумай о чем-нибудь хорошем, — распоряжалась Лиза. — О чем-нибудь очень приятном.

Алиса представила себя на острове, на диком пля-
же с белым песком, на который накатывает синее
море, и рядом Марк... Горячее солнце припекает,
ее скрывает тень какого-то тропического дерева, на
полотенце — желтом, толстом, махровом полотенце — холодная дыня, до одури пахнет цветами, водо-
рослями и нагретой землей. Марк — загорелый и го-
лый, они купаются нагишом, отчего все тело дышит
свободой, целуются, и нет никого вокруг...

— Только не волнуйся, — предупредила Лиза. —
Не делай резких движений. Открой глаза...

Алиса открыла глаза и ничего не поняла. Все было как прежде.

— А в чем собственно... — она с удивлением взглянула на Лизу и ее озарило. — А-ааа! — закричала она. — А-ааа! — повторила она, но уже с восторгом. — Не может быть! — и Алиса расхохоталась, отчего перекувыркнулась, испугалась и чуть не упала.

Она висела в воздухе! Как... Как шарик! Парила!

И дело было не столько в том, что она невесома, не в том, что Алиса испытывала ни с чем не сравнимое удовольствие от того, что ее тело — легкое как листок, а от восторга, от счастья, что переполняли ее, и делали все эти пустые для человека сравнения «лечу», «парю», «не касаюсь земли» действительностью, жизнью. Она и правда ощущала все то, о чем человек способен лишь фантазировать — в меру собственного, иногда скудного, временами плодовитого, но всего лишь воображения.

Ей было так хорошо, что жизнь покалывала ее, пощипывала, Алиса впитывала происходящее вдруг ставшей столь восприимчивой кожей, и не было в этой эйфории ничего пугающего, ничего, что можно было бы сравнить с наркотическим упоением, к которому так тянутся слабые люди, готовые жизнь променять на чувство всепоглощающего счастья.

— Дай руку! — сказала Лиза.

Алиса протянула руку, и Лиза потащила ее за собой — чуть выше, и правее, и они сделали круг, вернулись к дому и спустились пусть не с небес, но все же из воздуха на землю.

— Я тебе тут кое-что подмешала, — призналась Лиза, указывая на коктейль. — Но в следующий раз ты сможешь сама. Принцип ты поняла?

Алиса лишь кивнула. Слова казались лишними.

 ГЛАВА 5

— Сегодня будет вечеринка! — возвестила Лиза, напугав Алису, которая еще не выбралась из сладкого сна, где все было лиловым и лазоревым.

За окном смеркалось — дни еще были короткими, хоть уже и ощущалось скорое торжество весны. Сколько же она спала? Наверное, это не имеет никакого значения...

Лиза была в одежде — даже в шубе, но в руках держала кофе.

— Вечеринка у меня дома, за городом. Я живу на Ярославке. Вот кофе, вот адрес, можешь позвать подруг.

И она ушла, оставив после себя душный запах «Шанель № 5» и чашку кофе с молоком.

Алиса хлебнула кофе и позвонила Фае с Марьяной. Новость, что у Алисы теперь есть подружка-ведьма, не очень-то их обрадовала (наверное, Алиса уж слишком ею восторгалась), но любопытство пересилило, и они сказали, что приедут.

К девяти собрались у Алисы. Лиза предупредила, чтобы все были в белом: Фая надела белое шифоновое платье «ампир» от «Версаче», с летящей юбкой до пола, Марьяна — замшевое мини с высокими белыми сапогами, а Алиса выкопала из гардероба потрясающее белое платье от «Азедина Алайи» — музейный экземпляр, который она буквально вырвала из рук Линдсей Лохан, когда прошлый раз ездила в Нью-Йорк на неделю моды. Платье чудом оказалось в одном из модных секонд-хэндов, называвшихся теперь винтажными магазинами, и был скандал, но Алиса пригрозила порвать платье, если оно не достанется ей. Оно было как из книги по истории моды — с разрезами по всему телу, скрепленными шнурками, и облипало Алису, как вторая кожа.

Фая с Марьяной объявили, что она чересчур вырядилась, но согласились, что наряд того стоит.

Они заказали такси — чтобы можно было выпить с чистой совестью, и отправились на Ярославку.

Дом стоял посреди поля, а точнее, на большой и красивой поляне (все прелести пейзажа, правда, можно было оценить только летом) и был такой огромный, что даже Фая, которая отчего-то всегда делала вид, что ее ничем не удивишь (после особняка ее родителей площадью в полторы тысячи квадратов, и правда, трудно было поразить воображение), опешила.

Дворец. Дворец в стиле модерн. Изогнутые линии, широкие и длинные окна. И отсюда еще не видно, что на всем первом этаже со стороны двора — стеклянная стена. Высоченные потолки.

Кованые ворота распахнулись, и Алиса заехала внутрь.

Едва переступив порог, подруги замерли, схватившись за руки. ТАКОГО они еще не видели! На полу лежал белый пушистый ковер. На стенах — от пола до потолка — прозрачные панели, которые выглядели, словно глыбы льда — изнутри их освещали лампы, переливающиеся, как северное сияние. Потолок затянут темно-синим шелком и завешан гирляндами с хрустальными звездами.

Казалось, они попали в чертоги Снежной королевы — ведь самым главным было то, что с потолка падал серебристо-белый искусственный снег. Белые глянцевые столы ломились от океанских яств — омары, крабы, малосольная семга, икра, тигровые креветки в блюдах, вырезанных изо льда... И женщины в белом. Много-много женщин в белом. Все это было похоже одновременно на Миланскую, Парижскую, Лондонскую и Нью-Йоркскую недели моды — прекрасные, стройные, холеные женщины в нарядах от-кутюр, с экзотическими прическами и безупречным макияжем.

— Алиса! — завопила откуда-то Лиза.

Они обернулись и увидели ее — с уложенными, как у японки волосами, в платье с прозрачным верхом и пышной, в десять слоев юбкой, в роскошных бриллиантах.

— Это не бриллианты, а феониты — слишком большие! — улыбнулась Лиза, оценив, с каким интересом гостьи уставились на колье и ободок.

— Фая, Марьяна, — торопливо представила подружек Алиса. — Слушай... Это же... такая красота! — Алиса всплеснула руками. У нее не было слов.

— Развлекайтесь, — снисходительно усмехнулась Лиза. — Я пойду, у меня дела.

И она поспешила из комнаты, шурша нижними юбками.

— Смотри! Смотри! — дернула Алису Марьяна и показала на известную певицу и телеведущую, которая беседовала с пышнотелой блондинкой.

— Не фига себе вечеринка! Кто твоя подруга? Потанин? Прохоров? Абрамович? — бурчала Фая, растерявшаяся не меньше других.

— Вы Алиса? — окрикнула ее шатенка в белом платье, как у Мерилин Монро. — Извините, — она приветливо улыбнулась Марьяне и Фае. — Лиза просила о вас позаботиться. Меня зовут Соня.

— Вы... ведьма? — встряла Марьяна.

— Да, — еще более приветливо улыбнулась Соня. — Я работаю на Лизу.

— А она ведьма? — Фая кивнула на певицу.

— Это наши особые гости, — строго ответила Соня. — Как и вы.

— То есть не ведьма? — уточнила Фая.

— Нет, — Соня покачала головой. — Пойдемте я вам все покажу.

Она провела их по залу, походя представляя гостям, вывела на улицу, где прямо в саду устроили террасу, тоже покрытую белым ковром — здесь стояли низкие белые кресла и газовые горелки, показала пруд, по которому плавали укутанные мехом миниатюрные гондолы, и привела обратно в зал. От такого великолепия у Алисы кружилась голова — она упивалась новыми впечатлениями и возможностями! Эта восхитительная жизнь распахнула перед ней двери, это был ее мир — мир женщин, которые умеют развлекаться по высшему разряду, мир, в котором ты получаешь все только самое лучшее!

— Ну не ...уя себе! — прокомментировала Фая. — Я в экстазе...

Они набрали еды и устроились на террасе. Это было восхитительно — сидеть в тепле, когда вокруг — мрак, сырость и холод.

Только они расправились с креветками, как к ним присоединилась высокая смуглая женщина лет сорока в белых кожаных джинсах и шелковой рубашке.

— Не помешаю? — поинтересовалась она.

Девушки покачали головами и судорожно про-глотили креветок.

— Меня зовут Тамара, я знаю, кто вы, — сообщи-ла она Алисе. — О вас все знают. Я очень любила ва-шу прабабушку — она учила меня магии.

Не успела Алиса открыть рот, как ее перебила Марьяна.

— А что сегодня будет? — спросила она. — Ну, есть какая-то программа, или все просто будут ходить и трепаться?

Тамара вынула из крошечной золотой сумочки мундштук, украшенный бриллиантами, закурила и сказала на выдохе:

— Сейчас мы все наедимся и напьемся, а потом начнется шоу. Лиза устраивает отличные вечерин-ки. Не соскучитесь.

— Да я не об этом! — смутилась Марьяна. — Здесь и так очень здорово! Просто мы никого не знаем...

— А вы выпейте коктейль «Оборотень», — посо-ветовала дама. — Эй! — окликнула она официантку. — Три «Оборотня»! Да, я всех вас приглашаю к себе в среду на пре-парти.

— На что? — не поняла Алиса.

— А! — Тамара хлопнула себя по лбу. — Ты же не в курсе! Все вы, наверное, знаете... — она вниматель-но посмотрела на каждую, — что тридцать первого апреля на Лысой горе состоится шабаш ведьм. Ну, и весь апрель идут предварительные вечеринки. Моя — в среду.

— А это тоже... — Фая покрутила рукой.

— Нет, это просто вечеринка. Лиза устраивает свою пре-парти в пятницу. Приходите, будет весело.

Она порылась в сумочке и вытащила три крошечных ключика из горного хрусталя.

— Это пропуск, — сообщила она.

Подоспевшая официантка поставила на стол три синих коктейля, внутри которых что-то мерцало.

— Ура! — провозгласила Тамара. — Пить нужно залпом.

Они не без труда одолели пол-литровые бокалы, но едва стаканы вернулись на стол, как вся троица почувствовала — что-то изменилось. И это не спиртное ударило в голову, хотя его было немало, но вдруг они ощутили себя, как дома, словно в кругу ближайших друзей, и все лица сделались такими знакомыми, такими любимыми, и все стало так просто, что даже невообразимая роскошь больше не удивляла — все казалось само собой разумеющимся, как пицца и текила на обычных девичниках. Фая вдруг бросилась дружить с известной певицей, Марьяна увлеченно обсуждала мужчин с красоткой Устиньей, а Алиса хохотала над шутками дамы средних лет в брючном белом костюме, которая владела безумно дорогими SPA-центрами, где в среднем процедура стоила тысяч двадцать рублей. От клиентов, кстати, отбоя не было. И вдруг погас свет. Кто-то кому-то наступил на ногу, у кого-то разбился бокал, кто-то врезался в стол, но только улеглась первая суматоха, как вспыхнули звезды, спустившиеся с потолка, грянула музыка, и все увидели сцену, что скрывалась за белыми драпировками, которые Алиса первоначально приняла за шторы.

Шоу позавидовал бы «Мулен Руж» — Соня шепнула Алисе, что костюмы заказывали нарочно для этой вечеринки, а танцоры — международные звезды стриптиза.

Это была феерия. Не банальное кабаре — нет. Стриптиз высокого полета, не утративший животной сексуальности, драйва полубордельных заведений — чувственный, грубоватый, но роскошный — и благодаря дорогим декорациям, и благодаря немыслимому мастерству танцоров и танцовщиц.

Все бросились в пляс — дамы в облегающих платьях, дамы в кринолинах, дамы в узких джинсах и пышных юбках, а с потолка сыпались серебристые блестки, и взрывались хлопушки, и ревела музыка... После стриптизеры выплясывали на столах, большинство дам бросались в бассейн с подогретой водой — нуждающимся выдавали белые бикини, а Алиса с Фаей и Марьяной до истерики катались с водяной горки. Перед самым рассветом в небе заполыхали фейерверки — и это продолжалось целый час. Небо взрывалось синими, золотыми, зелеными и красными искрами, и это было красиво так, что пробирало до печенок, а потом все встречали солнце — с недоверием глядевшее на девичник из-за серого облака, а потом пили чай и глинтвейн на террасе — всем, кто купался, выдали толстенные белые халаты до пола и белые тапочки из овчинки.

После чая с пирожными начали прощаться — Алиса с подругами уехала одной из первых — не хотелось в толпе растерять впечатления.

Они уже почти добрались до дома, когда Марьяна, наконец, подала голос:

— Ну и ну...

А Фая подтвердила:

— С ума сойти можно! Алиса! — воскликнула она. —

Я тебе завидую! Это просто... — и добавила длинную тираду из выражений в превосходной степени, к сожалению, трижды нецензурных. — Я просто переварить не могу, что это все теперь твое — эти женщины, эти вечеринки, дома... Откуда они все берут деньги?

— Забыла предупредить! — спохватилась Алиса. — Я уволилась.

— А?! — девицы попытались одновременно перелезть с заднего сиденья на переднее, но столкнулись лбами.

— Отвали, корова! — зашипела на Фаю Марьяна.

— Сама корова! — обиделась Марьяна. — Куда прешь?!

— Как это уволилась? — возмутилась Фая. — На что ты будешь жить? Или у вас деньги на деревьях растут?

— Что-нибудь придумаю... — ответила Алиса. — Девочки! Вы хотя бы понимаете, что происходит?

— С трудом... — призналась Марьяна. — Но мне это нравится!

На следующий вечер Алису растолкала Фая. Она возбужденно махала руками и убеждала ее, что им срочно нужно куда-то собираться, но та отмахивалась и уверяла, что никуда не поедет, пока Фая не заткнется и не сделает ей кофе.

Наконец, Алиса встала, спустилась вниз и застала подружек за поеданием сладкого пирога, который кухарка приготовила вчера.

— Обадено оа утя отовит! — с набитым ртом похвалила Марьяна. Она потянулась за чашкой с кофе и выпила всю. Чашка была Алисина.

Алиса закатила глаза, сделала новый кофе, и тут

же почувствовала зверский аппетит. Несмотря на диеты, они втроем сожрали противень пирога, заполировали его супом-пюре из тыквы, выпили по рюмке коньяку, и тут Фая напомнила, что звонила Лиза и приглашала в город на встречу.

— Как-то она выразилась... — с трудом вороча языком, произнесла Фая. — Просто встреча, или деловая встреча... Или что-то вроде деловой встречи... В общем, нам всем нужно надеть черное.

Час они толкались у Алисиного гардероба, рвали друг у друга из рук вещи — и замечания Алисы, что шкаф ее, одежда ее, и именно она наденет черные джинсы-дудочки, не действовали.

— Не надо было задницу наедать! — Фая топала ногами. — Ты в них не влезешь! А у тебя ноги короткие! — она пихнула в грудь Марьяну, которая чуть было не воспользовалась Алисиной растерянностью.

Наконец, с помощью хитроумной интриги Алиса вытолкала девиц за дверь, закрылась в гардеробе и надела, наконец, джинсы, черную драпированную кофточку от «Персонаж», высокие ботинки на шнуровке и короткую дубленую безрукавку. Дополнив наряд поясом с металлическими пластинами, шарфом из вязаной норки и массивными серебряными цепями, она запустила девиц, которые, в конце концов, тоже что-то для себя нашли. Правда, Марьяне платье было велико, а Фая нацепила юбку, которая ей была маловата, но главное, что все в конце концов остались довольны.

В город они приехали часа через полтора — в «Миа Пьячча» уже все собрались. Алиса и сама опешила от такого количества девушек в черном — человек двадцать, а что уж говорить об официантах и посетителях. Наверное, они решили, что стали свидетелями сборища сатанистов — особенных таких сатанистов, с черными стегаными сумками от «Марка Джейкобса» и от «Ботегга Венетта», в тряпках от «Гальяно» и «Готье» и в сапогах из бутика «Парад». На многих дамочках из их компании были шляпы — таблетки, береты, тюрбаны, украшенные дорогими брошами, ковбойские и широкополые, как на девушке в имидже Джейн Биркин — с одноименной сумкой, разумеется, из черного крокодила.

Сюрреалистическое зрелище. Но еще более странными были разговоры.

— Уникальная концепция! — убеждала девушка с темно-русыми прямыми волосами до плеч. — Торговый центр для одиноких девушек. Все только для себя любимой! Три этажа, зимние садики для курения, вегетарианский ресторан, два японских, три французские кофейни, салон красоты, SPA-салон, маникюр-бар, «Лаш», «Бодишоп», сестры Лемм согласились открыть свой бутик, потом эта фирма, у которой все кремы пахнут тортиками, броу-бар, в каждом косметическом магазине — визажист, на цокольном этаже спорт-клуб, и только женская одежда — никаких мужчин, ни детей! Ни в коем случае не семейный отдых — только женщины!

— И где? — поинтересовалась дама с короткой стрижкой.

— На Тургеневской площади, — гордо возвестила деловая девушка. — Будем сносить уродливое офисное сооружение.

— Круто! — подала голос Лиза. — Инвесторы не нужны?

— Можешь взять в аренду площадь до трехсот квадратов, — зыркнула на нее девица.

— А мы открываем загородный курорт! — возвестили две близняшки с рыжими кудрями. — Будет выглядеть как поместье, все под старину, кровати с балдахинами, камины... Курорт только для расслабления — йога, бассейн, массаж, термальные ванны, шоколадные и клубничные обертывания, психолог, два кинозала, кислородное обогащение, фреш-бар, — тараторили они. — Царство гедонизма!

Алиса, открыв рот, слушала этих хрупких, изящных девушек, которые замахивались на дорогие и рискованные проекты — и у них ни малейших сомнений не было в том, что они могут провалиться. Казалось, они обсуждают планы на вечер — сходить в кино или поехать на танцы, а не многомиллионные вложения.

Алиса упивалась тем, что она — одна из них, что спустя некоторое время и она вот так скажет: открываю... тут Алиса впала в ступор... открываю что-нибудь высококлассное!

Они посидели еще часа два и разошлись — встреча, как поняла Алиса, была исключительно деловой: девушки обменивались советами, договаривались о проектах и, главное, решали, кто чем занимается — чтобы не было повторений.

Алиса с подругами отправились в ресторан Марьяны — выпить еще коктейлей и обсудить увиденное и услышанное.

— Да-а... — протянула Марьяна. — Мне бы такие возможности... Алис, ты по дружбе не могла бы очаровать кое-кого из администрации округа? А то у меня с перелицензированием проблемы — я до сих пор зарегистрирована как магазин! Не этот ресторан, а тот, который на Китай-городе.

— Слушай, ну а у тебя уже есть идеи? — вцепилась в Алису Фая.

Алиса покачала головой. Странно. Ее очень возбуждало все то, что она видела, но до сих пор эта жизнь казалась ей ненастоящей. Все было, как в сказке — так легко, красиво, что она никак не могла поверить, что так бывает. Все эти женщины... ведьмы, их дома — правда, до сих пор она видела только дом Лизы, но этого впечатления ей надолго хватит, их одежда, лица без возраста, успех... Алиса не могла поверить, что она — часть этой блестящей жизни. Как так? Вчера она тянула лямку в журнале, а сегодня взмывает в воздух? Груз прошлого и страх настоящего тянули вниз — она сомневалась, что и у нее все будет так же чудесно.

Алиса попыталась объяснить все это подружкам, но те ее высмеяли.

Особенно Фая. Наверное, из Фаи получилась бы лучшая ведьма, чем из Алисы. Фая на них похожа.

— Алиса, брось! — увещивала ее Марьяна. — У тебя такие возможности, а ты куксишься! Как так можно?

Но Алиса уже устала и от впечатлений, и от уговоров — она попрощалась с девицами и отправилась домой.

Она ни разу не произнесла это вслух, но ей было страшно. Когда все только начиналась и все было намного хуже, она так не боялась. У нее не было выхода, а сейчас вроде бы столько возможностей, но она не в состоянии сделать первый шаг... Что-то ее смущает. Где-то тут есть подвох. Где? Алиса искала, но не нашла. Может, это в ней самой подвох? Может, она просто... ссыкло?

В конце концов ей надоело копаться в себе — она схватила книжку Маши Царевой, которую давно и преданно любила, и отправилась в кровать.

ГЛАВА 6

Проснулась Алиса в мрачном расположении духа. Елена приступила к заклинаниям и задала Алисе домашнее задание, с которым, подозревала ученица, ей не справиться не то чтобы до вечера, а до следующего года. Легко сказать — приготовить зелье дружбы! Суть в том, что, выпив это зелье, ты вдруг становишься любимцем публики, но есть нюансы: изготовить его нужно без побочного эффекта — выпадения волос, которого легко добиться, переложив банальный лимонник. Лимонник, чтобы облегчить взвешивание, лучше бы растолочь, но толочь нельзя, так как испаряются эфирные масла — нужно резать на крошечные кусочки очень острыми ножницами — ни в коем случае не ножом, и еще необходимы сверхточные весы.

Невыспавшаяся Алиса поехала в город, в хозяйственную лавку, которую рекомендовала ей Лиля.

Магазин находился в Бобровом переулке и выглядел как обычный малобюджетный антикварный. В витринах — всякие там чайники, кастрюли из латуни, ступки, прялки, котелок, серебряные приборы...

Отличался магазин лишь тем, что в нем не было

ни дурацких витражных абажуров, ни замшелых шкатулочек неизвестно для чего, ни дешевеньких украшений с блеклыми рубинами. Тут все было отполировано до блеска и на антиквариат, если честно, не очень-то походило.

— Добрый день! — послышался голос из-за ширмы с шикарными вышитыми цветами.

И навстречу Алисе вышла дама в прямых облегающих джинсах, в цветастом платье-халате от «Персонаж» и в изумительных кожаных сапогах — простых, как веллингтоны, но до невозможности изящных.

Алиса, на которой как раз была дивная кофточка с драпировками от «Персонаж», тут же почувствовала к хозяйке доверие. Будто они были членами одного тайного общества. Хотя они и были. Ведьмами.

— Чем могу помочь? — поинтересовалась хозяйка, с любопытством оглядев Алису.

— Мне нужны хорошие и точные весы, — сообщила та.

— Насколько точные? — прищурилась хозяйка и закурила.

Алиса вздрогнула — она не привыкла, чтобы в магазинах курили. Хотя... Это же ее собственный магазин — почему бы хозяйке не закурить?

— Настолько, чтобы приготовить зелье дружбы.

То ли ей показалось, то ли в глазах у владелицы лавки мелькнуло удивление.

— Это сложное зелье, — после небольшой паузы заявила она. — И вам нужны хорошие весы. Дорогие.

Алиса пожала плечами. Женщина попросила подождать, скрылась в глубине магазинчика, а минут через пять вернулась с небольшими — десять на пятнадцать сантиметров — латунными весами. Они были очень красивые — блестящие, с изящной гравировкой и хорошенькими гирьками.

— Я бы рекомендовала эти, — хозяйка поставила весы на прилавок. — Не то чтобы они лучшие, но у вас гарантированно будет запас точности. Дешевле я бы не рекомендовала — вы же понимаете...

— Отлично! — улыбнулась Алиса. — Сколько с меня?

— Девяносто тысяч рублей, — безмятежно ответила хозяйка.

— Что?! За весы?! — воскликнула Алиса, у которой во рту пересохло.

Не может быть! Почти три тысячи евро за какие-то весы?!!

— Извините, но они столько стоят, — растерялась хозяйка. — Весы, наверное, самая важная вещь после таланта. Я даже не буду вам предлагать более дешевый вариант — это противозаконно, если, конечно, вы действительно собираетесь варить зелье дружбы.

— Да-да... Простите... — пробормотала Алиса. — Я просто не ожидала... Где здесь ближайший банкомат?

— Мы принимаем кредитные карты, — хозяйка зашла за прилавок.

Алиса смутилась. Вот глупость! Отчего-то ей показалось, что в магазине, переполненном стариной, нет и не может быть аппаратов для кредиток. И считают тут на счетах! Касса, правда, была обшита красным деревом — видимо, это ее и сбило с толку.

И уже через десять минут Алиса выходила из магазина, держа в руках весы, упакованные в пенопластовые шарики, в золотистую хрустящую бумагу и коричневую коробку, обшитую дерматином.

Она все еще не могла прийти в себя от потери девяноста тысяч — это надо же!..

Вернувшись домой, Алиса поставила весы на стол и уставилась на табло, которое состояло из миллиарда крошечных делений. Тут все было не так, как принято — маленькие стрелки надо было подкрутить на нужные цифры — граммы, положить на чашу порезанный на крошки лимонник и следить за большими стрелками, которые бегают с позиции «много» и «мало» до «правильно».

После танцев с пинцетом — Алиса то убирала, то добавляла щепотки травы, — стрелка, наконец, остановилась на «правильно». Алиса вытерла пот со лба, взвесила еще тридцать семь компонентов — на это ушло два часа, добавила три капли яда гадюки, кровь летучей мыши, воды, настоянной на коре анчара, три столовые ложки уксуса, имбирный отвар, розовое масло и бросила в получившуюся смесь свой волос.

«Интересно, это ничего, что он крашеный?» — задумалась Алиса, но сомневаться было поздно. Тут-то она и поняла, отчего на кухне была печь — настоящая печь, с чугунной плитой и духовкой. Раньше она думала, что это лишь деталь интерьера. Поставив зелье томиться, Алиса плюхнулась в кресло и ощутила, что выжата, как лимон. Или как этот злосчастный лимонник. А ей еще и заклинание читать. Правда, через час — когда зелье дозреет.

Заправившись для храбрости виски, Алиса решила провести ревизию — взяла книгу «Магия Высшего уровня» (что уж тут мелочиться?), открыла отдел

«Инвентарь» и сверила имеющиеся в наличии предметы с необходимым набором профессиональной ведьмы. Да-а... Не густо. Все какое-то старенькое и не очень качественное. Но если она решит сейчас обновить парк ступок и всяких там котлов, то на это уйдет не меньше десяти тысяч долларов! Офигеть! А у нее на счету, может, и есть тысяч пятнадцать — то есть после покупки весов уже двенадцать, но это золотой фонд, на крайний случай — а сейчас и есть тот самый крайний случай, она ведь безработная! Ладно, хватит с нее весов! Для начала.

Вынув зелье и прочитав заклинание, Алиса разбавила смесь родниковой водой — отчего настой запузырился, страшно ее напугав, но в итоге приобрел красивый, жемчужно-розовый оттенок. С помощью изысканной серебряной воронки Алиса перелила его в темно-коричневую бутыль, закупорила и отнесла в подвал.

Но только она поднялась наверх и размечталась о сытном ужине и десерте с яблочными цукатами — зазвонил телефон.

— Да! — недружелюбно рявкнула Алиса.

— Могу позвонить позже, — заявил Марк.

— А, это ты! — обрадовалась Алиса.

Как она могла начисто забыть о нем? Что за бред?!

— Ты пропала, я волновался... — коротко отчитался Марик.

— Я... — запнулась Алиса. — Прости! Я тут что-то после увольнения угорела. Загуляла с девчонками...

— Да я только рад за тебя, — отозвался доброжелательный-доброжелательный Марик.

— Скажи, ты не хочешь приехать ко мне сюда? — сообразила Алиса.

— Куда — сюда?

— На дачу, — пояснила она.

— Хочу... — задумался Марик. — А там у тебя не очень... по-дачному?

Марик был типичным городским жителем — комаров и всяких там жуков опасался больше, чем глобального потепления и Третьей мировой войны, а дачная мебель в стиле ИКЕА угнетала его больше перспективы работать в офисе с восьми до шести и носить костюмы фабрики «Большевичка».

— Не очень! — развеселилась Алиса. — У меня тут скорее усадьба!

— Уговорила! — оживился он. — Давай адрес!

И только повесив трубку, Алиса догадалась, что он звонил ей на домашний. На усадебный домашний телефон. Странно. Она разве давала ему номер? Она и сама его не знала — номер был записан черт-те где, на какой-то бумажке...

На следующий день Алиса проснулась в нормальном настроении, что удивило и обрадовало ее — ни эйфории, ни усталости. Все как обычно.

Они с Марком прогулялись, но он испортил ботинки, вляпавшись в талую грязь, и пришлось быстро возвращаться домой, пока Марик не разразился обвинением в адрес загородных домов, загородных прогулок и людей, добровольно выбравших тоскливую загородную жизнь. Едва они вошли в гостиную, зазвонил мобильный, который Алиса оставила дома.

— Что ты там делаешь? — заорала Лиза.

— Позволь спросить, почему тебя это интересует? — осадила ее Алиса.

Пришлось подождать, пока Лиза это проглотит.

— Да потому, что я тебя жду! — тем же тоном ответила Лиза.

— Лиза... — вкрадчиво обратилась к ней Алиса. — А зачем ты меня ждешь? Ты ничего не путаешь?

Лиза задумалась.

— Ой, я дура... — простонала она наконец. — Алис, я что, все-таки тебе вчера не позвонила?

— Гм... — ответила Алиса.

— Слушай, в среду ведь тусовка у Тамары, так что нужно за платьями заехать. Ты когда сможешь быть в ГУМе?

— Лиза, не сходи с ума! В ГУМе я смогу быть послезавтра, платьев у меня целый шкаф, так что выкручусь.

— Не-не-не... — запричитала Лиза. — Так не пойдет! Это костюмированная вечеринка и платья нужны особенные.

— А где это ты в ГУМе видела особенные платья для костюмированной вечеринки? — усмехнулась Алиса.

— У мадам Нитуш, конечно! — удивилась Лиза. — А! Ты же не в курсе... Ладно, приезжай, я тебе все покажу. И никакого «послезавтра» — уже сегодня вечером ничего приличного не останется. И девкам своим позвони!

Алиса пожала плечами и, пообещав себе убить Лизу, если все это окажется какой-то глупостью, позвонила Фае и Марьяне.

К Первой линии они прибежали в половине седьмого.

Лиза уже ждала их.

Они поднялись на второй этаж и остановились

перед магазином, витрины которого украшали манекены в стиле «Фоли Берже» — звездочки на сосках, перья на голове, высокие каблуки. Что там, за витриной, видно не было — зал скрывали черные бархатные портьеры с красной вышивкой «Мадам Нитуш».

Что-то раньше Алиса не замечала этого бутика — хотя перечислить все магазины в ГУМе могла, не приходя в сознание.

— И что? — послышался сзади голос Марьяны.

Алиса обернулась.

— Что «что»? — буркнула она.

— Куда идти-то? — уточнила Марьяна.

Алиса решила, что та не готова принять участие в настоящем маскараде, вот и куксится. Ясно же куда идти — в магазин Мадам Нитуш.

Но тут Лиза расхохоталась.

— Простите, девчонки! — она приложила руку к груди.

После чего подошла к Фае с Марьяной, провела у них перед глазами рукой, и тут Алиса впервые увидела то, что называют «глаза на лоб полезли». Фая и Марьяна таращились, тыкали пальцем в витрину и выдавали странные звуки, вроде «ы-ы».

— Девочки... — прошипела Алиса. — Вы заболели?!

Лиза дернула ее за рукав, но Фая уже бросилась к ней и понесла околесицу.

— Я бы в жизни... Ремонт... Охренеть!

— У них, как и у всех людей, на глазах была пелена, — тихо пояснила Лиза. — Они видели обычные витрины с перетяжками «Идет оформление витрин. Скоро открытие». Нам не нужно, чтобы в наши магазины наведывались посторонние.

В конце концов девушки немного успокоились, и Лиза решила, что они готовы к посещению бутика Мадам Нитуш.

На двери был звонок. Лиза уверенно позвонила, некто оглядел их в глазок, и вскоре тяжелая дверь открылась. Их встретила тощая дамочка в черном платье ниже колен.

Лиза что-то втолковывала дамочке, а девушки с трудом сдерживали биение сердец — это был магазин мечты. Роскошный мраморный пол скрывали ковры ручной работы, повсюду были расставлены кресла, пуфики, столики, на которых гостей ожидали лимонад, конфеты, восточные сладости. Но главное — столько роскошных вечерних платьев они не видели ни разу в жизни! Ни разу. С огромными юбками, вышитыми бисером, и золотом корсетами, черные, отделанные стеклярусом, серебристые с перьями, блестящие с рукавами «летучая мышь»... И невозможно было определить, из какой они эпохи — такая роскошь не имеет возраста!

— Лиза! — воскликнула дама, появившаяся из боковой комнаты. — Моя лучшая покупательница!

— Уж куда мне! — сконфузилась Лиза. — Здравствуйте, Мария! Познакомьтесь, это Алиса, Фая и Марьяна. Нам всем нужна ваша помощь!

— Вечеринка у Тамары? — догадалась Мария Нитуш.

— Да, — важно кивнула Лиза.

То ли Алисе почудилось, то ли на лице хозяйки и правда промелькнула досада.

— У вас уже есть идеи? — поинтересовалась она через секунду с самой любезной улыбкой.

Лиза развела руками.

Часа через два они сидели, заваленные ворохом

платьев, в состоянии, близком к умопомрачению. Органза, шифон, тафта, атлас, бархат, сатин... Блестки, стразы, стеклярус, бисер, вышивка...

К счастью, Мария вовремя взяла ситуацию под контроль и предложила Алисе на выбор два платья: черное, с перьями и светло-серое, с пышной нижней шелковой юбкой и тремя или пятью верхними — из шифона. У платья был шикарный лиф, расшитый серебром, и один короткий рукав.

Алиса выбрала его — ее окутал туман дымчатой материи, очаровала элегантная роскошь. Фая предпочла экстравагантный компромисс между японским кимоно и пышными кринолинами, а Марьяна вцепилась в нечто мерцающее, света утреннего неба.

Мадам Нитуш всем раздала бумажки, и, когда Алиса заглянула в свою, у нее перехватило дыхание. Этого не может быть! Половина ее скромного состояния! С таким образом жизни скоро ей придется торговать фамильными драгоценностями...

Под шумок она оттащила Лизу в укромный уголок и прошептала:

— А нельзя взять его напрокат?

Лиза посмотрела так, словно Алиса предложила расплатиться своим телом.

— Определенно нет, — отрезала она.

Настроение испортилось. Еще один закрытый клуб миллионеров, в котором принято покупать платье за шесть тысяч долларов, чтобы надеть его один раз и похоронить в гардеробе. Ха-ха...

Воспользовавшись тем, что Фая отсчитывает деньги, Алиса решила посоветоваться с Марьяной.

— Слушай, а это не слишком дорого для одноразового платья?

Марьяна пожала плечами.

— Но оно ведь такое... — Марьяша закатила глаза. — Упоительное! Разве можно отказаться? Тем более у девушки должно быть хоть одно платье от-кутюр, разве не так?

Алиса понурилась. Вот... Опять она неудачница. Она зарабатывала в месяц шесть тысяч долларов — совсем недавно ей казалось, что это очень много, а сейчас она отдаст свою зарплату на платье, и неизвестно еще, что ждет ее впереди.

— Эй! — Лиза хлопнула ее по плечу. — Тебе нужно просто купить его! Живем один раз!

Ей что, заказать теперь герб с этим девизом? И повесить над камином? Благо каминов хватает...

Алиса купила платье — деньги жгли ей пальцы, забрала коробку, перевязанную шикарным кружевным бантом, и поплелась за девицами, которые трещали без умолку, чем страшно ее раздражали.

— Завтра в девять у меня, — распоряжалась Лиза. — Я уже договорилась с визажистом и парикмахером.

И тут Алиса поймала себя на дивной мысли — больше всего на свете ей хотелось двинуть Лизу коробкой с платьем по голове (больно не будет, зато даст фору в несколько минут) и броситься прочь. Но она была на каблуках, кругом стояли лужи, переулки здесь, в отличие от остальной кривоколенной Москвы, были прямые и отлично просматривались.

Но она с таким отчаянием мечтала скрыться от всех, влезть в старые шерстяные носки, нацепить удобный и растянутый велюровый костюм, спрятаться за книжкой и лопать бутерброды с томатным соком!

Поэтому она молча доехала до Марьяны, пересела в свою машину и услышала изумленный окрик Фаи:

— А платье?!

Схватила коробку, кинула ее на переднее сиденье, что-то пробурчала на прощание и рванула за город.

Это ловушка. Или она — параноик. Наверное, ей надо сдаться хорошему психиатру, который уложит ее в дурдом, где главной заботой будет не заснуть под душем.

Весь мир... Блестящие перспективы... Все так чудесно, а она несчастна! Наверное, она трусиха. Наверное, она на всю жизнь останется бедной девочкой Алисой Трейман, которая завидует одноклассникам и считает себя хуже всех. И хуже, и лучше. Наверное, такие, как она, становятся литературными критиками, отращивают толстую задницу, которую неумело скрывают под хипповыми лоскутными юбками до пола, купленными где-нибудь во «Фрик-Фраке», украшают себя червленым серебром и носят в кошельке портрет Достоевского.

Они живут в своем маленьком иллюзорном мире, до дрожи влюбляются в Евгения Онегина или Андрея Болконского, соперничают с Анной Карениной или Элен Курагиной, дружат с Сэлинджером и созваниваются с Фитцжеральдом.

Она бы справилась с такой жизнью.

А вот с вечеринками, ради которых нужно выряжаться в платья за шесть тысяч долларов — вряд ли.

Потому что одно дело — мечтать, а другое дело — превратить свои мечты в реальную жизнь. Не все к этому готовы. И, возможно, она из этих самых — неготовых.

Дома она надела и носки, и самый старый костюмчик от «Джуси Кутюр», но удовольствия не поймала. Над головой нависла угроза завтрашнего праздника, и расслабиться никак не получалось.

Алиса поплелась в библиотеку, нашла аж целых три тома, посвященных унынию, и приготовила настойку на березовом соке и слюне тропической жабы для улучшения настроения. Конечно, это все временно. Но все-таки туман рассеялся — настроение ползло вверх, новая жизнь уже не казалась такой мрачной, а скорая вечеринка представлялась настолько заманчивой, что Алиса померила платье. И замерла.

Конечно, в примерочной она уже все это наблюдала, но это было где-то шестнадцатое платье из тех, что она мерила — глаз замылился, к тому же под боком вопили Фая с Марьяной. И она, видимо, не сразу поняла, как это красиво. А может, всему виной зелье.

Так, наверное, выглядят ангелы. Алиса открыла ларец с драгоценностями, надела колье из бриллиантов, розовых турмалинов и лунного камня в белом золоте, и поняла, что она — самая красивая женщина в мире.

Женщины должны ТАК выглядеть. Права была Марьяна — должно быть хотя бы одно такое платье, — чтобы не забывать: мы несем с собой красоту. Для женщин создают такие шедевры, женщин украшают бриллиантами, женщины предпочитают рыбу в медовом соусе сосискам с жареной картошкой!

Алисе захотелось блистать, покорять, удивлять и убивать красотой!

Она кружилась по комнате, пока не сбила развевающейся юбкой чашку с чаем, переполошилась —

зря, на платье не попало, но все-таки решила отложить триумф до завтрашнего дня. Платье вернулось в коробку, колье — в сундук, а Алиса влезла в носки и попыталась вообразить, какую прическу ей сделает завтра известный парикмахер.

ГЛАВА **7**

Лиза заказала лимузин. Шикарный, просторный, с шампанским. И не зря — в таких-то платьях невозможно было бы тесниться в машине. И с такими прическами. Им бы позавидовали все модели на свете — ни на одном показе мод ни у кого не было таких шедевров. Алисе волосы уложили ровными блестящими волнами, скрепили на затылке в хитрую завитушку, которую удерживали серебряные шпильки, украшенные горным хрусталем и черными феонитами — Лиза одолжила — откуда они локонами спускались на плечи.

Фая любовалась укладкой в японском стиле — под стать платью, а Марьяна с недоверием разглядывала выпрямленные волосы — ее буйные кудри лежали ровными прядями!

Ехали довольно долго — на Рублевке, как всегда, были нечеловеческие заторы, а тащиться им надо было за Николину Гору. Казалось, что эта злосчастная гора находится где-то под Питером — они плелись со скоростью километров двадцать в час.

Но наконец водитель свернул налево, Алиса приоткрыла окно и увидела еловые лапы, потом еще два раза направо, гудок, последний рывок — и лиму-зин остановился. Водитель помог им выйти, и Али-са оглядела старинное поместье — отреставриро-ванное и впечатляющее.

Парадный вход с колоннами, мезонин, два эта-жа, галерея, два просторных крыла. Ого-го! За Ли-зой они прошли к подъезду, и дверь немедленно от-крыла классическая горничная — только фартук на ней был не белый, а черный. Она проводила их в зал, и Алиса не удержалась — ахнула. Высотой в два этажа, просторная комната была затянута черным бархатом, шелком и шифоном! Все: потолок, стены и пол покрывал черный блестящий гранит. Встре-чался и мерцающий черный материал, усыпанный серебряными блестками, — он переливался между бархатными и шелковыми складками, создавая не-обыкновенный эффект. Скатерти, ниспадающие на пол, были из черного блестящего сатина, с черной же вышивкой — невообразимый шик, а все розы, ук-рашавшие столы, оказались темно-бордовыми, поч-ти черными. У столов стояли черные бархатные стулья в стиле рококо с черными лакированными спинками. Стекла в окнах заменяли зеркала, а зал освещали свечи в огромных канделябрах из черно-го мармора.

— Ой-ей-ей... — прошептала за ее спиной Фая. — Вот это да...

Ледяное царство Лизы уступало этому торжеству черного — такой готический будуар высотой в во-семь метров и площадью метров в двести невозмож-но было вообразить!

У Алисы из головы тут же вылетела и вчерашняя депрессия, и разнос, который ей устроила Елена, —

Алиса так сосредоточилась на лимоннике и точном весе, что забыла добавить в зелье дружбы толченый тигровый зуб...

Ради таких вечеринок стоило жить!

На черном фоне дамы в вечерних платьях сверкали, как бриллианты — комната была лишь оправой женской красоты, мастерства лучших портных и драгоценностей. Дамы блистали, восхищались друг другом, обсуждали последние недели моды, церемонию Оскара — точнее, платья звезд, последние тенденции макияжа — словом, милые женские темы, о которых с неиссякающим вдохновением можно говорить бесконечно.

— Да-а... — выдохнула Алиса. — А я-то думала, зачем ей такой большой дом!

— Тебе тоже придется прикупить особнячок побольше, — заметила Лиза. — В твоем не развернешься.

Алиса с благодарностью посмотрела на подружку. Отличная мысль! Новый дом, новый интерьер — и все только самое лучшее! Здесь, в затянутой бархатом зале, так легко было фантазировать о домах, вечерних платьях, новых друзьях и новых увлечениях!

Ура! Какое счастье, что она тут, с ними!

Едва они расселись, на сцене появилась Мери Джей Блидж и Баста Раймз, которые спели несколько песен вместе и несколько по отдельности.

Когда подали десерты и дежестивы, внимание публики привлекла Дита Фон Тиз, исполнившая сольную танцевальную программу, а уже после этого на сцену явилась Кайли Миноуг со всем своим кордебалетом. Столы быстро убрали, а из смежного зала показалась толпа молодых людей в смокингах — они разобрали дам, и начались танцы.

Так весело Алисе не было ни разу! Она танцевала, пока не оттоптала все ноги, отпустила кавалера, рухнула на диван и чуть не раздавила даму в странненьком туалете из последней коллекции «Валентино».

Недалеко от них Фая извивалась в объятиях партнера — она явно чересчур увлеклась Дитой, зарядившей зал сексуальной энергией.

— Подумать только! И кто ее сюда пригласил? И не постеснялась ведь! — фыркнула дама.

Алиса с недоумением воззрилась на единственную здесь женщину с дурным настроением.

— А что? — спросила она.

— А то! — невежливо отрезала дамочка. — Она же не ведьма? И подружка тут у нее имеется... — блюстительница порядка прищурилась, выискивая в толпе Марьяну, но не нашла. — Тоже не ведьма!

— И что? — опять спросила Алиса.

— А то, что здесь не должно быть обычных людей! Это все-таки особенная вечеринка в канун Вальпургиевой ночи! Иногда мы, конечно, приглашаем людей, это необходимо, но исключения делают для важных персон, а не для всяких прощелыг, и уж тем более не на таких вечеринках! Чушь! Такого уже сто сорок шесть лет не бывало!

— Это мои подруги, — холодно произнесла Алиса.

— Так это ты притащила их сюда?! — с такой злостью прошипела соседка, что Алиса струсила и призналась:

— Вообще-то это Лиза нас всех пригласила, и мы ничего не знали о том, что... нельзя!

— Лиза?! — воскликнула дамочка. — Ха-ха-ха! Я бы на твоем месте серьезно задумалась...

Тут к даме вернулся кавалер, подал ей руку, и та неожиданно проворно вскочила.

— О чем?! — крикнула ей вслед Алиса, но та уже унеслась ближе к сцене.

* * *

Если не считать вылазки за едой — в сомнамбулическом состоянии, то проснулись они лишь через сутки. Утром легли, утром и проснулись. Правда, необычайно рано — в десять.

Первой встала Фая — она и вытолкала из кровати Марьяну с Алисой, видимо, взбесившись, что сама спала в комнате для гостей, да еще и окно открыла, а Марьяна отрубилась у Алисы в кровати, в теплой спальне с наглухо задернутыми шторами.

— Вот! — Фая швырнула на одеяло письмо.

Алиса открыла золотистый конверт и вынула оклеенное тканью приглашение на вечеринку в восточном стиле у некой Тани Ландау.

— Лиза звонила, говорила, мы тоже можем прийти, — сообщила Фая.

— Нет! — отрезала Алиса. — Никуда я не пойду! Я и так за два дня потратила почти десять тысяч баксов, так что я лучше передохну...

— Да ладно тебе! — возмутилась Марьяна. — Ведь было весело!

Они уговаривали ее и уговаривали, пока Алиса не вышла из себя и не закричала:

— Я никуда не поеду, ясно вам, отвалите от меня!!!

Она хлопнула дверью, оставив растерявшихся подруг в недоумении.

Алиса заперлась в ванной, включила воду — словно кто-то мог подслушать ее мысли, и не отвечала на стук в дверь, на нытье подруг и на их уговоры объяснить, что случилось.

Наконец, она вышла, спустилась вниз — девицы поплелись за ней — и высказала мнение в поддержку тезиса «лучшее — враг хорошего».

— Не думала, что ты такая зануда! — хмыкнула Фая.

Марьяна злобно зыркнула на нее.

— Алиса! Мне кажется, ты все-таки перегибаешь палку! Мы уже неделю тебе отчаянно завидуем, а ты недовольна! Все, что случилось с тобой, — прекрасно, ты нашла себя, ты на самом верху...

— А у меня голова кружится! — перебила ее Алиса. — Девочки! Я вас очень люблю, но мне, правда, надо побыть одной! Слишком много всего. И ни на какие торжества в восточном стиле я не пойду — у меня осталось пять с половиной тысяч, а мне еще жить на эти деньги.

— И что, по домам? — Фая переглянулась с Марьяной.

Та пожала плечами.

— Ладно, мы только сожрем твою икру, можно? — попросила Марьяша.

Алиса кивнула.

Они уехали, и она осталась одна. На целый месяц.

Если, конечно, не считать Марика, который то увозил ее в город — в свою уютную квартиру, то ночевал у нее — и еще жаловался, подлец, что в такой тишине невозможно спать — ощущение у него, видите ли, словно он в могиле.

Месяц Алиса не вылезала из спортивных костюмов. Месяц занималась на беговой дорожке, которую ей подарил Марк. Месяц они смотрели по вечерам комедии с Джимом Керри, трагедии с Робертом де Ниро и все ужастики подряд, кроме «Дома тысячи трупов», от которого Алису чуть не стошнило. А потом Марк не выдержал и вытащил ее в люди. На какую-то премию.

Алиса надела платье, которое ей для пятнадцатилетия «Глянца» шили в «Персонаже» по личному заказу — эдакая глэм-готика, поддела под него черные джинсы в облипку и нацепила любимые ботинки на высоком каблуке со шнуровкой. По глазам кое-как размазала дымчатые тени, мазнула блеском и решила, что одета скромно, но со вкусом.

Гуляли в казино. Дизайнеры хорошо поработали: завесили «русский красный» розовыми драпировками — премию вручали то ли за красоту, то ли за стиль, расставили везде белые цветы, а сцену украсили серебристым занавесом.

Алиса думала, что будет здесь самая незаметная, но ошиблась в квадрате: она выглядела очень нарядно, но ее никто не замечал. Причина выяснилась довольно быстро. К ней подошла знакомая и с нескрываемой радостью сообщила, что Алису уволили из «Глянца».

— Спасибо, я в курсе, — ответила та.

— Как ты? — с фальшивым сочувствием поинтересовалась знакомая, кажется, Надя.

— Прекрасно, — кивнула Алиса.

— Они ужасно с тобой обошлись! — гнула свою линию Надя.

— А что случилось? — Алиса сделала вид, что разволновалась.

Надя оскорбилась, но не подала виду. Конечно, она не ожидала, что Алиса будет рвать на себе волосы, а на запястьях у нее будут бинты, свидетельствующие о том, что с горя бывшая главная редактор порезала вены — и не один раз, но она, как гиена, жаждала учуять запах крови и никак не могла понять, отчего раненая добыча улыбается и выглядит так, словно не ее сегодня сожрут на ужин.

— Они не имели права тебя увольнять! — твердила она.

— Они и не увольняли, — Алиса пожала плечами. — Так что ты особо не расстраивайся.

— То есть... — Надя сделала большие глаза. — Ты еще там работаешь?

— Нет, просто я сама уволилась. Это не столь важно, но мне бы не хотелось, чтобы у тебя сложилось превратное мнение о моем бывшем начальстве.

Надя переваривала информацию. Возможно, ей говорили. А она не поверила. Потому что кто уволится с места главного редактора, едва приступив к обязанностям?

Действительно, кто?

— Неважно, — отмахнулась Алиса. — Ты-то как?

Надя некоторое время заливала, какая она успешная, как у нее все круто, пока не перескочила на любимую тему — «у меня воруют идеи».

Она набросилась на колумнистку некой газеты, которая все больше отдавала желтизной — не без помощи обозначенной журналистки, с таким вдохновением описывавшей силиконовые бюсты звезд, будто сама их им вставляла. Из ее заметок сочилась желчь, каждая буква была так щедро пропитана завистью, что неискушенный читатель, возможно, представлял себе светское общество сборищем коварных инопланетных андроидов, которые прибыли на Землю с миссией уничтожить планету.

Алиса была с Надей совершенно согласна — автор этих вульгарных статеек заслужила адовы муки, но у Нади, если честно, тоже рыльце в пушку — она, наоборот, неистово убеждала читателей, что стайка светских девушек, поблескивающих на тусовках бриллиантами, — прямо-таки основа нашей цивилизации, честь ее и оплот.

Надя распоряжалась светской хроникой в газете, проповедующей ценности буржуазии. Алиса все не могла понять — то ли эти девушки идут в светскую хронику ради того, чтобы заарканить миллионера, то ли уже в процессе им сносит башню. Наверное, не легко справиться, например, с такой информацией: когда подруга одного магната возжелала в подарок сумку «Биркин» — непременно розовую, из аллигатора, с фурнитурой из платины (четыреста восемьдесят шесть тысяч рублей), но надо ждать четыре года, пока подойдет ее очередь. Ясное дело, девушка не желала ждать, и специально обученные люди искали сумку по всей Европе, пока не нашли женщину, которая согласилась продать свою — свежекупленную, с неслабой наценкой, но тут подруга магната передумала — увидела в ЦУМе такую же у какой-то дамочки, и возжелала оранжевую.

Удивительное рядом — все эти красотки в огромных брильянтах от «Графф» сказочной красоты, в платьях от «Прада» и джинсах от «Дискэйрд», на парковке в рядок — «Бентли», «БМВ X5», «Ягуары», распоследние «Лендроверы» и «Мерседесы» от «АМГ» — как тут устоять? Вопрос «чем я хуже?» звучит все чаще, а с девицами, увешанными ювелиркой от «Графф», завязывается странная дружба, основанная на соперничестве и маниакальном желании стать, как они.

Девочки живут мифами о миллионерах, которые просто так — от чувств, без секса и отношений, дарят квартиры; о миллионерах, которые по странной прихоти платят бывшим любовницам алименты в десятки тысяч долларов; о девочках, которые в порядке отступных получают дома на Рублевке... Но никого не предупреждают (и никто не признается), что такая жизнь — не райские кущи. Это бизнес — и не менее тяжелый, чем если бы на все эти квартиры-бриллианты девушки зарабатывали сами.

Отчаянные поиски щедрого миллионера, который желательно не извращенец (или не очень извращенец), все эти теории «в бане по пьяни — не измена» (а если не в бане, а в Монако и с целым модельным агентством? Может женщина лет тридцати конкурировать с дюжиной восемнадцатилетних ног в метр высотой?), неудачные попытки смириться с тем, что по большому счету к тебе относятся, как к официантке — клиент всегда прав, и ты живешь в фальшивой, как отполированный в «Фотошопе» рекламный снимок, уверенности, что любовь — это когда твой бойфренд расплачивается в бутике «Прада»...

Уж Алиса-то не понаслышке знала, что собой представляют эти отношения, в которых все начинается с трезвого расчета и заканчивается проникновенными беседами с адвокатом. Покупки превращаются в секс, а секс — в нечто вроде готовки ужина: ты переживаешь некоторые приятные ощущения, но делаешь это не по вдохновению, а лишь потому, что обязана. Ты радуешься, когда он задерживается на работе, потому что тебе лучше одной — или с подругами, или с мускулистым любовником (тренером, охранником, случайным тусовщиком). Ты серьезно задумываешься о том, как бы завести речь об отдельной спальне. Тебе нравится твой мужчина — он щедрый, хороший, внешне вполне ничего себе, но нет того, чего ты так боишься — страсти, безрассудства, эйфории, и без чего втайне злишься на весь мир — и особенно на своего мужчину.

Как назло, к ним присоединилась еще одна жадная до сенсаций хроникерша — Аня.

Презрительно оглядев конкурентку, Надя перевела разговор на недавние весенние каникулы в многострадальном Куршавеле. Алиса заскучала. Она не любила отдыхать в горах: лыжи ее не возбуждали, а тащиться ради разреженного воздуха, неделю спать, а еще неделю страдать похмельем было слишком тягостно, поэтому ранней весной она уезжала куда-нибудь на Гавайи, где было чудесно и, главное, тепло.

— В этом сезоне жить можно было только в «Библосе»! — решительно заявила Надя. — В «Лидирей» появлялась приличная публика, конечно...

— В «Шеваль бланк»... — завелась было Аня, но Надя ее перебила:

— «Шеваль бланк» только что купил Арно, так что пока он просел! Там уже с зимы никто не бывает!

— Очень даже бывает! — возразила Аня. — В лобби собирается народ...

— Я тебя умоляю! — Надя закатила глаза. — Да там вообще пусто! Я туда лично засылала людей...

— А я сама там была!

— Если ты пишешь хуже меня, это еще не повод устраивать скандал! — сверкнула глазами Надя.

— Я не умею писать?! — задохнулась от негодования Аня. — А ты умеешь?

— Свои лучшие сентенции ты у меня внаглую своровала! Думаешь, я ваш журнал не читаю? — напирала Надя.

Тут даже Аня, которая не вызывала у Алисы особой симпатии, посмотрела на Надю с такой искренней жалостью, что Алиса чуть было не пожала ей руку.

— Ладно, — кивнула Аня и ушла.

Алиса также спешно ретировалась — продолжать разговор не было никакого желания.

Пока Марик беседовал с главным редактором GQ, Алиса пригляделась к публике. С фальшивыми улыбками во весь рот, угрюмые, мрачные, слишком приветливые, надменные, презрительные лица. Звезды свысока взирали на «незвезд», а незвезды — с завистью на звезд. Распорядители бегали, как сумасшедшие, создавая панику и суету. Угощение залежалось. Свет был слишком яркий. Не сравнить с танцами у Тамары. Или с праздником у Лизы. Там все было... по-настоящему. Веселье. Роскошь. Гостеприимство.

Алисе вдруг стало так скучно, словно она попала в общество анонимных алкоголиков — всех их объединила общая беда, которая ее не коснулась, и она поняла — здесь ей делать нечего. Не только сегодня. Никогда.

— GQ хотят со мной интервью! — объявил радостный Марик.

— Супер! — улыбнулась Алиса. — А нам обязательно смотреть премию?

— Да я же тут типа в жюри... — Марик развел руками. — А ты — самая красивая женщина.

Алиса усмехнулась.

— Малахов со мной даже не поздоровался, — сообщила она. — А раньше звонил чуть ли не каждый день.

— Он ранил твое самолюбие, дорогая? — Марик сдвинул брови. — Я вызову его на дуэль! Или хочешь, я завалю его с особой жестокостью в одном из своих романов?

— Не то чтобы... — Алиса пожала плечами. — Просто это как-то нелепо... Но спасибо за предложение. Ладно, пойдем на премию — может, поржем, а потом сразу домой.

— Усков приглашал выпить потом... — смутился Марк.

— Ладно, на Ускова я согласна, он нормальный, — Алиса потрепала его по плечу.

Тут их настиг светский фотограф — кажется, из «Базара», они обнялись, и так и ходили — пока не позвали занять места. Рядом с Мариком ей было плевать на весь мир — он был ее крошечной, но очень значимой вселенной, и рядом с ним смысл появлялся во всем — даже в этой безумной вечеринке.

ГЛАВА 8

— Твою мать... — простонала Алиса и ухватилась рукой за стену.

В глазах потемнело. Этого быть не может! Это не она!

Это не ее жирная целлюлитная задница и живот с кошмарной складкой! Когда? О боже, ну когда она так растолстела? Сколько в ней кило? Сто? Сто пятьдесят?

Весы показали шестьдесят, но Алиса ощущала себя на все двести. Почему никто не сказал ей «если ты целыми днями лежишь на диване, ешь двенадцать раз в день, каждые полчаса расправляешься с шоколадкой и постоянно находишься под воздействием «лонг айленда» — жир появляется со скоростью два килограмма за три дня»?

Сегодня двадцать восьмое апреля. Через два дня — Вальпургиева ночь, ее первый шабаш, и она толстая!

Шабаша Алиса боялась до жути — она в детстве читала Гете и прочие страшные истории, так что навоображала себе и черта, играющего на конской голове, и ведьм, спаривающихся с демонами, и Сатану, прихлебывающего кровь из черепа...

Лиза ее, конечно, высмеивала — уверяла, что оргий никаких не будет (по крайней мере не страшнее, чем в клубе «Дягилев»), но все-таки осторожно намекнула, что на Броккене все несколько театрализованно, в традиционном стиле.

Алиса немного успокаивалась, пока не начинала думать: а что, собственно, представляет собой этот самый традиционный стиль? Все голые? Человеческие жертвы?

Есть, в конце концов, надежда, что на ведьму свыше шестидесяти килограммов никто не польстится?

Или, наоборот, с ее участием организуют какой-нибудь сексуально-извращенный обряд инициации?

Жуть... Она успеет сделать липосакцию?

Это все Марк виноват! Зачем он тащит в дом все

эти пирожные, булочки и осетрину горячего копчения? А?

Ладно... За два дня она не похудеет, но уже прямо сегодня надо остановиться и решительно заняться салатом из овощей. Долой свежий хлеб и соленую рыбу!

Только вот интересно, — смутилась Алиса, — а «долой» — это как? В помойку?.. Она не может... Холодильник забит дорогой едой, и у нее не хватит мужества выкинуть пять тысяч рублей. Ум-м... Какой соблазнительный салат из креветок...

Алиса резко захлопнула холодильник.

«Что со мной?» — запаниковала она. Может, депрессия? А она и не заметила? Думала, все наоборот — она счастлива, и все у нее хорошо? Так ведь бывает... Кажется, все, что нужно: отлежаться на диванчике, заниматься лишь тем, что не приносит денег — то есть смотреть ТВ, читать, трепаться по телефону, покупать новую косметику и часами краситься перед зеркалом... А потом выясняется, что все это просто очередной способ убежать от реальности.

Алиса вышла на улицу (первый раз за три дня — несмотря на то, что жила за городом), вдохнула уже почти теплый воздух, порадовалась, что показались первые желтые и липкие листочки, присела в плетеное кресло, и ее озарило. Она просто до ужаса боится того, чем ей придется заниматься дальше! Точнее, не знает. Поэтому и боится. Делать что-то надо, а она в полнейшем неведении, что именно. И, если уж совсем честно, мысли об этом чертовом шабаше доводят ее до истерики — она готова откусить себе ногу, только бы остаться дома. Но она, к сожалению, не может отказаться. Приглашение — цепочка из белого золота с кулоном в виде метлы, рукоять которой украшена крошечными черными бриллиантами, получено, а, значит, обратного хода нет. Вот так. Единственное, что утешало — кулон очень выигрышно смотрелся на ее располневшей груди. Это если стоять перед зеркалом, втянув живот.

Алиса еще раз проверила холодильник — вдруг продукты сами исчезли, и тут ей в голову пришла удивительная, светлая идея!

Алиса вытащила из шкафа пакеты, собрала еду (кроме овощей), засунула их в машину и поехала к Насте, у которой покупала молоко, творог и мед. Настя работала продавщицей в деревенском магазине, на досуге торговала молочными продуктами и содержала троих детей без отца. Вальпургиева ночь — это же Первое мая, День труда! Пусть ее несчастные детки наедятся до отвала — особенно им понравятся офигительные эклеры с заварным кремом, облитые настоящим горьким шоколадом, а не соевой бурдой!

Настя, конечно, слегка прибалдела от такой щедрости, но потом вдруг как-то подтянулась, странно так на Алису поглядела, прикусила губу, но все же решилась:

— Алиса... — сказала она и впала в транс.

— Настя, говори давай, я не кусаюсь, — поощрила ее та.

— Я, когда муж умер, чуть на трассу не пошла работать, — призналась Настя, все еще странно посматривая на нее. — Но быстро одумалась — мне же детей растить, что из них получится, если мать — поблядушка?

Она замолчала.

Алиса, изобразив крайнюю заинтересованность, кивнула головой.

— Знаешь, мне иногда кажется, что я не живу, а хожу, как в тумане, — сообщила Настя. — Я же в медицинском техникуме училась. Думала, в Москве работать буду, а как родила этого дармоеда... — Настя имела в виду старшего сына Борю. — Так и пришлось выкручиваться. Устроилась в магазин, Толя... — это был ее покойный муж, — хорошо зарабатывал... Я думала — все впереди. Вот подрастет Боря. Подрастет Зинка... Вадика в детский сад отправлю... А потом Толя умер, и... я тоже как будто умерла.

Настя сделала шаг вперед и вцепилась Алисе в руку.

— Я же все про вас знаю! — зашептала она. — Другие только сплетничают, а у меня бабушка в вашем доме работала. Все болтали — нехорошее место, но она говорила, чтоб я дураков не слушала, и что ничего я в этом не понимаю, чтобы судить! Алиса! Скажи мне правду!

Алиса, уже проклинавшая мгновение, когда ее заплывший жиром мозг направил сюда с сумками продуктов, нащупала утюг, которым собиралась если не отбиваться, то пригрозить буйной хозяйке, но вдруг у Насти из глаз брызнули слезы, она с размаху опустилась на стул и заревела.

Алиса что-то бормотала, а Настя, высморкавшись в кухонное полотенце, взвыла:

— Погадай мне, что тебе стоит! — и опять разрыдалась.

У Алисы отвисла челюсть. Так вот в чем дело!

— Понимаешь, я не... — промямлила она, но Настя смотрела на нее, как на чудотворную икону, и Алисе не хватило мужества для отказа.

Так как она сильно сомневалась в своих способностях, то решила просто наврать Насте что-нибудь обнадеживающее. Кофе дома не было, карт тоже, поэтому Алиса взяла протянутую руку, уставилась на нее и принялась сочинять оптимистичный, но не слишком уж радужный текст.

Она смотрела и смотрела в Настину грубую ладонь, пока вдруг не заметила, что бессистемное сплетение линий обретает смысл. Скоро Настя заболеет и попадет в больницу. Ничего страшного — что-то по женской линии, скорее всего, воспаление придатков. Дети, конечно, останутся без призору, зато ее переведут в город, и там она познакомится с мужчиной, который станет отчимом ее дармоедам. Ее ждет смена работы... то есть просто тут ясно видно, что она будет заниматься чем-то другим, и это принесет ей деньги. С мужем она, возможно, разведется — но это не точно, зависит от обстоятельств, или от того, что она сама решит, но Настя будет... богата.

— Да не может быть! — воскликнула Настя, и тут только Алиса поняла, что давно уже говорит вслух.

Она с трудом выпуталась из паутины линий, ощутила, что вспотела, устала и рассердилась, забрала творог, который ей всучила Настя (ничего, добавит в салат), и уехала в легком недоумении. У нее что, дар предвидения? А как же ее собственное неопределенное будущее? Может, стоит на этом сосредоточиться?

Развалившись дома на диване, Алиса уставилась

на свои ладони, но никак не могла сообразить, о чем говорят все эти знаки на руках. Путаница. Она набрала номер Нины — все-таки специалист по ясновидению, хоть и слабенький, но та ее, увы, не утешила.

— Знаешь... — смутилась она. — Ладно, не буду врать. В общем, если ведьма не может разобрать, что показывают линии на ее собственных ладонях, значит, тебя впереди ждет беда.

— Какая беда? — испугалась Алиса.

— Я не знаю.

— А... может, я к тебе сейчас приеду? — настаивала Алиса.

— Я сама к тебе приеду, — пообещала Нина. — Кстати, тебя в последнее время ничего не тревожит?

— Не считая лишнего веса?

— Все! Буду часа через полтора! — рассердилась Нина и дала отбой.

Приехала через три — разумеется, сославшись на пробки, и с собой привезла самую жирную, сытную и вредную еду на свете, включая восхитительный «Наполеон».

— Издеваешься? — хмыкнула Алиса.

— Что?! — возмутилась Нина. — Да ты в кои-то веки выглядишь как живой человек! Ты в курсе, что худоба выходит из моды?

— Я не худая!

— Уже нет!

— И не была! Я была нормальная! А сейчас у меня сало!

— Сало у тебя в голове! Оно заменяет тебе мозг, потому что только люди без мозга могут назвать тебя толстой! — сопротивлялась Нина. — Тебе Марик случайно не говорил, что у тебя аппетитная задница, грудь, как у Холли Берри и нормальные женские щеки? Ты хотя бы понимаешь, что вся индустрия красоты основана на том, что у слишком худых женщин кожа свисает и покрывается складками?

— Фу! — Алиса швырнула в Нину подушкой. — Замолчи, злобная извращенка!

— Сама ты тощая анорексичная обвисшая извращенка! — Нина броском вернула Алисе подушку и ушла на кухню ставить чайник.

— Слушай, а что происходит во время Вальпургиевой ночи? — допытывалась Алиса у Нины.

— Там круто, — скупо поделилась Нина. — Но ты должна все увидеть сама. Это вроде как тест. В свою первую ночь на первое мая ты воспримешь себя как ведьму.

Алиса сделала все, чтобы изобразить полнейшее недоумение: открыла рот, посмотрела исподлобья, подняла одну бровь, покачала головой — но большего от Нины не дождалась.

— Я могу сказать лишь то, что всем известно, и о чем тебя все равно предупредят, — улыбнулась Нина. — Здесь мы все разные. На Лысой горе все равны. Нет ссор, былых обид, зависти, ревности... Это и хорошо, и плохо. Ты увидишь новые лица, с кем-то здорово проведешь время, но это ничего не будет значить, как только взойдет солнце. Да, кстати... Э-э... Ладно, замяли.

— Что?! — подбоченилась Алиса.

— Да, ладно... — Нина отвела глаза.

— Нина!

— Откуда ты взяла эту Лизу? — Нина с грохотом отложила нож и схватила бокал с коньяком.

— Я ее не брала, — подозрительно поглядывая на нее, ответила Алиса. — Мы познакомились у Лили.

— У Лили? — удивилась Нина.

— Почему ты вообще меня спрашиваешь? С Лизой что-то не так?

Нина развела руками и беспомощно взглянула на Алису.

— Слушай, это ты начала! — Алиса ткнула в нее указательным пальцем. — Так что выкладывай!

— Я думала, ты уже поняла... — смутилась Нина. — В общем... Наш мир делится — условно, конечно, но это работает — на три части. Первая — элита. Талантливые ведьмы, которые делают нечто такое, чего не могут все остальные... Знания передают из поколения в поколение, но не в этом суть — суть в крови, которая зовет тебя к большим свершениям и великим открытиям. Большая часть — ремесленники, иногда удачливые, иногда — не очень: тут все основано на усидчивости и старательности. Быть хорошей ремесленницей — вполне почетно, многие входят в большие дома, вроде дома твоей двоюродной бабушки. И есть третья категория. Это такие ведьмы, которые... В общем, они не бездарны, но и не настолько талантливы, чтобы соответствовать своим амбициям. Поэтому они занимаются тем же, чем и обычные люди, но свои таланты тратят на то, чтобы достичь в своем деле большего успеха.

Алиса нахмурилась. Лиза говорила об этом, но совсем в другом тоне. В превосходной степени.

— И что? — не очень дружелюбно поинтересовалась она у Нины.

— Ну... Это считается не очень... престижным. Я спросила про Лизу, потому что она...

— Ладно, давай вернемся к этой теме позже! — оборвала ее Алиса, которой совершенно не хотелось омрачать предчувствие первой Вальпургиевой ночи терзаниями и смятением. Уже имеющихся, включая страдания по поводу ляжек, как у Келли Осборн, вполне достаточно.

Нина отказалась ночевать у нее — она завела кошку, по которой соскучилась, и уехала, так и не забрав с собой остатки «Наполеона» — как Алиса ее ни умоляла.

Едва за ней закрылась дверь, зазвонил телефон.

— Ты уже выбрала? — закричала Лиза.

— Кого? — опешила Алиса.

— Ты так и не зашла на «лысаягора.ком» — по-английски?! — завопила Лиза.

— О чем ты?

— Ты автоответчик прослушиваешь, или он у тебя для видимости?! — буйствовала та.

— Э-э... Нет. А что случилось-то?

— Ты в чем поедешь? В платье с выпускного вечера?!

— У меня не было платья на выпускном вечере! — по примеру Лизы Алиса тоже перешла на крик. — Я была в джинсах и топе с жутким бантом!

— О, черт... — простонала Лиза. — На Лысую гору ты в чем поедешь?

— А... — замялась Алиса. — Там нужна одежда?

Лиза выдержала паузу.

— «Лысаягора.ком» — по-английски, — уточнила она. — Пока.

Алиса швырнула трубку, включила комп и зашла на сайт. Требовалось ввести имя, фамилию и дату рождения. Некоторое время крутилась стрелочка —

где-то там думали, но вскоре ее перебросили на лаконичную страничку черного цвета с двумя ссылками: «Доставка» и «Коллекция».

Алиса кликнула на «Коллекции» и оказалась один на один с картинкой обнаженной девушки, слева от которой алели надписи: «белье», «корсеты», «плащи», «юбки», «шорты», «чулки»... Ткнув наугад в «юбки», Алиса столкнулась с новым списком»: «мини», «миди», «макси», из которого в свою очередь произрастал еще один — по тканям: «бархат», «шифон», «кожа»...

Алиса еще и не начала выбирать, когда выяснилось, что она просидела в Интернете полтора часа. Очнувшись, ткнула в ссылку «корсеты» — ради того, чтобы обнаружить — самые красивые модели уже разобрали. Осталась какая-то жуть из латекса со шнуровкой. До трех часов ночи Алиса балансировала на грани истерики, но, в конце концов, нашла то, чего хотела. Потрясающее платье из мерцающего шифона — на размер меньше, но тут все дело в груди. Как выяснилось, картинке с ведьмой следовало задать свои параметры — талия, плечи, длина рукава, бюст, и вот с этим платьем вышло так, что оно было сшито словно нарочно для нее — талия чуть более широкая, чем следовало, бедра ниже, чем положено, и бюст умеренный. Была бы она пышнее на сантиметр, лиф бы на ней не сошелся. Хочется надеяться, что она все правильно померила, иначе ей крышка. Юбка была длинной — как Алиса и рассчитывала. В короткой юбке она куда угодно может пойти, а вот на особенные вечеринки — только в длинной. Туфли она, пожалуй, заказывать не будет — у нее столько черных шпилек, что она и сама может их загнать зазевавшимся ведьмам... Но сделать заказ не получилось — графа «Туфли» мигала и сопротивлялась, пока Алиса не догадалась, что без обуви ее отсюда не выпустят. Она выбрала прозрачные туфли с украшением в виде броши — орхидеи, усеянной черными стразами, черные трусы тоже со стразами и самые настоящие чулки с подвязками.

Вернувшись на главную страницу, кликнула в «Доставку», полагая, что имеется в виду доставка товара, и так и застыла — с рукой на правой кнопке мыши. Доставлять должны были не одежду, а ее саму — на метле, на козле, на свинье, или в карете, запряженной стаей ворон.

Бедным ведьмам предлагались скидки на «Люфтганзу», и хотя Алиса и была сейчас той самой бедной ведьмой, но запомнить первый визит на Лысую гору как перелет из Шереметьева в Ганновер или в Эрфурт, а потом еще и переезд на поезде и на такси... Это неприемлемо. Поэтому она заказала черного козла, который обошелся ей как бизнес-класс до Мюнхена.

Чуть позже выяснилось: она волнуется так, что ее чуть не стошнило, и Алиса вышла прогуляться вокруг пруда. Завернувшись в плед, с пачкой сигарет и бокалом рома, она шла вдоль прозрачной воды, глядела на застланное мхом дно, считала отраженные в воде звезды и мечтала о том, что вдруг ее жизнь и правда станет похожа на сказку. Можно ни о чем не волноваться, жить-поживать в свое удовольствие, наслаждаться — без чувства вины, ни от кого не зависеть...

Купаться в мечтах было так сладко — особенно в этот немного приторный, сотканный из ожиданий вечер, что даже едва заметная тоска — эхо разочарований, которые ожидают всех мечтателей, не желающих видеть жизнь в истинном свете, не умеющих мириться со скучной действительностью и отказывающихся взрослеть — если взрослеть означает утратить воображение, — не могла омрачить дивную ночь — ночь предвкушений.

 ГЛАВА **9**

Платье, упакованное в чехол, висело на двери, туфли стояли на плите, а посреди кухонного стола валялась груда косметики. Алиса в третий раз пыталась накрасить ресницу, но ничего не выходило — руки тряслись.

С самого утра она делала вид, что все в порядке, но когда, нарисовав правый глаз, у нее случилась мощнейшая паническая атака, Алиса наконец призналась себе, что совершенно не контролирует ситуацию. Во рту было сухо, как в печке, все время хотелось пить — отчего каждые пять минут она бегала в туалет, на ходу сбивая то стулья, то столы, и возможности сосредоточиться хоть на чем-нибудь не было никакой.

Телефон зазвонил — и Алиса бросилась к нему в безумной надежде: сейчас ей скажут, что все отменяется, или что ее, Алису Трейман, просят остаться дома.

Ну почему все должно было так обернуться?

Вчера она представляла себя королевой бала, а

сегодня из нее с треском вылетает завтрак (он же обед), и сердце стучит так, словно она только что стала единственным свидетелем конца света.

— Алло! — произнесла она из последних сил.

— Волнуешься? — хихикнула Лиза.

— Я никуда не поеду! — завизжала Алиса.

— Спокойно... — вальяжно произнесла Лиза.

— Может, белладонны бухнуть, а? — дрожащим голосом предположила Алиса.

— Оставь беладонну в покое! — рявкнула Лиза. — Единственный выход — абсент.

— Ты с ума сошла? — нервно расхохоталась Алиса. — Да я от абсента через минуту буду на карачках ползать!

— Не будешь.

— Лиза, ты враг мне! — укорила подругу Алиса.

— Я тебе говорю — выпей абсента! — сорвалась та. — У меня нет времени с тобой сюсюкать, так что поверь на слово! Абсент — то самое, что тебе нужно! Это наш напиток, ты не знала?!

— Ясно! — буркнула Алиса и положила трубку.

ОК. Она сейчас напьется и никуда не поедет. Во всем будет виновата Лиза. Супер! С чистой совестью Алиса налила полстакана абсента, растворила в кипятке несколько ложек сахара, все размешала и сделала большой глоток. Закрыла глаза. О-о... Как же хорошо... По телу разлилось тепло, перегнавшее алкоголь в блаженство — ей стало так легко, что тело воспарило. Алиса открыла глаза и обнаружила себя над диваном. Жадно глотнув еще, она взмахнула руками и сделала пару кругов по комнате.

Какой же кайф!

Ни паники, ни страха, ни жуткой неуверенности.

Алиса залпом допила стакан, плюхнулась на диван, попрыгала на нем, каждый раз высоко взлетая в воздух (удивительное ощущение!), завела Бонни Тайлер и приступила к сборам. К десяти она была в полном боевом снаряжении, с уложенными, как у Бриджит Бардо, волосами, и оставшиеся до прибытия транспорта полчаса провела в веселой компании абсента. Странный напиток! Она не пьянела — просто становилась все веселее и веселее. Может, это иллюзия, а на самом деле она уже давно спит с одним кое-как накрашенным глазом где-нибудь между обеденным столом и камином?

И тут часы пробили ровно половину одиннадцатого. В письме, отправленном вместе с платьем, было написано: «С последним ударом маятника выходите на улицу. Вас ждут».

Алиса спешно задула свечу, на всякий случай залила ее чаем и выбежала во двор. Прямо напротив входа стоял самый настоящий черный козел с отполированными рогами!

— Минутку! — взвизгнула Алиса и бросилась назад. Схватила бутылку абсента, что-то перевернула на обратном пути, выскочила на улицу, а дверь за ней с грохотом захлопнулась, и замок — сам! — повернулся на три оборота. Волшебная ночь! Погода, правда, была не праздничная — низко висели серые днем и черные ночью унылые облака, что уже сутки предвещали дождь, но так и не разродились — воздух был по-летнему тяжелый, предгрозовой, отчего на секунду захотелось все бросить и спрятаться в уютной теплой спальне.

Но Алиса храбро подошла к козлу, сказала зачемто: «Я — Алиса», и провела рукой по его спине.

Шерсть казалась ухоженной, гладкой, но посредине было нечто странное. Алиса схватилась за это и чуть не подпрыгнула — в руке у нее оказался клок шерсти. В ужасе она уставилась на кусок козлиной шкуры, и поняла — это не шкура, а... шаль. Черная кашемировая шаль. Алиса накинула ее на плечи, осмотрела козла, вспомнила, что в каком-то кино говорили — сидеть амазонкой совершенно невыносимо, и устроилась на спине животного по-мужски, что тоже, если уж честно, было не особенно удобно, и сказала: поехали!

Она чуть было не разразилась глупым пьяным хохотом, представив, как козел помчится галопом, но тот лишь ударил копытом, оттолкнулся от земли и взмыл ввысь. Плавно и осторожно, словно понимал — наездница из Алисы никакая. Несколько метров они плыли над самой землей — Алиса даже ощутила росу на траве, но вот козел сделал рывок, и они поднялись на уровень второго этажа. Зачарованная Алиса с трудом сдерживала биение сердца — все это с ней впервые! — и лишь время от времени глотала по капле абсента, чтобы не рухнуть от переполнявших ее чувств.

Тем временем козел поднялся над верхушками деревьев и смело набирал высоту — они нырнули в облака, пробрались сквозь влажные тучи, и тут Алиса не удержалась — смачно и громко выругалась: над облаками висела яркая луна, а небо было чистое — как умытое! Козел резво двинулся вперед, и Алиса уже не боялась, потому что не было никакой земли, не было ничего — ни дома, ни прошлой жизни, ни высоты над уровнем моря... Были звезды, была Луна, был ветер, и шаль развевалась, и шерсть у козла была теплая и уютная — руки в ней не мерзли, и еще Алиса, кажется, кричала, как дура: «Я королева мира!» И она точно знала: что бы ни случилось, как бы все ни обернулось — эта ночь стоит пяти таких жизней, что у нее была раньше!

Они мчались навстречу горизонту — иногда козел нырял в облака, и Алиса видела внизу города, но лишь на мгновение, а скоро Алиса услышала свист и заметила — они не одни, мимо несутся ведьмы на метлах, на свиньях, некоторые — вот это да! — в ступах, и поднялся такой шум, такой гвалт, что Алиса уже не разбирала дороги, и только уворачивалась от лихих наездниц, и держала шаль покрепче — чтобы не улетела. Бутылку она уже давно потеряла, надеясь, что та не свалилась кому-нибудь на голову.

И наконец...

Из темноты, тишины и безграничного пустого неба показалась Лысая гора. Чудилось, там происходит битва — горели костры, слышались крики и шум, взрывались петарды, рассыпались золотом фейерверки... Но главное — над горой кружили ведьмы. Сотни, а может, и тысячи — издалека они выглядели как мухи, крошечные и черные, и зрелище это и притягивало, и ужасало.

Козел словно почувствовал замешательство Алисы (или был вышколен нарочно для новичков) — замедлил ход и снизился, опустив копыта в облака. С воздуха гора казалась огромной — и, действительно, лысой: кое-где она обросла кустарником, торчали два-три жалких, распластавшихся по земле деревца, — и все, только трава и камни. Козел облетел гору кругом, и Алиса с удивлением обнаружила ворота — огненные, метров пять высотой. Будто согнули два дерева, переплели ветви и подожгли — только горели они на удивление долго.

Животина приземлилась, топнула ногой, подгоняя Алису — та спешилась и не успела вернуть шаль, как козел рванул ввысь и в одно мгновение скрылся из глаз.

Перед входом намечалась толкучка — ведьмы суетились, пытались с ног до головы осмотреть чужие наряды, поправляли макияж и спешили пройти через ворота. Алиса тоже рванула вперед, но ее толкнули, она споткнулась и чуть было не наступила на собственную юбку — отчего легкий шифон непременно бы порвался. В ярости она обернулась и приготовилась отчитать хама, но лишь открыла рот и промямлила нечто несусветное. Это был мужчина! Демон! Настоящий, взаправдашний демон!

Как круглая дура, Алиса растянула губы в неестественной улыбке, пропищала «ничего-ничего» и густо покраснела.

Потому что немедленно вспомнила, как была влюблена в «Демона» Врубеля — в двух экземплярах: на картине и в сборнике Лермонтова, на иллюстрации, где коварный обольститель Демон целует страстную Тамару, забирает ее душу, и все это было так красиво — и косы Тамары, и грива Демона, что она даже осторожно вытащила лист из книги и хранила его у себя в секретере — потому что ни до, ни после не встречала ничего более сексуального.

И то был он. Он! Это все равно, что зайти в купе первого класса поезда «Москва — Санкт-Петербург» и обнаружить там Джонни Деппа — сидит такой, читает «Эсквайр», уписывает чипсы. Без Ванессы. Без охраны.

— Ваше платье в порядке? — спросил демон по-английски.

— Да-да... Спасибо... — отступала Алиса, втайне рассчитывая, что он и ее погубит, как Тамару. Прямо сейчас.

— Меня зовут Винсан, — представился демон.

— А! — Алиса совершенно по-идиотски трясла головой, так как не ожидала, что демона могут звать иначе, чем Демон.

— Можно я вас провожу? — попросил демон-Винсан.

— Да! — Алиса с трудом сдержала радостный визг.

Ей хотелось громко и напоказ смеяться, чтобы оборачивались и крутили пальцем у виска. Как будто она попала в свой тайный сад, где прятались все несбыточные мечты — от фотоснимка Джимми Моррисона и картинки из журнала с изображением виллы на Лазурном Берегу, до прогулок по лунной дорожке и путешествия во времени.

— Меня зовут Алиса, — в конце концов пробормотала она и вложила ладонь в его руку.

И они вошли в арку.

В майской траве прятались тысячи свечей, в воздухе парили миллионы красных розовых лепестков, дорожки были усыпаны чем-то блестящим, угощение разносили нимфы в полупрозрачных серебристых одеждах, кусты украшали мерцающие, как светлячки, разноцветные цветы, играла музыка, и все гости были либо красивые, либо странные. Тут можно было столкнуться с кем-то отвратительным, похожим на вампира, со странным существом с длинным носом в бородавках — ну просто классическая злая ведьма, и с пугливыми блондинками с длинными, ниже попы, золотыми волосами — созданиями невероятной красоты, если бы не злые красные глаза и зубы, как у волка, и со странными личностями, сквозь которых было видно все...

Волшебный мир предстал в таком упоительном, сказочном, небывалом многообразии, что Алиса лишь смотрела — не чувствовала, не думала, а наблюдала, и только теплая и сухая рука Винсана напоминала ей, что она не спит. Его присутствие волновало, кружило голову — хотелось быть сумасшедшей, непредсказуемой, безумствовать и уж точно не думать о будущем. Серебристая нимфа поднесла абсент в изящном стакане на длинной ножке — она предложила и кир рояль, но Алиса желала только абсент — она хотела быть пьяной, и Винсан подводил ее к каким-то людям, и все они радостно хохотали — над чем неясно, но Алисе было весело. А потом они черт знает как очутились под деревом — редким здесь настоящим деревом, и он обвил свои руки вокруг ее талии, и они целовались — так, как она и представляла! Это был не нежный поцелуй влюбленных, и не страстный поцелуй случайных партнеров, зло и решительно топивших в нем одиночество, это был поцелуй без начала и конца — поцелуй в последний день Помпей, поцелуй, в котором отчаяние смешалось с вожделением, поцелуй и горький, и дикий, и сумасшедший... В нем была нота измены, и хорошия порция раскаяния, и душный аромат сиюминутного безумия, и болезненная одержимость — живем один раз! — и отчаянный крик: я хочу любить так, чтобы небеса заплакали от зависти! В этом поцелуе не было лишь одного — того, о чем мечтают уставшие от переживаний влюбленные, которые наконец нашли друг друга в лабиринте бесполезных свиданий — в нем не было покоя. Не было в нем вечеров перед телевизором, когда так приятно держаться за руки, не было обедов в ресторанах, когда заранее знаешь, что закажет партнер, не было визитов в мебельный магазин и счастливых препирательств на глазах у продавца...

Алиса чувствовала, что в этом поцелуе теряет часть себя. Важную? А кто его знает... Но она точно знала — со всем, о чем мечтают обычные счастливые женщины, ей не по дороге.

Она открыла новый мир — мир, в существование которого перестаешь верить, едва тебе исполняется четырнадцать, и потом, когда что-то не ладится, или мир вдруг становится плох, жалеешь о том, что нет сил проверить снова.

И вдруг поцелуй закончился. Он не стал пресным, ему ничто не помешало — ни затекшая шея, ни грубый смешок, он просто рассосался, как леденец.

Они оторвались друг от друга, вернулись к людям и незаметно разошлись.

— Алиса! — Лиза поднялась с подушек, разбросанных по ковру, и пошла ей навстречу.

Она была в шикарном платье с такой пышной юбкой, что под ней могла уместиться генеральная ассамблея ООН.

— Иди к нам! — Лиза помахала рукой.

Она была не такой, как обычно. Мягкая, счастливая — излучала мир и доброту. Алиса чуть не расхохоталась, но вовремя спохватилась — ей тоже захотелось излучать мир и доброту.

— Алиса! — Лиза широко распахнула объятия, изящно упала Алисе на грудь и поцеловала ее куда-то в ключицу. Алиса поняла, что подруга пьяна в стельку — во всем виноват кир рояль, а отнюдь не просветление. — У нас тут сумасшедшие тарталетки с лососем! За мной!

Лиза развернулась, заблудилась в собственном платье, которое обернулось вокруг ног, шлепнулась на землю и завопила:

— Распутайте меня!

Алиса посидела с ними минут двадцать и ускользнула — не поймала волну.

Вдруг гору потряс жуткий вибрирующий звук. Все вскочили. Алиса запаниковала, но скоро поняла, что волнение скорее приятное — у всех гостей были счастливые, а не испуганные лица. Звук повторился еще несколько раз, и Алиса наконец догадалась — это же гонг!

К одиннадцатому удару все собрались на вершине горы, представлявшей собой не очень ровную площадку, посреди которой находилась куча валунов. Так называемая «Площадка для танцев ведьм». По-немецки это было непроизносимо.

Прозвучал последний, двенадцатый удар.

Небо неожиданно затянуло облаками, а сильный порыв ветра как-то сразу затушил свечи. Мрак стоял совершенно беспросветный. Алиса едва справилась с желанием схватить кого-нибудь за руку — и вдруг почувствовала, что кто-то вцепился ей в кисть. Хватка была сильной, но Алиса не стала сопротивляться.

С минуту они стояли в тишине.

И вдруг на небе, где-то над чернильной темнотой, показался месяц. Не успела Алиса удивиться —

вроде бы светила полная луна, как месяц двинулся вниз.

У Алисы закружилась голова. Месяц был таким реальным, большим, и то, что он дрогнул и покинул свое обычное место, — за тысячи километров от Земли — казалось началом конца света. Она вырвала кисть (месяц осветил соседку — женщину лет пятидесяти с коричневыми кругами под глазами) и приложила похолодевшие ладони к щекам.

Месяц опускался все ниже и ниже, и Алиса заметила какое-то пятно. Может, от светила уже отваливаются куски и очередной скоро рухнет на них?

— Кто это? Кто это? Кто это? — шептали соседи.

Алиса обернулась к той, что оставила на ее руке синяки от своих длинных цепких пальцев, но передумала — вид у соседки был фанатичный, и наклонилась к соседу справа — низкому толстячку.

— Что происходит? — прошептала она.

— Королева... — толстячок даже не посмотрел на нее, просто кивнул.

И тут до Алисы, наконец, дошло. На огромном месяце восседала женщина. Когда месяц завис метрах в пяти над землей — и он был огромный! — женщина поднялась, уперла руки в боки и задрала подбородок. Толпа разразилась аплодисментами.

С оттенком зависти Алиса признала — она, королева, была великолепна. Пышные черные волосы опускались ниже лопаток, оттеняя белую сияющую кожу. Высокие скулы, прямой тонкий нос с хищным, немного ястребиным кончиком, полные губы с четкими очертаниями и карие глаза делали ее красавицей — такой, что невозможно глаз оторвать. Стройную спортивную фигуру прикрывал лишь купальник, сделанный, казалось, из горного хрусталя, а в смоляных волосах сверкала алмазная корона, похожая на Млечный Путь. Ноги у красотки были длинные и мускулистые — и особенно выигрышно смотрелись за счет туфель на высоченных каблуках.

Королева осмотрела гостей, выждала мгновение и крикнула:

— Шампанского!

И немедленно вылетели тысячи пробок, громом раскатился оркестр, а к самой королеве подлетел белый орел, на которого она и пересела, чтобы лично чокнуться с каждым гостем.

Как, правда, ей это удалось, Алиса так и не поняла, но лично звякнула бокалом о бокал королевы, и заглянула ей в глаза — черные и холодные.

— Ну? — Лиза дернула ее, едва Алиса пригубила шампанское, и большая его часть вылилась ей в декольте.

— Что ты делаешь?! — рявкнула Алиса. — Я же теперь вся липкая!

— Прости!

Лиза, похоже, протрезвела, но была возбуждена — даже разрумянилась.

— Как тебе новая королева?

— Ну, старой-то я не видела, так что по мне и эта чудо как хороша! — Алиса всплеснула руками.

— Она из Бразилии! — сообщила Лиза. — Пойдем танцевать!

Она тащила Алису куда-то вниз, пока не привела на склон, по которому струился серебристый туман. В метрах десяти над землей завис прозрачный круг — дорожка, а на дорожке бесновались музыканты — наконец-то, современные.

— Это же... — Алиса остановилась, как вкопанная.

— «Кьюар»! — завопила Лиза. — Они все-таки приехали!

Она схватила Алису за руку, и той ничего не оставалось, как броситься за спутницей — иначе бы Лиза содрала с нее кожу. Они устремились на танцпол, где уже скакали другие гости, и бесновались несколько часов кряду, лишь время от времени освежаясь шампанским.

И все смешалось. Алиса только помнила, что они катались по небу на пролетках, запряженных соколами, выплясывали стриптиз, качались на месяце, который отдали гостям на потеху — он поднимался на самый верх, и настоящая луна казалась огромной, катались в надувных лодках по ручью — с самой вершины (из кучи валунов забил горный ручей) до самого низа — то есть до облаков, на страшной скорости — Алиса помнила, как визжала, и выплясывали с козлоногими субъектами, которые очень стеснялись, когда из-под сатиновых штанов-галифе проглядывали копыта...

И показалась заря. Из облаков, как из океана, медленно поднималось солнце. С первым же лучом королева поднялась на своем орле-альбиносе над толпой и поблагодарила всех за то, что пришли. Она сделала круг почета, послала воздушный поцелуй и взмыла ввысь.

Оркестр медленно и печально заиграл «Отель Калифорния», но только Алиса решила, что вечеринка окончена, как с неба полился дождь... из шампанского. Обалдевшие от восторга гости открывали рты, запрокидывали головы, и кружились, плескались, хохотали...

Это было... головокружительно! Совершенно пьяная Алиса, а каждый знает: с хорошей вечеринки лучше возвращаться пьяной до положения риз — обнималась с Лизой и подпевала оркестру, пока не упали последние капли и не поднялась заря.

— Что это? — шепотом произнесла она, схватив Лизу за плечо.

Некоторые гости исчезали — одни превращались в дым, другие распадались в пепел.

— Мертвые... — так же тихо ответила Лиза. — Не ори, они могут обидеться...

Они стояли, обнявшись, смотрели, как расходится толпа, и улыбались новому дню.

— Пора, — наконец сказала Лиза. — Ты на чем?

— Не знаю... — Алиса покачала головой. — На козле. Он должен за мной сам прилететь?

— А ты туда-обратно заказывала?

Алиса пожала плечами. Об этом она как-то не подумала.

— Ладно, — Лиза махнула рукой, — у меня экипаж.

Они спустились, и Алиса с восторгом уселась в низкое черное ландо, запряженное крупными воронами.

В ландо было тесновато, Лиза морщилась, но Алиса решила, что подруга не треснет, если немного потеснится. Они укрылись черной шкурой и помчались назад. Несмотря на горячие клятвы смотреть по сторонам и запомнить все до последней секунды, скоро Алису укачало, и она заснула. Очнулась она лишь тогда, когда Лиза затрясла ее и облила остатками шампанского.

— Тьфу! — фыркнула Алиса. — Какая ты вредная! Ладно, спасибо огромное! Было отлично! Лиза! Если честно, это просто великолепно, потрясающе, лучшая ночь в моей жизни! Я даже и не представляла...

— Тс-с! — Лиза приложила палец к губам. — Все завтра расскажешь. Это твоя ночь, так что сейчас не время делиться впечатлениями. Сохрани их для себя.

Алиса не очень поняла, о чем речь, но вороны уже сорвались с места и умчали экипаж.

Алиса осталась одна посреди двора. Она была ошеломлена, шампанское все еще гуляло в крови, и спать не хотелось.

Она прямо на улице сняла платье, дошла до пруда, бросилась в воду, проплыла туда-обратно, так и не ощутив холода воды, вернулась к дому и еще раз встретила солнце, которое, наконец, показалось из-за туч. Видимо, все ведьмы разлетелись по домам: неведомые силы растащили облака, утреннее солнце пригрело кожу, и Алиса зажмурилась. Она стояла так с четверть часа, пока, наконец, не покрылась мурашками. Зашла в дом, завернулась в плед — отчего-то было особенно приятно ощущать под нежным кашемиром обнаженное тело, натянула толстые домашние носки, вскрыла бутылку шампанского и вернулась во двор. Там и заснула, и только когда какая-то букашка устроилась у нее на губе и принялась чистить лапки, Алиса встрепенулась, переползла в дом и отключилась прямо в гостиной на козетке. Ей снилась ночь, и Королева, и Демон, и фавны с нимфами, и пьяная Лиза — она словно смотрела альбом с фотографиями, который с этой ночи она будет держать только в своей памяти — раз уже есть в этой жизни события, которые невозможно доверить бумаге.

Проснувшись в три, Алиса отправилась в салон на процедуру, которую обычно заказывали влюбленные парочки — всякие там ванны, обертывания, массаж... Но поскольку она решила, что с сегодняшнего дня у нее роман с самой собой (невзирая на Марика), то все порцию удовольствий получит она одна.

Из салона вышла совершенно умиротворенная — все, что делали с ее телом, было выше любых похвал. Довольное тело потребовало кофе и фруктовый салат, и Алиса отвела его в кафе. И именно там, в крошечном итальянском ресторанчике на Покровке, за чашкой лучшего в городе капучино, Алису осенило.

Внутри у нее даже все подобралось. Алиса схватилась было за телефон, но мужественно посмаковала кофе, доела яблочный пирог (он был гораздо хуже, чем она ожидала) и только потом, закурив сигарету, набрала номер Лизы.

— Я все решила! — сообщила она в трубку.

— Да? — приглушенно отозвалась Лиза. — Прости, у меня тут массаж лица...

— Э-э... — засомневалась Алиса, но решила, что друзья должны иногда жертвовать собственными интересами. — Лиза! Извини, но это срочно! Я собираюсь открыть клуб! Хочу быть богатой и знаменитой!

Признаться, такой поддержки она не ждала. Лиза, видимо, до смерти напугала косметолога — там что-то упало и, судя по всему, разбилось, но все заглушили Лизины вопли и визги.

— Давай! Встретимся! Через час! — кричала она.

— Давай-давай... — спокойно ответила оторопевшая Алиса. — Ты там не нервничай, у тебя же массаж...

— Да черт с ним! — ликовала Лиза. — Ура! Ты наконец стала взрослой, детка!

Через час они пересеклись в «Ле Гато» на Тверской, которое Алисе уже порядком надоело, но лень было выдумывать другой вариант.

— Выкладывай! — потребовала Лиза.

— Ну, смотри, — кивнула Алиса. — Я сначала думала о журнале, но просто сил моих нету заниматься еще одним женским изданием, так как по большому счету все одно и то же. Ресторан открывать неохота — не буду я Марьяне конкуренцию создавать, магазин тоже — чего я буду с Файкой соревноваться, да мне это и неинтересно, салон красоты — пошло, супермаркеты — скучно... В общем, я решила сделать культовое место. Клуб, где разбиваются сердца.

— То есть? — хмыкнула Лиза.

— То есть обстановка сейчас подходящая, веселиться люди хотят, но возможности нет никакой, потому что в клубах тоска радугой стоит, все благопристойно и благополучно, а я хочу сделать нечто действительно замечательное. Клуб, куда люди будут приходить, чтобы удивиться. Место, где люди будут чувствовать себя раскованно, где всегда будет праздник. Понимаешь?

— Тебе нужна помощь? У нас есть дружественный банк с самыми низкими ставками по кредитам.

— Отлично! — кивнула Алиса.

И работа началась. С помощью Лили, которая вроде не очень одобрила эту идею, но в содействии не отказала, между Сретенским бульваром и Лубянкой нашли двухэтажный каменный особняк — шикарный, богатый, с колоннами и огромным парадным входом. Лиза подогнала банк, Тамара выдала непьющих рабочих, а Фая подсунула отличного декоратора.

И к августу клуб был готов.

Алиса, Фая, Марьяна и Лиза стояли перед входом, над которым висела фиолетовая вывеска «Лунатик».

— За твой успех! — Фая подняла бокал с шампанским.

— Ура!!! — присоединились остальные.

Массивные двери выкрасили в черный цвет и вставили глянцевое черное стекло — вышло убедительно и стильно. Внутри все полы были черные, матовые, а на выкрашенных черной краской стенах с необычной, бархатистой фактурой играла зеркальная мозаика — гений по имени Федя выложил зеркалами гравюры Бердслея — в основном танцующую Саломею и других сексапильных див. В свете лазеров мозаика загадочно мерцала, что создавало просто ошеломительный эффект. В чилаутах подавали чай и закуски — там стояли низкие диваны, обитые красной кожей, в туалетах сделали просторные кабинки с банкетками, зеркалами на дверях и с биде — мало ли, чем там люди будут заниматься; в отдалении находился небольшой ресторан с французской кухней и, разумеется, два VIP-зала: артистический, с галереей, и, как его называла Фая, бордельный — с красными портьерами и позолотой.

— Завтра премьера? — уточнила Марьяна.

— Ага! — кивнула Алиса и с трудом восстановила дыхание.

Страшно! Они разослали миллиард приглашений — московским «всем», с подарками — девочкам упаковку духов «Джуси Кутюр» и сумочки от «Кэти Фон Зиланд», мальчикам — серебряные браслеты и копию новой игры из серии GTA, которая еще даже не поступила в продажу.

Кроме того, публике обещали Кейт Мосс, Летицию Касту, Джонни Деппа, Диту фон Тиз, Робби Уильямса, Мадонну — в общем, такой список звезд первой величины, что народ должен прийти хотя бы ради того, чтобы лично убедиться в помешательстве владельцев нового заведения.

Но никто не будет обманут. Лиза прошлась по всем знакомым и перетряхнула клиентские списки — и все, о ком светская хроника может только мечтать, с готовностью собрались в Москву — разумеется, за свой счет. И дело было не только в том, что Мадонна всем была обязана чьей-то там родственнице, чьи руки оживляли кожу, а Джонни Депп время от времени общался с душами умерших друзей. Просто обычных людей не так часто приглашали на закрытые колдовские вечеринки. Даже звезд.

Ко всему прочему обещали грандиозное угощение.

Вечером следующего дня, ровно в десять, перед клубом уже стояла толпа. На приглашении ясно было обозначено, что наряд должен быть не только парадным, но и стильным — и уж публика разрядилась в пух и прах. В дверях, снаружи, гостей встречал роскошный швейцар, а внутри, в первом тамбуре — охранники в черных кожаных шортах и высоких ботинках на шнуровке. Там же люди теряли самообладание — не ожидали, наверное, такого размаха. Гардеробщица представляла собой сексапильную брюнетку с шестым размером груди, официантки расхаживали по клубу в роскошных боди и колготках в сеточку, а на мониторах, изящно вмонтированных в стену, показывали стриптиз, записанный специально для клуба и поставленный Полой Абдул. Официантки и официанты (мальчики в кожаных шортах и с шипованными ошейниками) маниакально улыбались, создавая атмосферу праздника, играл фантастический микс Окенфольда на группу «Кьюар», столы, расставленные по главному залу, ломились от королевских креветок, тарталеток с икрой, блинчиков с малосоленой семгой, роллов и французских пирожных.

В баре подавали шампанское, крепкие напитки и фирменный коктейль малинового цвета «К черту любовь!»

Пока гости разглядывали друг друга и с удивлением замечали и Деппа, и Касту, и Мадонну, и Леонардо Ди Каприо, клуб закрыли. Свет погас — только на потолке мерцала хитроумная паутина из светодиодов.

Когда все более-менее затихли, на сцене показалось пятно белого цвета. Занавес разошелся и перед публикой предстала Алиса — в сверкающем блестками красном платье и головном уборе в стиле джазовых певиц двадцатых — серебряный шлем, украшенный стразами.

— Я рада приветствовать вас в нашем клубе, — произнесла она. — Здесь есть только два правила — хорошо выглядеть и веселиться. Больше никаких ограничений. Мы хотим, чтобы наши гости были счастливы, и сделаем все возможное, чтобы вечеринка никогда не закончилась. А теперь я бы хотела услышать аплодисменты, так как сейчас для вас будет петь наша особая гостья — Кристина Агилера!

Шоу было незабываемым. Агилера исполнила концертную программу — со всеми декорациями, костюмами и танцевальными номерами. Столы с закусками быстро переместили в VIP-залы, которые сегодня, собственно, не были VIP, а были просто комнатами на отшибе, где было поспокойнее.

Ведьмы зажигали, заряжая толпу, богема веселилась и отплясывала, Кристина на сцене выкладывалась по полной, Летиция Каста напилась и признавалась в немеркнущей любви к Лео, Деппа преследовала толпа моделей, а Дита фон Тиз влезла на стол и разделась до белья.

— Ну, как? — Алиса трясла Марка, который уже подустал — сегодня у него была ударная тренировка в спортзале, он хотел домой и спать.

— Алиса, это успех! Офигенная вечеринка! — вместо Марка проорала какая-то девушка со знакомым лицом.

Менеджер Наташа, видимо, девицу опознала (звезда телесериала) и увела в офис — выдавать клубную карту.

— Слушай, я поеду, — наконец сказал Марк. — Все просто потрясающе, но я на ногах не стою.

Алиса проводила его и вернулась в зал, где Агилеру уже сменили стриптизерши, которые на этот раз не раздевались — просто танец им за безумные деньги ставил английский хореограф, наотрез отказавшийся работать с обычными танцовщицами, потому что «в них нет секса».

Нанятые стриптизерши вытанцовывали и в клубе — заводили толпу, а мальчики из танцклубов срывали майки и охмуряли совершенными телами девушек, которые изо всех сил выделывались, чтобы понравиться красавцам.

Алиса сняла, наконец, свой шлем, так как все шло хорошо, можно и расслабиться.

Она поднялась в офис и вышла на небольшой балкончик, откуда можно было наблюдать за происходящим.

Неужели?..

Четыре месяца она ощущала себя чем-то средним между прорабом, президентом небольшой, но стратегически важной страны и укротителем декоратора, который все пытался отбиться от рук и засандалить в клубе барельеф на полстены. Конечно, ей все давалось легко — но даже это «легко» было страшным испытанием.

Она почти не ночевала за городом, оставалась у Марика, но секс был таким тусклым...

Здесь, в клубе, было столько полуобнаженных мужчин и женщин — и даже солидные ребята, в начале вечера стиснутые галстуками от «Корнелиани», посрывали офисное обмундирование и отрывались по полной. Здесь все дымилось, летали гормоны... а она киснет на этом балконе! Алиса вернулась в зал, налила в баре абсента и махнула разом — для повышения тонуса.

Она танцевала, сливаясь с толпой в едином ритме, и наслаждалась потоком энергии множества людей, слитой воедино, настроением, чувственностью — особенной, которой заряжает толпа. Тело двигалось, разум отдыхал, и сквозь полуприкрытые веки она томно смотрела на блеск зеркал и сияние огней, пока в грудь вдруг не ударило. Она увидела его!

Самого сексуального мужчину. Ничего общего с интеллигентным, немного уставшим, ленивым Мариком. Лет двадцати пяти, поджарый, с накачанными, в татуировках, руками, азиат с волосами чуть ниже плеч. Джинсы держались на бедрах, открывая восторженным взглядам мускулистый загорелый живот, кожа казалась очень гладкой и нежной, монгольские ноздри раздувались, полные губы приоткрыты жарко...

И с Алисой что-то случилось. Она потеряла волю, контроль и человеческий облик — ринулась к нему, пожалев, что напялила длинное платье, а через минуту у них уже завязался разговор.

— У вас отличный клуб... — сказал он, глядя на нее так, словно она игрушка, которую он приметил в секс-шопе.

— Пойдем, выдам тебе карту. — Алиса взяла его за руку и повела в офис — там был чудесный диван.

— А вы всем их даете? — поинтересовался он.

— Только полуголым мужчинам, — усмехнулась Алиса.

Секс был жарким и бесконечным. Наверное, давно уже утро, и все разошлись, и ее кто-то ищет, и, возможно, стучали в дверь, звонили по телефону, но как же ей было плевать на все эти мелочи, потому что у нее, наконец, случился секс века! Необузданный, с нахальным молодчиком, который не всегда правильно ставит ударения, с глуповатым — это по глазам видно, но таким привлекательным сексуальным объектом, что впору сойти с ума, и даже влюбиться в этого придурка, и особенно глупо хохотать ни над чем — от переизбытка чувств...

Они вышли с черного хода в восемь утра. Алиса

записала его телефон — звали его Нияз, села в машину, отъехала на пару метров и остановилась.

Она должна это сделать. Прямо сейчас. Пока не поздно.

— Алле! Фая? Ты спишь? Слушай, я за тобой заеду, Марьяне позвони!

Вот оно! Алиса тронулась, открыла окно — вдохнуть уже теплый и противный, как нагревшаяся кола, воздух, и вспомнила, как это хорошо — быть свободной. Говорят, женщины страдают от одиночества — но это все чушь! Страдают лишь те, у кого нет денег на грузчиков, электриков, сантехников и водителей. А у нее все это будет — и столько, что на всю жизнь хватит. Все, все хотят, чтобы о них заботились, а она не хочет!

Марик милый, но она же не собирается всю жизнь встречаться с одним человеком?

У нее теперь клуб, в клубе — молодые люди, и все они будут ее желать — хоть каждый вечер меняй их, и у нее впереди столько романов, столько захватывающих переживаний, что ну ее, к черту, всю эту гармонию и уверенность! Единственное, в чем она точно уверена — она не хочет заржаветь в гараже у какого-нибудь мужчинки, который уже через год перестанет регулярно брить подмышки и будет засыпать еще до того, как она ляжет в кровать!

Марьяна уже ждала у Фаи. Две кукушки. Стоят у подъезда — макияж смыли, джинсики натянули, вид смурной, под глазами синяки, но глаза-то горят! Красавицы...

Едва они сели в машину, Алиса заявила:

— Я трахнула суперманекенщика!

Девицы завизжали.

Марьяна первой опомнилась и поинтересовалась — впрочем, без большого интереса:

— А че Марик?

— А Марик спать уехал! — фыркнула Алиса. — И, судя по всему, он уволен.

— Ух ты! — подала голос Фая. — А ты говорила, что он мужчина твоей мечты.

— Я поменяла мечты, — сообщила Алиса. — И теперь моя мечта — знойный секс-символ по имени Нияз, у которого эрекция двадцать четыре часа в сутки!

— Ого! — Марьяна перегнулась на переднее сиденье. — И как?

— Диван мокрый! Придется выбрасывать!

Фая рассказала, что ее клеил какой-то вполне респектабельный мужчина лет тридцати пяти — он был всем хорош, если бы они не затронули тему Нью-Йорка. Респектабельного мужчину заклинило — он перечислил все места, где можно встретить супермоделей, поведал о встречах с Наоми Кэмпбелл и Кейт Мосс — не интимных, хоть он и наводил тень на плетень, и совершенно замучил Фаю восторгами по поводу каталога «Виктория Сикрет».

— Я ему говорю: «Эй, парень! Тебе осталось только в штаны кончить!»

— Так и сказала? — расхохоталась Алиса.

— Да! А он предложил мне пойти в туалет и понюхать кокоса! Типа, дорогуша, я угощу тебя наркотиками, а ты мне за это по-быстрому сделаешь минет!

— Слушай, ты бы мне сказала — я ведь могу превратить его в жабу! Или в червяка! — веселилась Алиса.

— Да ты уже оттопыривалась со своим Ниязом,

так что пришлось мне самой дерьмо разгребать! Вот этими вот руками!

И она сунула ладони Марьяне под нос, за что та ее грубо толкнула, закричав «Фу-у!».

По дороге они купили шампанского, а уже на выезде из города Марьяна заставила их остановиться в Макдоналдсе — и ведь запивала гамбургер «Асти Мандори»! Правда, Алиса с Фаей глядя на нее тоже проголодались — пришлось возвращаться и в первом попавшемся итальянском ресторане заказывать макароны на дом.

Макароны были съедены прямо в машине — правда, припаркованной перед домом, а потом они еще и танцевали в бикини у пруда.

— Надо сделать бассейн, — решила Алиса, лежа в пруду у самого берега и с отвращением отпихивая ногами тину.

— Привяжите меня веревочкой, чтобы я не утонула, потому что я засну прямо здесь, до дома не дойду... — застонала Фая.

Кое-как они добрались домой, Алиса рассовала девиц по кроватям, но сама, хоть и валилась минуту назад от усталости, заварила зеленого чаю и устроилась на втором этаже на террасе.

Первый раз в жизни она чувствовала, что все сделала правильно.

Она не боялась, не шла на компромиссы с собой, не делала того, что представлялось нормальным разумному большинству. Это ее жизнь. Она сама решает, что для нее хорошо.

Странные намеки Лили, ее поджатые губы, многозначительные вздохи — все это глупо, потому что это Лиле хотелось, чтобы она углубленно занималась магией, а не ей, Алисе.

Многие бы, наверное, покрутили пальцем у виска, узнав, что Алиса променяла взрослого солидного мужчину, который подарил ей кольцо с бриллиантом, на симпатичного мальчишку, но все же знают — она никогда не поощряла ничего взрослого и солидного — ей всегда хотелось быть немного безумной и своевольной, и она — тот самый человек, которого по рукам и ногам связывают эти жуткие обязательства — «в горе и в радости», «жили долго и счастливо»...

Она будет богатой, вечно молодой и очень счастливой — так, как умеет.

И никто не посмеет встать у нее на пути.

 # ГЛАВА **11**

— Ты пмаешь... — Алиса передохнула и отвела взгляд. — Дело не в том, что...

Марк с легким удивлением смотрел на нее. Попытка объясниться, кажется, с треском провалилась.

Неделю Алиса собиралась поговорить с ним — честно и открыто, но трусливо откладывала встречу на потом. И даже делала вид, что сто неотвеченных звонков от Марка — это нормально. Ничего такого. Просто сейчас она занята.

Конечно, она действительно была занята. Все газеты написали о новом клубе, куда потянулись даже арабские шейхи — они приезжали на ночь, делали «Лунатику» кассу, производили фурор в каком-нибудь «Национале» или «Метрополе» и улетали обратно — к своим нефтяным вышкам и гаремам. Фирменный коктейль «К черту любовь!» расписывали все колонки сплетен — он был великолепен, и от него почти не было похмелья, сколько ни выпей.

Всего неделя — и Алиса стала знаменитой. Она дала примерно сорок интервью, снялась для трех самых модных журналов — ей даже позвонили из «Глянца» и договорились об эксклюзивном материале.

Ее наперебой звали на радио — поговорить о клубной жизни и прочей индустрии развлечений.

В клуб рвались толпы, но пускали не всех, потому что нужны были самые яркие, сексуальные, стильные и безбашенные клабберы, которые могли бы «сделать» вечеринку. Богема оживилась — самых-самых пускали бесплатно и даже угощали спиртным.

Откровенных шлюх не пускали — всех этих девиц с загорелыми бюстами, завитыми на бигуди платиновыми локонами и маникюром со стразами. У Алисы был не секс-клуб, поэтому проходили только девушки с огнем в глазах — такие, что нацелились на приключения, а не на пополнение счета.

Так что разговор с Мариком, конечно, пришлось отложить. Но необходимость сделать это нарывала, как больной зуб.

Поэтому в пятницу, перед открытием, Алиса заехала к нему. Она собиралась спокойно, без излишней драматизации, признаться в том, что не готова к отношениям — купила даже бутылку виски (скрепить развод), но вдруг перепугалась, устроилась во дворе — якобы покурить и собраться с мыслями, и выпила граммов триста — совершенно случайно, просто хотелось пить, а под рукой ничего другого не оказалась...

К Марку заявилась еще более-менее в форме — от волнения держалась в тонусе, но у него на диване, в привычной умиротворяющей обстановке, почувствовала — развезло. Язык не ворочался, и больше всего хотелось прилечь, но она должна выполнить долг, прежде чем гордо уйдет — одинокая и свободная.

— Марик, нам нужно расстаться! — воскликнула она, посчитав, что с прелюдиями у нее сейчас точно не сложится.

Марк, конечно, слегка удивился. Но серьезность момента оценил.

— Не хочу на тебя давить, но этому есть какая-то причина? — сухо поинтересовался он.

— Есть! — бодро закивала Алиса. — Я не хчу ни с кем встречаца всегда, потомушо... — тут она запнулась, так как понимала: вряд ли она сможет сию минуту исполнить симфонию своих душевных переживаний и не сфальшивить.

В конце концов, как объяснить человеку, что хочешь с ним расстаться только потому, что не перетрахала сотню-другую мужиков прежде, чем уйти на сексуальный покой и соединить судьбу с одним мужчиной? Как?! Взять вот так и сказать?

— Подожди... — пробормотал Марк, вскочил с места и вышел из комнаты, незаметно прихватив мобильный.

То есть он пытался сделать это, не привлекая внимания, но у него не получилось.

Алиса обомлела. То есть она, разумеется, тоже

вела себя непредсказуемо и глупо, но... Кому он хочет звонить в ту секунду, когда его бросает девушка?

Может, он психопат, сидит на литии, и побежал звонить психиатру — рассказать, что находится в пограничном состоянии и нуждается в дополнительной дозе транквилизаторов?

Маме?

В вытрезвитель?

Алиса пробралась в коридор, обнаружила полуприкрытую дверь в спальню, подкралась и прислушалась.

— И что делать? — нервничал Марик. — Мы не предполагали... Все шло как по маслу... Да. Хорошо. Ладно, подождем. Ты думаешь? Ну, возможно... А вдруг она... Хотелось бы надеяться... А когда я могу получить... Черт! Ну... А что еще мне остается?

Почувствовав, что разговор близится к концу, Алиса на цыпочках ускакала в гостиную, метнулась к сумке, отхлебнула еще виски — бутылку она так и не достала, чтобы не стало очевидно, что она набралась перед самой встречей, и плюхнулась на диван.

Марик вошел с довольно грустной физиономией.

Сел напротив. Сцепил руки.

— Алиса, ты взрослый человек, поэтому я не буду тебя уговаривать. Хотя и хочется, — он провел рукой по лбу. — Глупая ситуация. Ладно... Просто я бы хотел, чтобы ты знала — мне жаль, что у нас не получилось.

— Я пойду, — сказала Алиса, отводя глаза.

— Давай, — кивнул он.

Алиса тихо прикрыла за собой входную дверь, спустилась по лестнице — решила не ждать лифта и не думать о том, смотрит ли он на нее в дверной глазок (вряд ли, но она бы так и сделала), и вышла на улицу.

Дурацкая душная московская ночь. Хотя еще нет десяти и на улице не совсем темно. Но все же август. Алиса села в машину, включила кондиционер и вызвала такси. У нее было средство от опьянения, которое ей подарила Лиза, но трезвости не хотелось. Наоборот, очень нужно было напиться до бесчувствия.

И дело не в Марке. Что-то есть еще... Нечто неуловимое... На чем-то она никак не могла сосредоточиться — на чем-то важном, существенном, но мысль убегала, играла в прятки, оставляя лишь едва уловимый след из смутного беспокойства, отчего и хотелось напиться до изнеможения — и она сделала это.

Причем напилась дома, в одиночестве, и долго ползала потом от ванной до спальни и приняла все-таки эти жуткие таблетки, которые нужно жевать полчаса — они были зеленые и во рту превращались в резину, а когда вся эта мерзость упала наконец в желудок, так закружилась голова, что подогнулись колени — и Алиса часа два просидела в коридоре с закрытыми глазами. Правда, потом выяснилось, что прошло не два часа, а всего семь минут, но по ее ощущениям миновали сутки — и все эти сутки Алису так чудовищно мутило, что подобный опыт она вряд ли станет повторять. Смыв с себя пот и рвоту, изможденная Алиса рухнула на кровать и провалилась в сон со странными сновидениями.

Проснувшись, первый раз задумалась над тем, почему она ничего не рассказывает Елене о своей жизни, а та не спрашивает, ведь учительнице, наверное, интересно, как ученица воплощает в жизнь новые знания. Может, Елена в курсе? Надо бы спросить... Хотя... А как она воплощает в жизнь знания?

Последнее знание, примененное практически, было из книги «Магия в рекламе» — немного путаные заклинания, но работают отлично. Тут главное — правильно составить коды, сочетания букв и цифр. Основана вся эта байда на нумерологии, так что Алисе не составило труда самой, без помощи Лизы, хоть та и предлагала свои услуги, так хитроумно закодировать рекламные объявления, афиши и пригласительные, что результат себя оправдал на следующий же день после открытия клуба — и даже во время открытия оправдал, так как не было ни одного нужного человека, который бы проигнорировал премьеру нового клуба.

Лиза, казалось, была уязвлена — наверное, не ожидала, что Алиса так ловко без нее справится, но чувства Лизы никого не волновали — это ее проблемы, пусть сама разбирается. А она, Алиса, молодец — у нее все получается.

Хотя, признаться, было во всех этих «Магиях для бизнеса», «Магии в рекламе» что-то... фальшивое. Ну, как в знакомствах по Интернету — ждешь принца, остроумного и обаятельного, а получаешь стеснительного и нервного толстячка с потным лбом.

Но ведь ей же нужны деньги? На что бы она жила, если бы не Лиза, и все эти бизнес-планы, и все эти книги? У нее в кои-то веки все прекрасно, никаких интриг, никаких трудностей, а она опять недовольна! Конечно, жизнь — это поиск, но ведь имеет же она право на передышку?

Алиса приняла ванну, позвонила девчонкам и поехала в «Макикафе». Сегодня — только подруги.

Но когда она вошла в кафе, оказалось, что подруги-предательницы уже познакомились с какими-то перцами в модных майках и вовсю хихикают.

Перцы были ничего — правда, всего двое, зато красавцы.

Один — такой бледненький брюнет с пухлыми губами в морщинках, второй — здоровый загорелый блондин с густыми волосами чуть выше плеч.

Алиса усмехнулась. Ну, как обычно, девицы все в черном, несмотря на жару: на Марьяне платье с запахом, на Фае — топ и капри в облипку.

— Так я не поняла, чем ты занимаешься? — услышала Алиса, когда приблизилась к столику. Фая в своем репертуаре — терзает жертву. — А вот и наша подруга Алиса! — возвестила Фая. — Вы уже позвонили этому вашему... Гарику?

Блондин кивнул и придирчиво осмотрел Алису. Она ответила холодным взглядом и села рядом с брюнетом.

— Так чем ты занимаешься? — талдычила Фая.

— А какое это имеет значение? — надменно произнес блондин.

— Как это какое? — Фая в ужасе уставилась на него. — А вдруг ты продаешь наркотики или, еще хуже, преподаешь тантру?

— А почему это хуже? — на полном серьезе спросил блондин.

— Это Дима, — потом Марьяна ткнула пальцем в блондина, — это Рома.

Марьяна с интересом следила за молодыми людьми, но Алиса знала — она просто веселится, наблюдая за тем, как Фая щелкает кавалеров. Подобные экземпляры ее не волновали — ей подавай трагическую личность, с синевой под глазами, какого-нибудь циничного типа, которого ей придется добиваться, доказывать, что она — умная и необыкновенная, а эти образцовые самцы с чувством юмора, как у клизмы, с точки зрения Марьяны, годились только (и это в лучшем случае) для дурацкой беседы в кафе, чтобы потом хорошо над ними посмеяться в узком девичьем кругу. Алиса была уверена — с такими бы Марьяна не стала спать даже если бы к ее виску приставили автомат Калашникова. А мальчики тем временем упивались собственной неотразимостью и, наверняка, рассчитывали на продолжение. Впрочем, от Фаи можно было ожидать чего угодно — даже того, что она затащит в постель обоих и выгонит, едва те успеют снять штаны.

— Я байер в Боско, а Рома — оператор, снимает музыкальное видео, — сообщил Дима.

— То есть ты покупаешь одежду? — уточнила Фая.

Дима как-то приосанился, и Алиса догадалась — видимо, на девушек действует его профессия: перспектива скидок и все такое...

— А у меня пять магазинов «8 1/2», знаешь? — небрежно поинтересовалась Фая.

Дима оживился. Еще бы он не знал! Все знали.

— А у меня рестораны «Луна Росса», — заявила Марьяна.

— А я недавно открыла клуб «Лунатик», — скромно заметила Алиса.

— Тот самый «Лунатик»? — ахнул Рома.

Конечно, все это было глупо, и неправильно, и смешно, но они ничего не могли с этим поделать.

Все они, как типичные девушки 90-х, прошли через эти свидания, когда ты не уверена, что выкинет мужчина после того, как накормит тебя ужином. Им приходилось отбивать авансы, которые выдавали мужчины, уверенные, что после десерта ты отдашься им прямо в такси. Часами размышлять: а являются ли два-три коктейля веским основанием для того, чтобы мужчина лез тебе под юбку, не сомневаясь, что так и нужно?

И несмотря на все упреки в каком-то уж совершенно невменяемом феминизме, Алиса поняла — если мужчины за тебя платят, девяносто девять и девять десятых процента из них уверены, что имеют право получить хоть что-нибудь в обмен на потраченные деньги. Хоть что-нибудь — это про секс.

У Алисы всегда были друзья-мужчины, и через них она уж точно знала — все они впадают в бешенство, если заплатили за хороший обед, а девушка их прокатила.

Так что она торжествовала, когда видела, что мужчина смущен и растерян (такой вот, как эти Димы-Ромы) — не знает, что делать с женщиной, которая может и хочет заплатить за себя, которой ничего не нужно — кроме разве что секса и любви, и которую купить можно только человеческими качествами, и нужно стараться, работать, завоевывать. Хотя по собственному опыту Алиса поняла, что завоевывать мужчины не любят — если, конечно, это не подразумевает только цветы, конфеты и шампанское. Еще есть стандартный набор обольстителя — дешевенькие, отдающие плесенью комплименты, признания, обещания — вся эта лабуда, на которую цепляют девиц, посмотревших «Красотку».

Большинству девушек кажется, что их избранник прекрасен — они видят то, что хотят видеть, и та-а-ак удивляются, когда оказывается, что их дивный супермен больше всего на свете любит пиво, сериал «Спасатели Малибу», в туалете у него висит плакат с Памелой Андерсон, а еще он смотрит на «любимую» с отвращением и спрашивает: «Это что, ВЧЕРАШНЯЯ еда?», и после него по всей раковине почему-то остаются комки зубной пасты, и он не дает ей ключи от своей квартиры, а девушка его лучшего друга «гакает» и смотрит «Дом-2»...

Причем мужчинам даже не надо стараться — девушки все додумывают за них.

Конечно, можно было бы искать свою любовь, но что потом делать с этой любовью, Алиса не знала. Может, найти и договориться — встретимся лет через десять, когда захочется покоя и домашнего тепла?..

Не дождавшись того самого Гарика, подруги расплатились и перебрались в «Галерею».

Фая сразу же склеила какую-то знаменитость из «Фабрики звезд», Марьяна ударилась в пляс, а Алиса заняла диванчик, заказала «Космо-шампань» и принялась рассматривать публику.

У бара завис мужчина в классном костюме — образ портило только выражение лица: прямо лорд Байрон, переживающий смертельную тоску.

Почему-то Алиса вспомнила, что в классе седьмом они с подружками дико хохотали, представив резиновые сапоги от «Шанель» — тогда еще таких не было, и сама идея, что «Шанель» вообще может продавать резиновые сапоги — самую отстойную и позорную обувь, казалась парадоксальной.

Сколько сейчас у нее резиновых сапог? Пар шесть? Или пятнадцать?

А что?

Дешево и забавно — она их покупала не раздумывая, если видела симпатичные.

Мужчина все-таки оторвал задницу от бара и направился к ней. Ух ты!

Это будет интересно... Это уже не мальчик-с-пальчик — тут мы имеем дело с опытным исполнителем, с актером — вон как смотрит из-под ресниц и двигается лениво — без азарта.

Это было так занятно — играть в человеческие отношения! У Алисы не было никакой надобности влюбляться, переживать, даже не было потребности в сексе — в клубе она всегда найдет двух-трех потенциальных партнеров, так что все эти ритуальные танцы представляли для нее чисто исследовательский интерес.

Ну что, что он сейчас скажет?

Он подошел, посмотрел на нее («А он ничего...» — решила Алиса) и сказал:

— Хочу с вами познакомиться, но не знаю, с чего начать. Может, я угощу вас шампанским?

Мило. Типа искренне, и сразу шампанское, а оно здесь от двухсот евро, а не какой-нибудь убогий коктейль. Вроде он меня оценил. На двести евро. Для начала.

Алиса думала, а не сказать ли: «Давайте я вас угощу!», но все это завершилось бы препирательствами и его скорой капитуляцией, потому что если мужчину угощает женщина, она имеет над ним власть — они меняются ролями, а власть мужчина никогда женщине не отдаст, поэтому неудачники и поколачивают своих жен, чтобы знали, кто в доме хозяин.

Не то чтобы Алиса не любила мужчин. Просто все эти ролевые модели ее страшно утомляли — все эти девочки, погрязшие в мечтах о папике-принце, все эти мальчики со своим раздутым Эго и перепадами тестостерона... Скука!

— Ну, давайте! — согласилась она.

«Ох-ох-ох! — подумала Алиса, когда он вернулся с бутылкой дорогущего «Кристалла». — Смелое заявление».

Значит, ее оценили в тысячу евро. Ладно уж. Все-таки лестно. Хотя, возможно, он просто не признает другое шампанское.

— Меня зовут Андрей, — представился он.

— Алиса, — улыбнулась она.

Вполне себе милый тип... Очень короткая стрижка — волосы присутствуют лишь для того, чтобы показать — они есть, и это ему идет — красивый череп классической формы, правильный овал лица...

Этот Андрей вдруг расхохотался.

— Знаете, — начал он. — Я уже давно не знакомился с женщинами вот так, в клубе. Обычно это или какое-то событие, или своя компания, и я просто даже не знаю, с чего начать разговор!

Это у него такой приемчик? Или он искренне растерялся? Дадим ему фору — пусть будет второе.

— А что вам интересно? — спросила Алиса. — Только не политика и не недвижимость — это табу.

— Недвижимость? — он удивился.

— Ну, знаете, стоит только начать... — Алиса развела руками. — Мы с вами обсудим экологию центральной части города, перспективы пригородов типа Куркина — Обкуркина — вы, допустим, скажете, что там чистый воздух, а я буду вас уверять, что в квартирах там все равно кондиционеры, так что на воздух всем наплевать, потом мы плавно перейдем к пробкам на Ленинградском шоссе, поговорим о Новой Риге, перейдем к проблемам загородного строительства — от коттеджных поселков до элитарного жилья... И это будет очередной разговор ни о чем, потому что все слышали и говорили про это тысячу раз, и в лучшем случае мы оба признаем, что Рублевка, конечно, забита под завязку, но это единственное направление с развитой инфраструктурой.

— Ха-ха! — кивнул он. — Ладно, тогда я расскажу о том, как в последний раз был влюблен. Знаете, в жизни каждого бизнесмена есть такой этап, когда тебе кажется, что ты можешь все. Куда бы ты ни пошел, тебя окружают десятки девушек, готовых на все, лишь бы ты подпустил их к своей кредитке. И тебе это нравится. В твоих руках — власть. Ты можешь взять любую красивую женщину, и тебе наплевать — любит она тебя или твои деньги, потому что у тебя, наконец, есть доступ к лучшему женскому телу. Все, о чем ты мечтал в школе, в институте, свершилось. Ты запоем меняешь любовниц, а потом вдруг тебе кажется, что ты перешел черту, и теперь у тебя другие ценности, и такие вот продажные женщины — это гадость.

Алиса очень внимательно слушала. Во-первых, было интересно, а, во-вторых, такого с ней еще не случалось.

— Ты ищешь. Разумеется, в своем кругу. Знакомишься с журналистками, с актрисами, певицами —

ищешь класс. Но вскоре понимаешь, что все одно и то же — просто методы другие. Все эти интеллектуалки, которые за обедом в «Марио» впечатляют тебя разговорами о последнем Сотби или последних Каннах, так же, как и обычные шалавы, обсуждают с подружками твою кредитоспособность и перспективы оторваться за твой счет в Куршавеле. И не потому, что им нравятся горные лыжи, а затем, чтобы говорить: «В прошлом году в Куршавеле было скучно...» В общем, я был разочарован, ходил таким Евгением Онегиным, пока не встретил свою Татьяну. В магазине. Она возмущалась тем, что в продаже нет чая «Ахмад», я посоветовал ей другой, потом я помог ей донести сумки до машины, старой «Ауди» — бочки, у нее сел аккумулятор... В общем, прямо как в сериале. Татьяну звали Саша, и она была окулистом.

Я повел ее в «Сирену», и она очень смутилась, когда поняла, сколько что стоит, но я ее уговорил. Правда, в следующий раз она привела меня в какое-то кафе в «Сокольниках», где могла заплатить за себя сама. Мы странно проводили время. Гуляли в парках. Ходили в кино. Покупали еду в Макдоналдсе. Сначала я был влюблен и ничего не замечал. Потом мне надоело пить «Гастал» — от гамбургеров у меня началась изжога. Мне надоели московские парки. Мы уехали на неделю в Крым и сняли квартиру у ее знакомого хозяина, потому что в гостинице было слишком дорого. Я начал ей врать. Говорил, что не люблю загорать, снимал на несколько часов номер в хорошем отеле, спал там пару часов, мылся и обедал в нормальном ресторане. Я спросил у нее, как она представляет себе нашу совместную жизнь. Саша сказала, что вот так и представляет. Потому что один из нас явно должен принять образ жизни другого, а она не хочет быть содержанкой. Но она была врачом в небольшой частной клинике — и у нее ничего не было, кроме образования, достоинства, этой развалюхи «Ауди» и вшивой квартирки на Сухаревской. Она сказала, что я могу уезжать в какое-нибудь там Монако и обедать с друзьями в хороших ресторанах, но это трудно было назвать решением проблемы. Я ее безумно любил. Но когда мы в очередной раз сидели в вонючем сквере рядом с ее домом и пили жуткое чилийское вино, я понял, что так больше не могу. И уже потом догадался, в чем было дело. Я так ее любил, что мне казалось — мы созданы друг для друга. Но она меня не любила. Я просто ей нравился.

Он замолчал.

— А если бы она вас любила, что бы это изменило? — спросила Алиса.

— Я бы открыл для нее клинику, — сказал Андрей. — Она стала бы богатой, и мы поехали бы на Мустик. Хотя... Черт ее знает! Вы что думаете?

— А это случайно не жалостливая история, которую вы рассказываете тем девушкам, с которыми знакомитесь в клубе? — насторожилась Алиса.

Он с удивлением посмотрел на нее и расхохотался.

— Поверьте... — ответил он, утерев слезу. — Мне нет никакой необходимости пробивать на жалость. Вы просто мне нравитесь. Но мне ничего от вас не нужно. Поговорим и разойдемся — хорошо. Обменяемся телефонами — тоже хорошо. Поедем ко мне или к вам — неплохо, хоть это и не мой стиль.

И Алиса вдруг поняла, что он ей нравится. Не то чтобы она стремилась с ним переспать (почему нет?), но он был классный. С ним хотелось дружить. Она затащила его в свой клуб, угостила фирменным коктейлем, а утром проснулась у него в спальне — хозяин при этом спал на диване в гостиной.

После завтрака у них был секс — Алиса не удержалась, слишком уж сексуально он выглядел в спортивных штанах и белой футболке, и они потом до ночи смотрели сериал «Друзья» и ели начос с сырным соусом.

Алиса пребывала в состоянии вялотекущей эйфории.

Это же новая форма жизни, отношений!

Сколько раз она слышала от женщин и мужчин, что два человека, любивших друг друга и порвавших друг с другом, не могут потом дружить — потому что они и раньше не дружили. И это было обидно — терять людей только потому, что одному из них либо захотелось спать с другими, либо вообще все надоело.

Что это за любовь такая — без дружбы? Гораздо приятнее дружить и время от времени спать вместе, потому что тогда вы можете быть друзьями, которые вместе спят — или друзьями, которые больше друг с другом не спят.

В общем, со всем этим можно разобраться и потом, так как сейчас у нее реальные проблемы — закончился соус, а без соуса начос не представляют никакого интереса, поэтому придется ехать в магазин — и тут надо понять, на чьей машине и кто будет за рулем.

 ГЛАВА **12**

— Ты знаешь, что есть мужчины, которые любят смотреть? — Фая так странно прислонилась к стойке, что казалось — она собирается встать на мостик.

Фая была пьяна в дугу — что, видимо, и хотела доказать.

— Куда смотрят? — небрежно спросила Алиса.

Еще немного — и у Фаи начнется самая противная стадия опьянения: она будет поносить Яну Рудковскую (не то чтобы конкурентку — просто лидера рынка, после «Меркьюри» и «Боско», разумеется) и целоваться. На определенном этапе Фая начинала всех любить (кроме Рудковской) — она обнималась, целовалась, забиралась на коленки, гладила по голове и долго висела у жертвы на шее, пока ей не приходила гениальная мысль — взасос поцеловать кого-нибудь в шею. Мужчину, женщину — без разницы.

— Смотрят! — воскликнула Фая. — Просто смотрят! Знаешь, такие плейбои лет сорока — сорока пяти. Сначала кажется — они хотят тебя отодрать, не снимая трусов, так, знаешь, они себя ведут — почти разнузданно. И сразу все эти пошлые шуточки, и намеки, и все такое, а потом — опа! — и нет его. Был — и весь вышел! Соскочил! Бесит... — Фая покачнулась и ударила себя рукой в грудь, на которой висел кулон с потрясающим родонитом. — То, что тебе сначала даже неловко. Ты, как кисейная барышня, вся дрожишь и смущаешься...

— Фай... — Алиса расхохоталась. — Это ты-то дрожишь и смущаешься?

— А что? Я не человек что ли? — возмутилась Фая. — Дрожу! Смущаюсь! А когда ты уже серьезно замышляешь с ним переспать — оказывается, что у него жена, дети — взрослые, и обязательно один — лет пяти, и жена ему уже приготовила кашку и поставила HDVD в плеер. Они только и знают, что пялиться на твою грудь — это у них такой способ стать на час халифом — то есть молодым и дерзким. Вот! — Фая развернулась всем телом и ткнула пальцем в высокого лысого мужчину в белом свитере. — Вот он! Эй! Алекс! Сюда!

Алекс мило улыбнулся, что-то нашептал собеседнику, и они вместе подошли к девушкам. Спутник Алекса был примерно в таком же состоянии, как и Фая, только держался не в пример лучше. — Ну, скажи мне... — Фая повисла на Алексе. — У нас сегодня будет безудержный секс?

Алекс засмеялся.

— А что тут смешного? — нахмурилась Фая. — Тоже мне, шуточки!

— Алиса... — зашептала менеджер Наташа, взявшаяся ниоткуда. — Там с черного хода рвутся из «Экспресс-газеты»...

— Я же сказала, никаких папарацци! — зашипела на нее Алиса. — Пусть стоят у входа и ждут, когда выйдет пьяная Стоцкая! И все! Кстати, тех, кто совсем не в себе — выводите через столовую.

— А может... — засомневалась Наташа.

— Не может! — отрезала Алиса. — Я же тебе уже все объяснила. У нас закрытый клуб, пресса может только догадываться, что здесь происходит, и приветствуем мы исключительно журналистов из нормальных изданий: «Коммерсант», «GQ», «Эсквайр»...

Только литературные репортажи «о новом клубе, который уже стал культовым»! — передразнила она газетные штампы. — Ты не забыла, что журналисты этих изданий — наши звезды, что мы обращаемся с ними, как с Мадонной, и что у нас здесь семейная VIP-атмосфера, в которой каждый гость — суперзвезда? А?

— Извини, — испугалась Наташа.

Алисе нравилось быть главной. Конечно, приходилось все повторять по сто раз — но оно того стоило. К ним рвались сотни людей, приехавших с отдыха. И они уже знали, что в клубе запросто расхаживают известные личности, которым внушили, что «Лунатик» — место, где все равны, потому что тут все звезды: и фрики в безумных нарядах, и телеведущие, тоже иногда одетые, как фрики — недавно не пустили лицо одного канала, которое явилось в шубе на голое тело. Лицо орало и топало ногами, и не могло поверить, пока его не отвели в офис и не выдали майку от «Готье», нарочно купленную для подобных случаев. Лицо купило столько шампанского «Кристалл», что майка окупилась с первым же бокалом. Здесь были самые заводные тусовщики, самые красивые девушки, самые стильные модники — и все они были любимыми гостями клуба, все были звездами — потому что здесь работали другие правила, первое из которых гласило: «Если ты зануда, тут тебе не место!».

На поддержание такой атмосферы и уходили все силы — неповоротливый персонал то тщился кому-то нахамить, то пропускал странных людей в безвкусных костюмах, то стоял на входе с негостеприимным лицом... Приходилось беспрестанно на кого-то орать, увольнять, грозить увольнением, вправлять мозги — словом, переделывать других под себя, и временами Алисе казалось, что это не она должна платить зарплату, а ей, за то, что она дает всем этим людям надежду, что в будущем их возьмут на работу только потому, что они трудились в «Лунатике».

Но, с другой стороны, это было забавно: если вся твоя работа — приезжать вечером в клуб, общаться со знаменитостями, орать на официантов, а утром в кафе пить морковно-апельсиновый фрэш, болтать с подругами и невзначай, по ходу беседы, придумывать темы для новых потрясающих вечеринок.

— Смотри... — застонала Фая. — Он исчезает... Бежит к жене в кровать!

— Ты так говоришь, как будто это преступление! — хмыкнула Алиса.

— Это и есть преступление, если речь идет обо мне! — кивнула Фая. — Потому что нечего было пялиться! Пусть на жену свою пялится! Слушай! — она шлепнула Алису по плечу. — А ты меня раздражаешь! Ты зануда! Я пойду к Билану приставать!

И она ушла — куда, неизвестно, но в том, что она найдет к кому приставать, сомневаться не приходилось.

Алиса выплыла было в зал, но резко развернулась, присела — и вот так, на полусогнутых, бросилась прочь. На нее надвигалась (к счастью, обернувшись к подруге, которая плелась сзади) ужасная в своем великолепии Элеонора. Элеонора была женой одного из тюменских магнатов. Она была неглупа — поэтому не стала сразу рваться в клуб, а сначала прислала Алисе роскошный букет и сумку от «Хлое», а когда Алиса позвонила, чтобы выразить благодарность, пригласила ее на обед. Без предисловий она предложила весьма убедительную сумму за клубную карту, но дело было не только в этом. Она была смешная. Такая чудаковатая богачка, каких всегда не хватает для контраста. Она была нелепая, забавная, сообразительная и могла уйти в трехдневный отрыв. Карту она получила бесплатно, зато поила, наверное, двадцать тусовщиков — и всех лучшим шампанским и фирменным коктейлем.

Но на прошлой неделе Элла отчебучила такое, что Алиса предпочитала с ней не встречаться. Каким-то образом они умудрились вместе напиться, и Элла призналась, что влюбилась. Но влюбилась она не в какого-нибудь модельного мальчика, которого можно арендовать на пару недель и под благовидным предлогом выставить вон, а в шестидесятилетнего представителя жуткой политической партии, то ли что-то вроде коммунистов, то ли еще каких-то фашистов — старого, бедного человека, который каждый год отмечал день рождения то ли Сталина, то ли Гитлера.

Конечно, он неплохо выглядел — загорелый такой, подтянутый, с обаятельной улыбкой, но это не искупало дешевых сандалий и всех этих левых взглядов вкупе с преданностью одному из мертвых диктаторов. Звали его Михаил Алексеевич, и в клуб он попал с молодежным движением партии — а точнее, с женой лидера молодежного движения, которая писала рассказики и считалась флагманом молодой русской литературы. «Серое зимнее утро непроходимой тоской впивалось в плоть. Опять хотелось покончить с собой. Трудно жить, если весь твой багаж — одиночество. Бритвы, таблетки — все эти доказательства фантазий в готическом стиле были наготове, но, увы, это была лишь поза. Собственное малодушие угнетало дух, и она решила переспать с Гиви — в знак протеста» — такие истории Алису мало интересовали, но они все-таки сделали в журнале (это еще когда она работала в «Глянце») материал о молодых писательницах, после которого фотограф слег с нервным срывом. Писательницу звали простым русским именем Маша — от такого имени Тимур, фотограф, на две недели вернувшийся из Монако, где жил уже долгие годы, никаких сюрпризов не ждал. Но когда он явился в писательскую квартиру ее родителей, которые уже давно жили на даче, и застал в одиннадцать утра пьяную Машу, встретившую его в нижнем белье и с сигарой во рту, он, конечно, маленько расстроился. Через пять минут после начала сессии она уже предложила ему «трахнуть ее» — и это несмотря на то, что по квартире носился пятилетний малыш — ее ребенок от какого-то байкера, как она заявила, но это предложение мудрый Тимур расценил как выпендреж. От сангрии тоже отказался. В те времена Маша-писательница носила чудовищные свитера из секонд-хенда и джинсы с хипповыми цветочками, но за год поумнела и сообразила — если ты выглядишь, как памятник Вудстоку, всерьез тебя никто не воспримет.

Теперь она стильно одевалась и имела привычку выплясывать стриптиз на барной стойке — поэтому ее пускали с любой компанией, так как грудь у нее была четвертого размера и ее шоу собирали толпу.

Элла вцепилась в этого своего Михаила Алексеевича — и всем, кому наливала выпить, рассказывала, какой он умный и обаятельный.

Алисе она все уши прожужжала, и та решила разобраться, в чьи руки уплывает лучшая (после шейхов и нефтяников) клиентка. Михаил Алексеевич показался ей вполне безобидным — если не считать кошмарных политических пристрастий, но вот как она вместе с Эллой очутилась у него дома, в Коньково, в трехкомнатной квартире, заставленной пятидесятитомниками Маркса, Ленина и брошюрами Ошо — одному богу известно. Возможно, не стоило мешать шампанское с граппой — у Алисы возникло странное предположение, что напитки на основе винограда подружатся у нее в желудке, но кончилось тем, что она оказалась где-то в дебрях Конькова, в не очень симпатичной квартирке, и с веселой улыбкой потягивала коньяк (тоже виноград).

То, что было дальше, довело ее до исступления. Воспользовавшись отсутствием Михаила Алексеевича, Элеонора призналась, что давно мечтает с ним переспать — потому что он мужчина ее мечты, но он ее не хочет.

— Как это не хочет? — удивилась Алиса. — Чтобы мужчина его возраста не хотел женщину в два раза моложе себя, да еще с такими сиськами — это, милая моя, нонсенс! Может, он не может?

— Может! — шикнула Элла. — Когда мы танцевали, у него была эрекция.

— Ну, тогда я пошла... — Алиса поднялась с неудобного дивана в стиле «сталинский ампир». «Сталинский вампир».

— Нет! — взвыла Элла. — Не бросай меня...

И Алиса осталась — к своему большому сожалению.

Михаил Алексеевич притащил коньяк (крымский, ужасный), лимон и шоколад. Не то чтобы лично Михаил Алексеевич Алисе не нравился. За исключением неправдоподобных политических амбиций — он был приятный, начитанный и милый собеседник. Но Элла смотрела на него влюбленными глазами, а Михаил Алексеевич делал вид, что не замечает, адресовал свои высказывания Алисе, и та скоро поняла, что не готова выступать в роли гульфика для игрока в регби. Но только она собралась уходить, как Элла, видимо, это почувствовала и уволокла Михаила Алексеевича в спальню, на ходу оборачиваясь и подмигивая Алисе: «Пожалуйста, не уезжай». Прошло минут пятнадцать, и Алиса уже почти сбежала — она надевала сапоги, когда в коридоре появилась Элла и с грустным видом произнесла:

— Нет. Не получается. Кажется, он слишком старый.

Алиса всплеснула руками.

— Слушай! — рявкнула она шепотом. — Ты говорила, что так его хочешь, что у тебя прямо спазмы начинаются! Говорила?

Элла кивнула.

— Так вот, разбирайся с этим сама, а я поехала.

— Постой... — Элла двумя руками схватила ее за плечо. — Сейчас вдвоем поедем, подожди минут десять, пожалуйста... У меня же там машина с водителем...

Да. У нее машина с водителем. А Алиса, кажется, оставила свою рядом с клубом.

Они вернулись в комнату, а когда собрались уходить — вдвоем, как и договаривались, Элла застряла в комнате и опять принялась целоваться со своим Михаилом Алексеевичем. Михаил Алексеевич пылал, и Алиса уже намеревалась оторвать от него Эллу и одолжить у нее машину — или сделать это без спроса, но тут Элла опять передумала.

— Вот так уже третий раз! — пожаловался раскрасневшийся Михаил Алексеевич.

— В смысле? — нахмурилась Алиса.

— Третий раз она меня динамит... — Михаил Алексеевич развел руками.

Алиса взглянула на Эллу. Та тяжело вздохнула.

— Может, еще раз попробуем? — спросила она у несостоявшегося любовника.

Но Алиса уже тащила ее к лифту, на ходу желая хозяину спокойной ночи.

После этого случая Алиса Эллу избегала — слушать бредни надоело, но та все пыталась поговорить, обсудить и пожаловаться на жизнь — и на Михаила Алексеевича, который ее не хочет.

Алиса скрылась в другом зале, где и увидела Его. Давно уже она не встречала таких типов... Видимо, судьба миловала. Но сердце по привычке дернулось, как на резиночке, и с грохотом вернулось обратно.

Это был ее любимый трефовый валет, он же Негодяй, он же Подлец и Подонок. Одного взгляда достаточно, чтобы правильно рассчитать траекторию их отношений. Такая уж она — вечно влюбляется в парней, которым это совершенно не нужно. Правда, теперь у нее есть фора — она Мисс Крутотень, но все равно у него такие наглые и равнодушные глаза, что она готова запереться с ним в чулане и...

Ладно, она взрослая девочка, и ей вполне хватит одной ночи секса с таким вот героем, чтобы успокоиться и забыть, как его зовут.

 ГЛАВА **13**

— Опять он здесь! — воскликнула Марьяна и толкнула Алису, да так, что та отлетела и врезалась в какую-то девушку. — Зачем ты его пускаешь?!

— Отстань! — рассердилась Алиса.

Но Марьяна подбоченилась и уставилась на нее фирменным взглядом фрекен Бок.

— Может, у меня сезон садомазохизма? — предположила Алиса.

— О-о!.. — взвыла Марьяна. — С чего бы это?

— С того! — буркнула Алиса.

Негодяя и Подлеца звали смешным именем Сеня. Арсений. И если раньше Алисе казалось, что человек с нежным именем Арсений должен быть прямо-таки возвышенным, благородным и чутким, то сейчас вся эта ее ненадежная система соответствия имен и характеров рухнула.

Арсений был настоящей сволочью. Во-первых, с самого начала он вел себя так, словно ехал по Тверскому бульвару в своем прекрасном «Мейбахе», а она шла между машинами с табличкой «Деньги украли, ребенок болен, поможите, люди добры».

— Хотите попробовать наш фирменный коктейль? — спросила у него немного оробевшая Алиса. Это было в вечер их знакомства.

Может, это у нее со школы? Самые-самые мальчики были тогда недоступны, а теперь ей хотелось доказать себе, что для нее не осталось ничего недостижимого?

Он посмотрел на нее так, будто она ему предложила купить водяной пылесос за три тысячи долларов. Как на муху.

Конечно, можно ему отомстить — она же ведьма, но азарт уже горячил кровь, и ей хотелось, чтобы он сам — просто потому, что она прекрасна, понял: Алиса — подарок судьбы.

— Нет, — заявил он и отвернулся.

— А как вы попали в клуб? — довольно сухо, с какими-то ментовскими интонациями поинтересовалась Алиса.

В конце концов, она может его просто выгнать — и даже с позором!

Он медленно повернул к ней голову и осмотрел с ног до головы.

Черт!

Ну что у такого нахала в мозгах? Почему он так себя ведет? Кто он такой?

Ответ: он очень сексуальный парень. Ни мускулов, ни загара, ничего журнального. Просто неотразим. Высокий, сухощавый, похож на того парня, что играл в «Ноутбуке» — в лице чуть больше сладости, чем нужно, но это затмевают небрежная прическа, легкая щетина и шмотки в стиле «милитари». И татуировки — от кисти до плеча. Его плохой копией можно было бы считать Дельфина, если бы Дельфин не выглядел так, словно у него начинается приступ нарколепсии.

— Что? — спросил он.

— Ну, мне не знакомо ваше лицо, а я помню почти всех гостей, — пояснила Алиса.

Она сошла с ума! Она же сама видела давным-давно, как в метро толстая, прыщавая с жутким рыжеватым пергидролем девушка-мент остановила молодого человека сказочной красоты и минут двадцать (Алиса на лавочке ждала подругу) проверяла у него документы! Она что, решила ей уподобиться?

— Ты менеджер? — он сразу вот так красиво перешел на «ты».

— Я владелица клуба.

Это не произвело на него ни малейшего впечатления. Он ни слова ни сказал — просто кивнул.

Было очень неловко. Алиса пожала плечами, состроила рожицу, означающую: «У меня отличное настроение, дела идут замечательно, я всего лишь проявила любезность — у нас это принято, а если один из гостей обожрался кислоты и ему отшибло мозги — это его проблемы, главное — чтобы у него не было при себе запрещенных веществ». Она искренне надеялась, что все это можно прочитать у нее на лице — если этот тип вообще умеет читать.

Часа через два, когда она давала мини-интервью какой-то газете, кто-то вдруг обнял ее сзади. Анонимное объятие было очень приятным, а уже через секунду Алиса увидела его руки в татуировках и поплыла.

— Поедем? — прошептал он ей на ухо.

— Подожди меня где-нибудь рядом, — прошептала она.

— Это ваш молодой человек? — глаза у журналистки заблестели.

— Я вас умоляю! — Алиса закатила глаза. — Я даже не знаю, как его зовут.

Пускай напишет о распущенных нравах клуба «Лунатик» — это пойдет ей на пользу. Секс — лучший товар.

И они отправились к нему. Он жил на Фрунзенской набережной, в двухкомнатной квартире с черными стенами, белыми кожаными диванами, а в спальне у него был стеклянный шкаф, кровать с черными простынями и универсальный тренажер. И не было штор. Алисе в голову пришла сумасшедшая идея, что через окно их снимают на видео, но напротив были только река и парк.

От того, что Алиса его немного ненавидела и побаивалась — вдруг он ее чем обидит? — секс получился просто замечательный. Но она все равно дура!

Однажды один парень ее приятельницы заявил, что, мол, девушки все выпендриваются, строят из себя невесть что (это было не про приятельницу — та никогда ничего из себя не строила), а стоит затащить их в постель, и они становятся такими нежными, ласковыми и благодарными...

Алиса тогда еще подумала, что парень-то он неплохой, но комплексы налицо. И вот с ней происходит все то же самое! Только наоборот. То есть она тоже ждет, когда они окажутся в постели, потому что это единственное место, где Арсений не изображает из себя обаятельного злодея.

Он был внимательным, смотрел на нее, а не сквозь нее, он о ней заботился, и Алиса чувствовала, что от счастья ее мозги превращаются в розовые пузыри.

Но сразу после секса он включил на всю катушку «Рамштайн» и ушел в душ, оставив ее наедине с дерущими глотки немцами.

Может, он тупой?

Не похоже... Он за большие деньги делал интернет-сайты (и программирование, и дизайн), выступал как диджей — и был очень популярен, а у его семьи есть в Москве и Нью-Йорке несколько ювелирных магазинов — престижных и дорогих. Все это Алиса выяснила еще в клубе — у своих «информаторов», то есть местных сплетниц.

Значит, он не тупой, а просто кретин.

Они еще пару раз занялись сексом — Алисе хотелось рыдать от собственной податливости, но она так его хотела!

А потом он ее выгнал.

Не успел он из нее выйти, как закурил сигарету и сказал:

— Я привык спать один.

— Это значит: «Иди домой»? — уточнила Алиса.

Он пожал плечами.

Вот как!

Алиса была в такой ярости, что не удержалась — прикоснулась к его роскошному пауэрбуку «Макинтош» и поломала жесткий диск. Его можно починить, но на это уйдет немало времени — она просто перемешала информацию так, что сам черт ногу сломит. Здорово у нее это получалось с техникой — она уже тренировалась на своем рабочем компьютере в «Глянце» — уничтожала личные файлы. В ноутбуке была только музыка, но это значит, что он не сможет играть на всех тех модных вечеринках, куда его приглашают, в том числе и на Маврикии, и на Ибице, и в Нью-Йорке.

Ведь мы же радуемся, если у бывших бойфрендов, которые променяли нас на мисс Плодородие — блондинку с грудью, как у Лолы Феррари, случаются мелкие неприятности? С работы уволили, машину угнали — это детали, но они возвращают нас к мысли о том, что Добро побеждает Зло.

И ведь так приятно знать — если он расстанется

с тобой (да еще грубым, нечеловеческим способом), жизнь ему медом не покажется!

Конечно, Алиса понимала, на что шла, и Сеня с самого начала выступил как злодей, но, возможно, она выполнила важную миссию — указала этому чудаку на то, что его поведение оскорбительно. Ведь если бы ей было двадцать и ее мысли были чисты, и ее сердце, не огрубевшее от разочарований, стремилось к любви с большой буквы, этот засранец заставил бы ее страдать. Она бы на стену лезла.

Теперь, может, у него, как у собачки Павлова, выработается условный рефлекс: плохо обошелся с девушкой — не идут дела. Так, смотришь, из него что-нибудь и получится.

— Ты что, влюбилась в этого придурка? — если бы Марьяна могла убивать взглядом, Алиса уже билась бы в предсмертных конвульсиях.

— Нет! — Алиса взяла подругу по локоток и уволокла в укромное место. — Я собираюсь его проклясть.

— Что?! — отшатнулась Марьяна.

— То! — Алиса грозно сдвинула брови. — Ты вспомни, сколько раз тебя бросали кретины, и ты месяц лежала лицом в подушку, сморкалась в наволочку, слушала Бонни Тайлер и отказывалась жить! А? И не надо мне говорить, что тебе все это нравится, что плохие парни — это твое хобби, что без них жизнь была бы скучной и вялой!.. Кто две недели лежал под одеялом в одних трусах? Когда мы тебя нашли, ты уже воняла! А всего-то один сукин сын попался!

— Ага, дискриминация по половому признаку! — съехидничала Марьяна. — А сколько таких сучек-щучек портит кровь ни в чем не повинным мужчинам?

— Все успокоиться не можешь? — посочувствовала Алиса.

Марьяна фыркнула.

Дело было в том, что ее бывший муж, который время от времени возвращался в семью, или Марьяна к нему возвращалась, бывший популярный музыкант, а теперь известный и успешный продюсер, надумал жениться. На неком небесном создании. Создание звали Таня, ей было двадцать семь лет (против продюсерских тридцати пяти), у нее был огромный лоб, жидкие платиновые волосенки чуть ниже плеч, голубенькие глазки, губки — бантиком, и она работала экономистом в какой-то очень важной корпорации типа «Газпрома». Все как положено: сапоги «Балдинини» со стразами, маечки от «Версаче» — тоже со стразами, джинсики от «Д&Г», такой типа невинный взгляд и образ инженю, хоть она и младше Алисы всего на два года. Алиса по сравнению с этой Таней казалась гренадером, а Марьяна и вовсе — бабкой, потому что инженю практиковала всякие там лютики-цветочки, шампанское с шоколадом, обмороки от грубых слов и выражений и прочую чепуху, которую некоторые называют женственностью, а другие — идиотизмом.

Таня покупала продюсеру галстуки от «Гермес», жарила ему котлеты (и фарш был не из магазина, а из мясорубки), в общем — старательно воплощала в жизнь тезис «шлюха в постели, кто-то там на кухне и леди в гостиной». Жить с таким роботом было непросто, но продюсер, видимо, решил, что жена «три в одном флаконе» — выгодное вложение, и объявил о помолвке. Марьяна рвала журналы, в которых счастливая пара сияла натянутыми улыбками, и все знали, даже продюсер знал — ему нужна Марьяна, как бы ни складывалась их жизнь, но он вздумал перехитрить судьбу — и теперь отчаянно промоутировал Татьяну в качестве личного счастья.

— Ну, хочешь, я с ней что-нибудь сделаю? — предложила Алиса.

— Ты уже сделала, — кивнула Марьяна. — С Олей, с Димой...

— Но я же теперь знаю, как выстраивать защиту! К тому же обещаю никому не причинять зла, я лишь немного подчеркну то, какая она расчетливая стерва.

— Хочу! — взмолилась Марьяна. — Очень хочу! Я просто не могу больше читать «История нашего знакомства началась с того, что...» она отсосала ему прямо в машине! Сука!

Для того чтобы помочь Марьяне, Алисе пришлось отправиться на концерт девичьей группы, которая отчего-то решила, что здорово поет живьем. Лучше бы они честно отплясывали под фонограмму: если непопадание в ноты еще можно было простить, то сиплые слабенькие голоса просто резали без ножа. С Марьяниным продюсером Алиса лично договорилась о том, что в «Лунатик» он не рвется — особенно со своей высоколобой «шлюхой на кухне», так что ловить мгновение пришлось в другом месте.

Алиса бродила по городу, пока не заметила характерную шевелюру Марьяниного мужа — мелирование и стрижка каре. В районе его плеча торчала голова невесты. Какая-то она вся была щупленькая, с узкими бедрами — а сейчас в страшном платье в стиле Тома Форда — бесформенный силуэт, рукава три четверти и воротник «ученик мясника». Дорого и безобразно.

— Привет! — Алиса обняла Виктора. И кивнула Тане.

Таня посмотрела на нее снизу вверх — любимый прием, и опустила глазки долу. Лицемерка!

Наверняка вечером что-нибудь такое ляпнет про нее, посеет вражду между ней и бывшим мужем подруги...

Витя ушел за напитками, и Алиса приступила к делу.

— Ну, что, начала уже ремонт? — с самым светским видом поинтересовалась она.

— Какой ремонт? — удивилась Таня.

— А! — Алиса сделала вид, что сильно удивилась. — А ты не знала, что квартиру обставляла Марьяна? Я думала, тебе захочется сделать там все под себя.

Татьяна явно размышляла, какую тактику выбрать: прикинуться наивной дурочкой или броситься на врага.

— Не знала! — буркнула она.

— Слушай, я вот не понимаю, зачем тебе все это нужно? — напирала Алиса. Таня, как ежик, выпустила иголки, но ничего не сказала. — Ты же не любишь Витю. Тебе просто нравится жить в его квартире, которую, кстати, декорировала Марьяна — для себя, между прочим, нравится жить в его загородном доме, который, кстати, тоже заслуга Марьяны, разъезжать по дачам его знаменитых друзей, ходить на всякого рода вечеринки, вроде этой и получше... Ты же окучиваешь его, и все твои интриги шиты белыми нитками.

— Зато он женится на МНЕ! — зло бросила Таня.

— Женится, — кивнула Алиса. — А потом разведется. И ты еще подпишешь брачный контракт. Хотя, конечно, тебе достанутся подарки, и, наверное, машина, и ты на всю жизнь останешься женщиной, с которой Виктор Пастернак прожил два года, и, возможно, «Караван истории» возьмет у тебя интервью, а может быть, ты даже напишешь книгу... Зачем тебе это надо? Ты же знаешь, он любит Марьяну, будущего у вас нет, так зачем? Ты работаешь, у тебя карьера, найди себе мужчину, который разбудит в тебе чувства...

Это было очень-очень сложно. Техника, требующая невероятной сосредоточенности и просто невозможного внимания к деталям — тембру голоса, интонации, количеству вопросительных предложений...

Алиса перебирала различные варианты мщения, когда вспомнила, чему ее учила Елена несколько месяцев назад. Они тренировались недели две, не меньше, каждый день, прежде чем Елена вздохнула и сказала: — Ну, ладно, без практики лучше уже не будет...

И вот она, практика!

— Если у тебя есть враг, — говорила Елена на первом занятии, — ты можешь послать ему болезнь, можешь навредить его работе, можешь разлучить с возлюбленными — все это просто, как компот, но если ты хочешь изящно, без грубых приемов, элегантно и высококлассно отомстить, то, дорогая, поссорь его с самим собой. Внушай ему сомнения, бей по самому дорогому — его Я, разрушай систему ценностей, и он будет повержен. Главное тут — найти болевые точки, а они будут спрятаны, но доберись до них — и торжествуй!

Елена учила Алису наблюдать не за словами и поступками, а видеть ткань человеческой души. Обычные люди называют это аурой, но аура — это состояние мгновения, настроения и обстоятельства, а душа — нечто постоянное, то, чего человек и сам не осознает.

Алисе нужно было лишь увидеть то, о чем Таня забыла — то, что спрятала в глубине, в тайной комнате, комнате страха, куда заглядывала, ища спасения, и откуда бежала в ужасе, потому что ой как не хотелось ей знать о себе правду. В тайной комнате ее ждала маленькая несчастная девочка, которая не знала, как жить, не знала, как противостоять несправедливости и защитить себя чем-то кроме толстых стен и надежных замков. Она была в ловушке, но не хотела в это верить, а Алиса вывела ее к дневному свету, познакомила с жизнью, к которой та была не готова. И у Алисы на глазах стерва Таня превратилась в беззащитное существо, которое снова оказалось в растерянности, так как ей еще только предстояло заглянуть в глаза той маленькой девочке, которую держали столько лет под замком, и ответить на вопрос: «Почему?». Ей придется принять, что ее религия — мошенничество, что у ее идолов — ноги из песка, и она сама, которая большую часть жизни занималась самообманом и достигла в этом таких высот, что падать, увы, будет больно. Сомнения в ее душе росли, как бамбук — и ввысь, и вширь, они рвали душу и вынести это мог лишь только очень сильный человек. Хотелось надеяться, что Таня такая. Правда, Алиса на всякий случай старалась не переусердствовать.

Пройдет неделя, месяц, и острая депрессия завладеет Таней, и она уже во всем усомнится и уйдет от Вити, который будет ждать этого с нетерпением. Но добрая Алиса оставила подсказку, и если Таня сделает правильные выводы, то обратится к ней — и ей помогут. «Мы несем ответственность за тех, кого заколдовали», — вспомнила Алиса, и это было так.

Она уже собиралась уйти, когда заметила его. Сеню. В обществе двух смуглых молодых людей и аж трех красавиц. Какой же он... привлекательный. Ну, почему, почему он такой гад?! За что?

Алиса подошла поздороваться и быстренько наложила заранее подготовленное проклятие. Посмотрим, что будет, когда он выгонит вот эту смешливую брюнетку! Интересно, скоро он догадается?

Алиса побыстрее выбралась на улицу — ее распирало! Она чувствовала свою силу, чувствовала, что природа ей поддается, что она становится ее частью — элементом стихии, чем-то непредсказуемым и грозным (для тех, кто ее не понимает), и, наверное, именно в этом и был высший промысел — ощущать себя с миром единым целым. Поэтому ведьмы и вызывают дождь, насылают засуху, ураганы: природа им не подчиняется — она с ними дружит.

 ГЛАВА **14**

Алиса блаженствовала. Было так приятно устроить пикник у пруда, который нашла Фая (пруд располагался в двухстах метрах от дома Алисы, но той и в голову не приходило, что можно прогуляться через лес и обнаружить эту красоту).

Был дивный осенний день — очень теплый, сентябрьский, и листья еще не пожелтели, и солнце пригревало, и покрывало было мягким, шелковым, а уж бутерброды казались просто невероятно вкусными, и время растворилось в пространстве — часы и минуты были наполнены не таким, как обычно, смыслом, потому что не нужно было ничего делать, спешить — надо просто сидеть на берегу и наслаждаться.

Дела пошли. Клуб работал без нее — она только писала программу на неделю и объясняла, как все организовать. Ну, и являлась с «ревизией» — то есть приводила друзей и на себе проверяла, не халтурят ли подчиненные.

У нее завелись деньги. Такие большие деньги, что Алиса могла бы не заниматься сексом — одно воспоминание о банковском счете вызывало оргазм. Они арендовали помещение рядом с клубом и сделали там рыбный ресторан — обалденный, Алиса только там и ела, а при нем — кондитерскую и кулинарию, службу доставки на дом и булочную. Выкупили весь первый этаж соседнего дома и теперь там был гастрономический бутик — причем дешевле, чем «Фаушон», так что жители окрестностей тоже там много чего покупали. Вся эта еда приносила баснословные деньги — едва ли не больше, чем клуб, и очередь выстраивалась на неделю, тем более что коктейль «К черту любовь!» пользовался славой — после него не было похмелья, а кто хочет иметь похмелье наутро после удачной вечеринки? Новиков уже пытался купить рецепт, но ему вежливо отказали.

— Слушай, Лиза, а ты не лесбиянка? — брякнула Фая, которая развлекалась тем, что сначала напивалась белым вином, а потом окуналась в ледяную воду, трезвела и опять напивалась. Сейчас она была на грани купания, поэтому ляпнула какую-то дичь.

Лиза удивилась.

— А почему ты спросила? — она как-то странно взглянула на Фаю.

— Ой... — расстроилась та. — Просто ты никогда не рассказываешь о мужчинах. У тебя есть кто-нибудь?

Алиса сделала строгое лицо, но мысленно восхитилась подругой. А ведь правда! Они целыми днями обсуждают мужчин «вообще», мужчин «в частности», старых любовников, новых любовников, чужих любовников, а Лиза — никогда. Конечно, они много общаются — говорят о делах, о ведьмах, о заклятиях и проклятиях, о шмотках, обо всем — кроме мужчин. То есть Лиза не говорит. Но так как все остальные только об этом и треплются, то кажется, что и Лиза тоже. В этом весь подвох.

Все это казалось настолько важным, что Алиса порадовалась за себя — какая легкая и красивая у нее жизнь. Никаких глобальных проблем, ни политических страстей, ни денежных затруднений — только мужчины, удовольствия и Недели высокой моды — в качестве ежеквартального стресса. Возможно, в следующем месяце она купит новую квартиру. Если эту продать, можно найти что-нибудь восхитительное на Чистых прудах или на Остоженке — как раз через месяц у нее будут деньги на ремонт (а ремонт должен быть по высшему разряду), так что впереди новые проблемы — где найти кафель мечты, и непьющих рабочих, и надо ли покупать четырехместную джакузи, или двухместной достаточно... Ремонт — это кайф, тем более, за всю жизнь Алиса не прошла ни через один, и мысль о том, что у нее будет своя квартира, свой ремонт, возбуждала ее, как новый роман.

— Я... — Лиза замялась. — Не лесбиянка.

Она была смущена! Реально, даже порозовела — и это всех удивило. Лиза никогда не казалась женщиной, которую можно смутить.

— Мы не против! — заявила Марьяна. — Мы дамы современные, без предрассудков.

— Да я и не... думала... что... — промямлила Лиза. — Просто вы такие раскрепощенные, а у меня уже десять лет один парень.

— Да ладно?! — ахнула Марьяна.

Фая убежала купаться — подробности об «одном парне» она хотела услышать на трезвую голову, а Алиса, наоборот, подлила себе вина и под шумок ухватила последний эклер.

— Ну, да... — кивнула Лиза.

— Слушайте! — Алиса расхохоталась и долго не могла успокоиться. — У Лизы такой вид, словно она призналась, что спит с шимпанзе, а на досуге устраивает оргии на могилах, а на самом-то деле у нее просто десять лет один парень! Ох, ну, мы извращенки!

Вылезшая из пруда Фая села рядом с Лизой, приложила ладони к щекам и очень грустно спросила:

— Как же ты, бедненькая?

За что схлопотала пендель от Алисы.

— Ладно, кто он? — улыбнулась Марьяна. Видимо, так она рассчитывала подбодрить Лизу.

Но та еще больше помрачнела.

— Просто хороший человек! — отрезала она.

От нее исходила такая враждебность, что девушки насторожились.

— Я что, тебя обидела? — резко спросила Марьяна, которая не любила таких фортелей.

— Да, Лиза, в чем дело? — растерялась Алиса.

— Я просто не люблю, когда лезут в мою личную жизнь, — спокойнее, но все еще не очень любезно ответила Лиза.

Алиса только было собралась выдать что-нибудь дипломатичное, как вмешалась Фая:

— Не любишь?! — воскликнула она. — А слушать о том, как мы, с кем и где — любишь?! Молчать!!! — заорала она на Алису, которая попыталась ее утихомирить. — Нет уж, дорогуша, так не пойдет! Мы тут тебе не «Комеди Клаб» и не «Секс в большом городе»! Мы твои подруги, так что не надо делать такое лицо и говорить таким тоном!

— Послушай меня... — Лиза тоже попробовала повысить тон, но она не знала Фаю.

— А тебе нечего мне сказать! — грохотала Фая. — Либо ты с нами — и рассказываешь о своей личной жизни, либо иди-ка ты, подруга, в консерваторию и беседуй там беседы о высоком и прекрасном! Ясно?!

Фаю уже было не угомонить. С ней случались такие припадки — стоило услышать фальшивую ноту, и она выходила из себя, прихватив весь свой непальско-еврейский темперамент.

Однажды она мирно поедала креветок на каком-то празднике, и к ней подошла знакомая, которая уставилась на Алису и сказала, мило улыбаясь:

— Ой, какой красивый цвет волос! Только от краски волосы та-аак сохнут, выглядят, как солома, и ничего не помогает...

Но она была вынуждена замолчать, так как Фая швырнула на землю тарелку с креветками и завопила:

— У тебя сейчас вообще волос не останется! — и кинулась к вражине.

Но при всем том, подобные припадки случались не всякий раз — Фая нацеливалась на жертву по какому-то ей одному известному принципу.

Лиза вскочила, пробормотала «пока» и побежала к машине. Это еще хорошо, что они приехали на двух автомобилях — Марьяны и Лизы, иначе ей бы пришлось топать пешком — Фая не разрешила бы довезти ее до гаража.

— Нет, ну вы посмотрите... — Фая раздувала ноздри и топала ногами.

Подруги, привыкшие к таким выходкам, спокойно уселись на траву и вернулись к пирожным.

— Чего ты вообще распсиховалась? — небрежно спросила Марьяна.

— А она мне никогда не нравилась! — смело заявила Фая.

— Да ладно! — рассмеялась Алиса. — Да ты первая кричала, какая Лиза классная, как с ней весело...

— Я имела в виду не Лизу, а все эти вечеринки и ее возможности. Она сама мне не симпатична.

— Почему? — Марьяна налила в стакан минералки и протянула Фае.

— Вот поэтому... — Фая кивнула в ту сторону, куда убежала Лиза. — Что она, как эта... Что за тайна? Ты видела, как она на нас смотрела? Как, блин, Кондолиза Райс на Бен Ладена! А что мы? Мы просто спросили: кто твой парень? Вам не кажется это странным?

Им это странным казалось.

Ну что за парень такой, который стоит того, чтобы испортить пикник? То есть парень, может, и стоит пикника, но они же не только не сказали в его адрес ничего оскорбительного, они вообще ничего о нем не знают! Чушь.

Н-да, Лиза — тот еще фрукт. Может, она встречается с Абрамовичем? Чем еще объяснить подобную скрытность?

Лиза позвонила на третий день. Очень извинялась. Раскаивалась.

— Понимаешь, мне неудобно — у вас бурная личная жизнь... Вы такие раскрепощенные, а я вам все время поддакиваю, а сама уже десять лет живу с одним человекои! — оправдывалась она. — Я, наверное, дура, но мне даже стыдно — я тебе столько всего наговорила по ведьм, про свободу, ты Марика бросила, а я, получается, двуличная прохиндейка... Я просто была не готова. Хочешь, я вас познакомлю?

— Не знаю... — с большим сомнением отозвалась Алиса. То есть, конечно, ей очень хотелось воочию увидеть загадочного любовника Лизы, но она должна была немного ее помучить, ответить равнодушием и пренебрежением.

— Алиса, прекрати дуться! — рассердилась Лиза. — Ничего уж такого ужасного я не натворила! Давай встретимся, пообедаем, а потом я покажу Пашу остальным...

И Алиса сдалась без боя — она должна была оценить этого Пашу, ради которого Лиза чуть было с ней не поссорилась.

Договорились встретиться в «Версии». На всякий случай Алиса приоделась: натянула моднючие узкие джинсы от «Нотифай», платье-халат от «Персонаж» и влезла в босоножки на шпильке от «Миу-

Миу», которые прикупила за восемьдесят долларов на Амазон.com, когда была в Сан-Франциско у подруги.

Она забежала в салон на укладку — лень было самой возиться с волосами, и заодно уж сделала изящный макияж — после того, как визажистка показала новые зеленые рассыпчатые тени от «Мак» — перед ними невозможно было устоять. Алиса даже успела за десять минут сгонять в ГУМ (благо ресторан на Варварке) и закупиться такими же, и еще сиреневыми и золотистыми. В ресторан ворвалась счастливая, так как успела заскочить в «Боско-спорт» и отметить чудные пиджаки от «Марис и Франсуа Жирбо» в богемном французском стиле, которые собиралась купить, как только отделается от Лизы.

Лиза выбрала столик у окна. Алиса сразу ее заметила — та надела ярко-красное платье с воротником поло. Больше ничего примечательного Алиса не увидела — молодой человек неприятно ее удивил. Он был... Ну, как если бы ей было лет шестнадцать, и он бы пел в мальчиковой группе — такой объект вожделения для переполненных гормонами подростков. Типа — тебе беленький, мне — черненький.

Правда, «мальчику» было за тридцать, сладенькое личико украшали морщинки, а стиль одежды напоминал каталог «Отто», мужская линия: кожаная куртка, джинсы, белая майка, ботинки.

В общем, ничего. Но как-то бледно для десяти лет безоблачного счастья. Хотя, с другой стороны, что она, Алиса, понимает в счастье, тем более безоблачном? Может, он один из тех мужчин, которые могут дать женщине все — если той хватит ума это «все» взять, спрятать и никому не показывать? Как и сделала Лиза — утаила его от подруг, видимо, чтобы не сглазили.

Все-таки ведьмы.

— Привет, — улыбнулась Алиса, даже немного устыдившись того, что оделась слишком шикарно.

Паша этот как-то неуверенно улыбнулся. И Алисе это не понравилось. То ли Лиза его силком тащила, то ли он бука, но было в его улыбке нечто болезненное, словно у него зуб болит, а ему экзамен сдавать.

Но Лиза так радовалась, что Алиса любезно улыбнулась в ответ, изобразила на всякий случай экстаз и присела подальше от этого Паши — чтобы удобнее было его разглядывать.

Она любила этот ресторан. Любила фруктовый коктейль «Пеликан». Любила вид из окна. Но через пять минут ей уже стало так скучно, что хотелось соврать что-нибудь неправдоподобное и слинять.

Паша был ужасным занудой! Алиса спросила его, чем он занимается, и он принялся так долго и скучно рассказывать о кино (как можно скучно рассказывать о кино?) — Паша был оператором, — что Алиса прокляла тот день, когда Фае вздумалось учинить Лизе скандал.

Он что-то бубнил, Лиза пожирала его глазами, Паша жал ей ручку и время от времени чмокал в висок, и все это было так слащаво, что Алиса даже решила, что несколько последних месяцев ей приснились. Эта Лиза не могла быть той Лизой, которую она знала. Но Паша вышел в туалет и Лиза снова стала самой собой. Она сердито посмотрела на Алису и рявкнула:

— Вот поэтому я и не хотела вас знакомить! Можно быть настоящей ведьмой, но при этом любить одного человека и быть счастливой только потому, что он рядом!

— Ага... — кивнула Алиса.

— Я его действительно очень люблю. И очень им дорожу. И меньше всего мне хотелось бы, чтобы вы меня осуждали.

— Мы будем тебя осуждать. Извини. Это неизбежно, — заверила ее Алиса, впрочем, без злости.

Лиза права. Это ее личная жизнь. И если ей хочется сюсюкать с Пашей-занудой, это ее право. Она честно старалась оградить их от этого кошмара, но они сами напросились. Хорошо еще, что здесь нет ни Фаи, ни Марьяны. Паша бы не выжил. Вот уж у нее подружки — обычные женщины, а по характеру — самые настоящие ведьмы. Кого угодно превратят в трясущееся желе.

Алиса быстро проглотила суп и креветок в кляре, распрощалась и в некотором смятении отправилась в ГУМ. Задор прошел, пиджаки больше не казались такими уж потрясающими, но она все-таки купила два и еще джинсовую юбку — просто потому, что могла себе это позволить.

В каком-то мутном, обреченном состоянии вышла из магазина, прошлепала до стоянки и поехала — причем, как выяснилось, в другую сторону.

Вся эта история с Пашей ее разочаровала. Было тут что-то неправильное, фальшивая нота, но, как показывал опыт — причем печальный, Алиса имела склонность к бурной влюбленности с последующим разочарованием. Так что на этот раз она решила списать хандру на собственную склонность к истерикам и отправилась в ЦУМ — через «не могу» повышать настроение шопингом. Это вам не шутки — это терапия.

В конце концов, сегодня у нее еще интервью для «Гламура» и вечеринка «Герой нашего времени» — придут самые выдающиеся мужчины города, так что ночь будет жаркой.

Приступ счастья от мысли, что у нее, Алисы, возьмет интервью журнал «Гламур», был такой сильный, что она даже остановила машину, закурила, открыла окно и мечтательно уставилась на дорогу.

Она не из тех, кто имеет все, но не может получать от этого удовольствие. Она любит жизнь, жизнь отвечает ей взаимностью, все хорошо, мир принадлежит ей! Ура!

ГЛАВА 15

Как такое может быть: в Гоа было солнечно и жарко, и теплое море, и свежий бриз, и, вообще, полная расслабуха, а в Москве — не просто снег и февраль, а жуткий, нечеловеческий холод и такая метель, что впору ехать на электричке, потому что на машине она будет тащиться до второго пришествия?!

Может, быстро изменить планы и прямо сейчас улететь куда-нибудь, куда не нужна дурацкая виза? Кстати, куда не нужна дурацкая виза? Есть, вообще, справочная по этим вопросам?

Алиса уже привыкла, что за деньги можно получить все, а с помощью кредитки «Виза» — самой обычной, классической, потому что платить двести долларов за золотую — сплошная глупость и понты, можно купить даже погоду.

Она наслаждалась. Она наконец-то заняла в жизни свое место. Она была знаменитой, богатой и непредсказуемой.

Прошло... Сентябрь, ноябрь, декабрь — январь, и в новом феврале она была суперзвездой, которая могла уехать на два месяца в Гоа — и просто наслаждаться там жизнью (пока клубом заправляет Наташа — менеджер, с которой ей сказочно повезло благодаря Лизе), общаться с Жанной Фриске, Машей Царевой, Пашей Волей и толпой просто тусовщиков, с которыми весело.

На неделю к ней в Гоа приезжал Андрей — он устроил несколько романтических свиданий, и Алиса еще раз поблагодарила судьбу за то, что вовремя приняла правильное решение.

Им было хорошо вместе, но не настолько, чтобы спать в одной постели и драться из-за того, кому первым достанется ванная. Встречались пару раз в неделю — и каждый раз обменивались подарками, и ужинали в шикарном ресторане, и он приглашал ее на выходные в Европу, но жили они в разных номерах, и все было мило, без всяких там драм и трагических переживаний, и Алиса первый раз ощутила себя счастливой.

Едва она миновала таможенный контроль, как зазвонил мобильный.

— Да! — несколько раздраженно (от перспективы выходить из теплого павильона в снегопад) ответила она.

— Алиса, — странным, напряженным голосом отозвалась Марьяна. — Ты где?

— Марьяна, я в аэропорту Шереметьево-2, — таким же странным голосом, передразнивая подругу, произнесла Алиса.

Наверное, Марьянка сейчас торчит в жуткой пробке — она должна была ее встретить с самолета.

— Алиса, — сдавленно проговорила Марьяна, — я уже рядом, подожди меня там где-нибудь в кафе.

И она нажала отбой. Алиса с некоторым удивлением посмотрела на трубку, кинула ее в сумку и отправилась в бар.

Марьяна ехала полчаса и сама нашла ее в баре. Вид у подруги был неважнецкий: сухая кожа на лице, растрепанные волосы, старый и мятый костюм от «Джуси», который она обычно носила дома.

— Слушай, я не знаю, как это делают по правилам, чтобы не довести тебя до инфаркта, но предупреждаю — новости ужасные, — она полезла в сумку и выудила оттуда бутылку коньяка. — Пей! — велела она.

Алиса с опаской уставилась на Марьяну, но у той были такие глаза, что Алиса покорно хлебнула «Хеннесси В.С.О.П». — Алиса, милая, ты в полной жопе. Ты разорена.

— Что? — тихо переспросила Алиса.

— Твой бухгалтер и эта блядюга, Наташа, которая менеджер, обманывали тебя. Ты должна банку кучу денег — по кредиту не было выплат, ни разу, они отбирают у тебя квартиру, дом и вообще все. С сегодняшнего утра все твои счета заблокированы. Магазины обанкротились.

Алисе вдруг стало очень душно и жарко. По аэропорту расстилался странный серый туман, из-за которого было плохо видно, слышно, но главное — туман застревал в горле и не пропускал кислород.

— Алиска! — Марьяна трясла ее. — Еще выпей! Немедленно!

Она бросилась к бару, прорвалась без очереди, вернулась с бутылкой холодной воды и влила ее в Алису. После чего одной рукой ухватила подругу, другой вцепилась в тележку и поволокла их на улицу. На воздухе стало легче — туман исчез, лицо приятно пощипывал морозец, и там стояла родная Марьянина машина, в которой можно было спрятаться.

Марьяна затолкала Алису в салон, накидала в багажник чемоданы, села за руль и уставилась на подругу.

— Это правда? — Алиса, наконец, посмотрела на Марьяну осмысленно.

— Я бы ни за что не стала тебе врать! — Марьяна даже обиделась.

— А это не программа «Розыгрыш»?

— Конечно, нет! — Марьяна воздела руки. — Алисочка, это все ужасно, я понимаю, и, если честно, у меня просто нет слов, я не знаю, как тебе помочь, как утешить, и... — и тут она разревелась.

А Алиса, наконец, поняла, насколько все плохо. И ощутила себя, как тот парень из «Полуночного экспресса» — американский студент, которого арестовали в Турции с гашишем: вот тебя принимают, ведут в офис в аэропорту — и это все знакомое, понятное, и ты еще не веришь, что самое худшее случилось именно с тобой, а потом реальность вдруг превращается в самое настоящее цунами, которое мчится на твой дом — ты в жуткой камере, с отщепенцами, воняет парашей, носками, и нет никакой надежды, что в течение двадцати лет в твоей жизни что-то изменится к лучшему...

Этого не-может-быть! Она... Она ведьма! Она все уладит!

— Лиза занимается этим, но она в шоке — ситуация безнадежная... — бормотала сквозь слезы Марьяна.

Алиса молчала. Ей хотелось сказать что-нибудь весомое, что-нибудь, от чего станет легче, что-нибудь, чего можно ожидать от сильной женщины. Но когда она, наконец, открыла рот, то для начала лишь нервно закашлялась, выпила залпом полбутылки минералки и промямлила:

— Что же мне делать?

— Можешь поехать к Фае или ко мне, — предложила Марьяна.

— А что с моей квартирой?

— Она... — замялась Марьяна. — Вроде как арестована.

— А дом?

Марьяна пожала плечами.

— Кажется, тоже.

И тут Алиса испытала самую настоящую ярость. Что за чушь! Какие-то суки воруют ее деньги, а она еще и виновата? Что это за гребаный банк, который лишает ее жилья? Это, вообще, законно?

— Мне надо домой, — заявила она.

— Алиса... — Марьяна положила ей руку на плечо. — Я понимаю...

— Не понимаешь! Я же ведьма, я могу проникнуть в свой дом так, чтобы никто не узнал!

— А! — сообразила Марьяна. — Точно.

— Ты меня отвезешь?

Ехали они очень медленно, но когда часа через

два с половиной показалась крыша родного дома, у Алисы защемило сердце. Неужели... И внутри все будто оборвалось... Ее дом... В горле пересохло... Не разнюниваться! Не сейчас! Может быть, потом, когда все кончится, но сейчас ей нужны силы.

Ворота были закрыты. Пульт не работал. Алиса вышла из машины, положила руку на замок — тот щелкнул и открылся.

— Жди меня здесь, — бросила она подруге.

Идти по морозу, навстречу метели, было не очень приятно, но мысль о том, что она не может попасть в собственный дом, приводила ее в бешенство и прибавляла сил.

Совершенно неожиданно зазвонил мобильный. Она положила его в карман после разговора с Марьяной — и забыла.

— Алло! — рявкнула она.

— Алиса... — жалостливо произнесла Лиза. — Ты как?

Алиса призналась, что ей очень и очень плохо.

— Вы где? Ты с Марьяной? — твердила Лиза.

— Да, едем домой, тут пробки несусветные, машины стоят, — соврала Алиса. Сама не знала — почему, но соврала.

— Ладно, ждем! — с неуместным оптимизмом воскликнула Лиза. — Не волнуйся, мы все уладим!

Алиса затолкала телефон во внутренний карман куртки и поплелась дальше. В гостиной горел свет.

У Алисы едва пена изо рта не потекла, когда она представила, что чужие люди сидят у нее в гостиной, но в доме был всего один человек — охранник в солдатских штанах и синем армейском свитере.

Алиса уже собралась превратить его в камень —

но, во-первых, с этим она, скорее всего, не справилась бы, а, во-вторых, сам по себе охранник не виноват. Виновата Наташа и эта тварь, бухгалтерша, Людмила, мать ее, Константиновна, и они будут наказаны — жестоко и справедливо.

Алиса обошла дом, открыла дверь в подвал. Вход был свободен, никаких сюрпризов. Поднявшись на первый этаж, Алиса некоторое время следила за мужчиной, который смотрел «Секс с Анфисой Чеховой» и пил ром — ее ром! — вспомнила, чему ее учила Елена, и наконец окликнула его:

— Эй!

Охранник на проверку оказался жутким тормозом — лениво повернулся, заметил Алису, поставил стакан на стол, но лишь тогда, когда она вышла из укрытия, вскочил и схватился за мобильный. Он что, собрался звонить в 911? Шутка!

Алиса раскинула руки — уловка для новичков, но так проще распределять энергию, уставилась на растерявшегося мужчину и приказала ему сесть. Несколько секунд она чувствовала, что ничего не происходит, охранник даже ухмыльнулся и брякнул что-то вроде: «Да ты кто такая?» — и тогда-то она разозлилась по-настоящему: волна темной энергии обрушилась на этого исполнителя, и он вдруг обмяк, и глаза стали стеклянными.

— Ты ничего не видел. Сидишь, смотришь телевизор, пьешь ром. Никто не приходил, не звонил, ты ничего не знаешь.

Охранник осторожно сел на диван, налил еще рому и уставился на ужас, который исполнял Сергей Глушко с жуткого вида девицей, которую, казалось, накачали фенозепамом — то ли так действовало сексуальное обаяние ведущего, то ли она такая с детства.

У Алисы с непривычки на лбу выступил пот, но на этом нельзя было сосредотачиваться. Она позвонила Марьяне и велела той заезжать, поднялась в спальню и собрала свои вещи. По идее, она может приехать сюда и завтра, но у нее были нехорошие предчувствия. Очень-очень нехорошие.

Выставив чемоданы за дверь, Алиса зашла в библиотеку. Безнадежно. Перевезти все это — вот так, на раз... Да и не в чем везти — нужна, самое меньшее, «Газель». А вообще-то, фура.

Она подняла списки и выяснила, что особо ценных книг у нее штук сто пятьдесят. Сто штук можно, если постараться, запихнуть в Марьянин «Ровер» — первый раз Алиса обрадовалась, что у подруги большой и нелепый внедорожник.

Вся эта история, к ее большому изумлению, заняла три часа — перетаскивание книг из библиотеки в машину, так что под конец они совершенно вымотались. Пришлось, несмотря на охранника, возвращаться в дом и пить чай.

— Может, пледом его прикроем? — спросила Марьяна, с недоверием покосившись на мужика. — Он меня смущает.

— Да черт с ним! — Алиса топнула ногой. — Отвернись! Это сейчас последнее, о чем следует думать. Та-ак... Надо еще зеркало забрать — его я уж точно врагам не оставлю... Слушай, можно я все это — книги, зеркало и шмотки оставлю у тебя?

Они решили уже по дороге, что Алиса пока поживет у Фаи — у нее большой дом, там можно устроить и спальню, и кабинет, так что Марьяна с удивлением взглянула на подругу.

— Почему? — осторожно спросила она.

— Потому! — рявкнула Алиса, но поняла, что та лично ни в чем не виновата, и устыдилась. — Марьяна! — воскликнула она, приложив руку к груди. — Не знаю! Я просто чувствую — надо сделать именно так. И никому не говори, что мы здесь были, ладно?

— Лиза звонила, — сообщила Марьяна.

— Ты с ней говорила?

Марьяна покачала головой.

— Я не брала трубку. Скажу, что перевела на виброзвонок и забыла.

— Хорошо, — кивнула Алиса.

— А ты что, подозреваешь что-нибудь? — насторожилась подруга.

— Нет... — растерялась Алиса. — Думаешь, стоит?

— Ну... — Марьяна отвела глаза. — Вообще-то это она нашла тебе менеджера и банк...

Алиса с удивлением взглянула на Марьяну. Она почему-то не задумывалась об этом. Лиза была... вне подозрений, что ли... Хотя все верно. Это она нашла Наташу, Наташа — бухгалтера, и банк тоже рекомендовала Лиза. И все это не внушает доверия.

Но с другой стороны, зачем это Лизе нужно? Ведьмы что, разве обманывают своих? Ради денег? Ха-ха...

— Нина! — закричала она в трубку. — А, слышала уже? Нин, у меня совершенно нет времени на сантименты и разговоры, просто скажи — ведьмы могут друг друга обманывать? Ну, вот так, как меня? Нет? Ты уверена? Ладно, пока! — Алиса быстро отсоединилась. — Она сказала, что могут, но только в самых крайних случаях, когда рассчитывают на то, что их за это никто не посмеет упрекнуть, но такое бывает раз в тысячу лет и никогда еще не было связано с денежными аферами, — передала она Марьяне слова Нины. — Слушай, я передумала. Мы поедем на двух машинах, ты свою спрячешь в гараже у Масика, а потом, когда все уедут, мы перетащим мои вещи.

Масиком был приятель Фаи, смешной сосед, пожилой режиссер, который обожал Файку уже лет пять и ради нее готов был на любое безрассудство.

— А если Масика нет дома?

— Масик будет дома — иначе мне придется вскрыть себе вены! — отрезала Алиса, и они засобирались.

Вдвоем тащить зеркало было совершенно невозможно — пришлось науськивать охранника, что, в общем-то, было нетрудно, так как его разум не сопротивлялся приказам, видимо, по привычке и от глупости.

Кое-как устроив махину в машине — книги уже превратились в кучу-малу, они еще раз посмотрели на дом.

— Когда все закончится, куплю новый, в который никто не посмеет зайти, — пообещала Алиса.

Марьяна кивнула.

— Тебе страшно? — спросила она.

Алиса задумалась. Было ли ей страшно? Конечно... Но она просто отказывалась верить, что в ее жизни что-то может измениться навсегда — против ее воли, разумеется, и не видела впереди несчастий — только борьбу, которая для хороших закончится хорошо, для плохих — плохо. Потому что она — ведьма, и она не только не даст обстоятельствам себя прогнуть, но и победит всех врагов. Чем бы все ни закончилось, она не из тех, кто сдается. И об этом в скором времени узнают все те отчаянные люди, что желают ей зла. Узнают и сто раз пожалеют о задуманном. Просто они пока не понимают, с кем связались. И уж если она в двенадцать лет наотрез отказалась надевать рейтузы, которые ей навязывала бабушка, и той пришлось с этим смириться, то с каким-то банком она уж точно справится.

ГЛАВА 16

Масик был дома, но порывался звонить Фае — Марьяна с Алисой едва его отговорили. Загнали «Ренджровер» в гараж, пересели в машину Алисы и, проехав квартал, оказались у дома Фаи. Ворота были открыты — Фая ждала их.

Дома у нее были Лиза, Нина — видимо, недавно приехали, Маша и, разумеется, Фая. Все они заметно волновались и смотрели на Алису так, словно ожидали в лучшем случае эпилептического припадка.

— Я уже почти не мечтаю покончить жизнь самоубийством, — Алиса всплеснула руками. — Не надо вот этого! И я хочу есть.

Фая бросилась на кухню и вернулась с кастрюлей жареных креветок.

— Слушай... — мямлила Лиза. — Я понимаю, тебе надо дать время, но в этом загвоздка — его у нас нету, поэтому, может, мы хотя бы поговорим?

Алиса взглянула на нее. Странное чувство. Не то чтобы она действительно подозревала Лизу, но тут было нечто, чего она не понимала. Какой-то знак... И ей хотелось в этом разобраться.

— Лиза, давай отложим разговоры до завтра. В конце концов, они не имеют права вот так со мной поступать. Есть клуб, и мы рассчитаемся с долгами.

И тут Марьяна как-то сдавленно хрюкнула и выбежала из комнаты.

— Что?! — воскликнула Алиса.

Лиза подошла к ней, заглянула в глаза, положила руки ей на плечи и сказала — точнее, приказала:

— Сядь.

Алиса хмыкнула, но села.

Фая быстро подлила ей коньяку, сунула рюмку, и Алиса на автопилоте выпила все до дна. Облегчения и расслабления не наступило.

— Ну, выкладывайте... — устало произнесла она.

Лиза села рядом и взяла ее за руки.

— Алиса... Клуб сгорел.

Снова появился туман — он сгущался, чернел, но Алиса вынырнула — просто потому, что все было настолько нереально, что она поверить не могла.

— То есть? — прошептала она.

Она хотела произнести это громко, но с голосом что-то случилось — он пропал.

— Алиса, больше нет никакого клуба, так что в банке быстро подсуетились и...

— Как они могли подсуетиться?! Нужен суд!

— Не нужен. Если ты внимательно читала контракт... — бубнила Лиза, но Алиса ее не слушала.

Ей было дурно. Очень дурно! Такого просто не может быть! С другими — возможно, но не с ней! Это все ужасно, совершенно ужасно... Несправедливо. Гнусно.

Очень хотелось схватить кастрюлю с креветками и швырнуть в стену, но она сдержалась. Однако все услышанное просто не умещалось в голове — и она все-таки разревелась. Лиза попыталась ее обнять, но Алиса с силой оттолкнула ее.

— Отвали! — завопила она. — Это все ты!.. Затеяла всю эту историю, впутала меня! Это твоя сука, блядь, Наташа сейчас купается в моих деньгах! Видеть тебя не могу! Уйди!

Сквозь рыдания она слышала Лизу — та уверяла Фаю, что все в порядке, что Алисе просто надо на ком-то сорвать зло, а она — Лиза — действительно, виновата...

Когда Алиса оторвалась от подушки, Лиза уже ушла. Девочки сидели как на похоронах.

— Я в ванную, — Алиса поднялась с дивана.

Она приняла душ — хотелось смыть все ужасные впечатления, закуталась в ярко-голубой Файкин халат, расчесала волосы и вернулась в комнату. Если у тебя трагедия, в этом есть один плюс — можно капризничать, сколько угодно, и близкие тебя поймут.

— Фай! Можно подогреть креветки? — осведомилась она, забравшись с ногами на диван. — И прошу вас об одном — не ведите себя так, словно у меня обнаружили рак в последней стадии. Все очень плохо, но я жива и здорова.

— Ладно, — кивнула Нина. — А тебя уже можно спрашивать, что ты будешь делать?

Алиса задумалась.

— Да, — разрешила она. — Я буду спать и искать выход. Что-то здесь не так. Ощущение такое, словно все было спланировано. Как будто то, что сейчас происходит — и даже вы, и креветки, и коньяк... —

некто все это предусмотрел. Хотя, возможно, я просто в шоке и брежу.

Фая принесла заново разогретые креветки, Алиса набросилась на них — никто из подруг даже не притронулся, а, наевшись, поняла — единственное, чего она хочет — спать. Долго.

Правда, на следующее утро она проснулась в семь — решила, что это настоящий нервный срыв, пока не вспомнила, что легла часов в десять. Первый раз лет за десять.

Она написала записку, села в машину и отправилась в клуб. Зрелище было страшное. Алиса даже из машины не вышла, но провела напротив входа не меньше сорока минут.

А потом поехала в банк.

В банке сказали, что все понимают и очень ей сочувствуют, но перед тем, как пустить ее в квартиру за личными вещами, они должны убедиться, что ей выплатят страховку, которая пойдет на погашение кредита. Поэтому Алисе в первую очередь нужно обратиться в свою страховую компанию.

Алиса обратилась, но выяснилось, что полис поддельный. Конечно, Алиса закатила страшный скандал: она подозревала страховщиков в махинациях — им просто не хочется выплачивать взнос, но те предложили подать на них в суд — потому что больше они ничем не могут помочь — у них нет копии контракта либо других свидетельств о том, что они когда-либо заключали взаимные обязательства с представителями Алисы. Черт! Как она могла быть такой дурой? Все же люди страхуются: с банковского счета ни копейки нельзя снять без подписей генерального директора, финансового и главного бухгалтера! А она, дура, выдала этой прощелыге, управляющей, доверенность, и у нее даже устава нет! Чем она думала?!

Что делать?! Она подаст в суд, банк все равно не вернет квартиру, судиться они будут бесконечно, и это ей не поможет. Может, годам к шестидесяти суд признает ее правоту, а Наташу с бухгалтером, подсевших на героин и потративших все деньги на наркотики, арестуют в Арабских Эмиратах — но будет уже поздно...

Какая-то дичь. Все настолько нелепо, что этого просто не может быть. Никогда. Не могла она так опростоволоситься. Она же не идиотка. Честно слово!

С Мясницкой Алиса резко свернула в Златоустьинский, припарковала машину в ближайшем дворе и впала в ступор. Пыталась здраво размышлять, но не получалось — все было таким абсурдным, словно ее засосало в сценарий, который отклонило двадцать киностудий.

Банкротство, пожар, предательство — и все сразу, три по цене одного...

Зазвонил телефон, Алиса дернулась так, словно ее ужалила змея, вытащила трубку, успела заметить, что звонит Лиза — за секунду до того, как телефон перекувырнулся, упал на пол и закатился под сиденье.

Алиса неловко согнулась, противоестественно скрючила руку и засунула ее под сиденье. В ладони у нее оказалось что-то теплое, мягкое — она схватила это, потянула и вытащила книгу. Наверное, завалилась во время переезда — когда Алиса вперемешку распихивала по машинам все самое ценное.

Это был дневник. Дальней родственницы, которая жила двести лет назад. Алиса закурила сигарету, приоткрыла окно, нашла бутылку колы и только после этой несложной церемонии приступила к чтению. Она волновалась. Это была часть истории — истории ее семьи, в которой не забывали, кем была твоя прабабушка — и даже прапрабабушка, семьи, которая из поколения в поколение передавала знания и ценности, семьи, в которой не теряли связи друг с другом.

Алиса чертовски растрогалась, пока не обнаружила запись от одиннадцатого января 1803 года.

Что за?..

Имеет это к ней какое-то отношение?

Разум говорил — «нет». Интуиция — «да».

И еще она убедила себя, что ей нужен совет. И не один. Набрала номер.

— Фай! — крикнула она в трубку. — Тут у меня немного странные новости! Можешь говорить? Ну, слушай! Я нашла дневник своей... сейчас лень вычислять, кем она мне приходится... в общем, какой-то родственницы... Ну, когда мы с Марьяной обокрали мой дом, то эта штука завалилась под сиденье... Не в том суть! Там всякие милые детали ее жизни, и вдруг я нахожу интригующую запись о моей благодетельнице — ну, о Елене, то есть. Когда-то давно Елена придумала Кодекс — законы для ведьм, но придумала не одна — у нее была подельница, Екатерина. Двести лет назад выяснилось, что Кодекс они сочиняли с разными целями — Елена хотела спасти ведьм от преследований, а Екатерина — наоборот, обезопасить людей от нас! Когда была инквизиция и все такое — ну, ты понимаешь — это все произошло не только потому, что к власти в церкви пришли сплошные параноики, но еще и потому, что ведьмы типа вышли из подполья. Они слишком широко заявили о себе — во-первых, не вовремя, а, во-вторых, некоторые решили, что им все можно и причиняли людям боль. В общем, двести лет назад Екатерина и Елена поругались. Причем, на тот момент чисто теоретически. Елена настаивала, что люди — жалкие твари, которые если что-то и изобретают, то лишь для того, чтобы им легче было есть, пить и меньше двигаться. Типа скоты. В общем, такая вот у нее была гуманная политика. Ты слушай-слушай, не сопи и не вздыхай! Короче, Елена считала, что светиться не надо, а люди — всего лишь материал, уважать их интересы нет никакого смысла. А Екатерина еще тогда, после инквизиции, считала, что люди имеют право возмущаться разгульным поведением ведьм, много лет обсасывала эту идею и решила в итоге, что ведьмы должны тихо и скромно нести людям знания. На этой высокой ноте они с Еленой и пацапались. Но! Тут есть параллельная завязка. Елена считалась самой сильной ведьмой, хотя, в принципе, они с Екатериной были бы равны, если бы не одна история, которая случилась с Еленой. В нашем, колдовском, мире существует легенда о красном алмазе — огромном, в сто карат, алом, как кровь, алмазе, который находился в недрах преисподней... Ты это, обращай внимание на стиль изложения — я стараюсь! Так вот, в недрах преисподней его нашел сам дьявол и тысячу лет носил на шее как медальон. Считается, что алмаз обладает необыкновенной силой, которой его наделил Сатана. Сатана камень вроде подарил какому-то особенно преданному слуге, типа Азазелю, но Азазель любил подниматься на Землю, чтобы от души здесь у нас нагадить, и он тоже камень подарил — точнее, дал в качестве взятки Александру Македонскому, который, бедолага, не знал, что его блистательный поход с самого начала обречен на провал. Алмаз Македонский подарил любовнику, который, конечно, был демоном, но демон камень Азазелю не вернул — хотя должен был. Демон, разумеется, был проклят, но он остался при алмазе — хоть и на земле — вход в Ад ему был заказан — и распрядился своими новыми возможностями разумно. Но его наследники были один хлеще другого — последний, тот еще идиот, связался с Еленой, все ей рассказал о камне, и она его выклянчила. Алмаз, кстати, называется «Сердце Дьявола». Но все же удача от нее отвернулась — спустя много лет потомок того демона, что подарил Елене алмаз — талантливый и смелый потомок, начал ее преследовать — и она отдала алмаз Екатерине — они тогда еще дружили. Нотабене — не подарила, а отдала на хранение. Демон потом куда-то делся, Елена поссорилась с Екатериной и начала плести против той интриги. И когда Екатерина узнала, что Елена каверзничает за ее спиной, у нее случился приступ бешенства — она заявила, что Елена опасна для общества, и загнала ее в потусторонний мир. Кстати, с помощью того самого демона. Алмаз, понятно, она не вернула. Пользоваться камнем Екатерина не может — он должен быть передан по всем правилам, но она вроде как хранительница — прячет камень от Елены, если та вдруг — чего только не бывает? — вернется. Как тебе история?

— Ну, для нормального человека звучит как полный бред, — призналась Фая. — У меня вопрос. Екатерина жива?

— Не уверена... Ей же лет пятьсот. Не знаю, — засомневалась Алиса.

— А скажи... Если камень у нее, то она теперь его от тебя прячет?

Алиса задумалась.

— Я... — начала было она, но запнулась. — Хороший вопрос... Понятия не имею! Надо узнать.

— Знаешь, меня, конечно, все эти твои истории просто с ума сводят! — неожиданно воскликнула Фая. — С ума сойти... Я, кажется, до сих пор не могу поверить, что ты — ведьма, а тут еще и сам дьявол объявился со своими дарами... Вот ведь блин!.. Алиса, скажи, что ты просто сошла с ума, и я оплачу твое лечение в лучшем дурдоме!

— Каком дурдоме? — заинтересовалась Алиса. — Ты думаешь, бывают «лучшие» дурдомы?

— Не знаю... — сникла Фая. — Ладно, я чего-то просто размякла. Слишком много всего навалилось. Ты когда приедешь?

Алиса не представляла, когда окажется у Файки за городом — на этом и расстались.

Следующий звонок был Лизе.

— Ты слышала про «Сердце Дьявола»?

Лиза молчала. Если бы Алиса знала, чем она занимается в эту секунду — выбросила бы телефон из окна и уехала из страны, но она не знала, поэтому окликнула подружку:

— Эй, ты все еще там?!

— Почему ты спросила? — отозвалась Лиза.

— А что, не должна была?

— Ну... Понимаешь, это все равно, что спросить, слышала ли я о Бритни Спирс. Улавливаешь?

— Спасибо, что напомнила, какая я невежественная! — с напускным воодушевлением поблагодарила Алиса. — Но раз уж мы установили, что я ни черта не знаю о нашем мире, снизойди, ответь мне просто — «да» или «нет»?

— Да! — разозлилась Лиза. — А в чем дело? Тебе что, заняться нечем... — она не договорила. — Алиса! Как же это я сразу не подумала! Черт! Я дура, дура, дура! Ты где?

— Я в полной жопе! — буркнула Алиса. — Ты же в курсе.

— Нам немедленно нужно встретиться! — вопила Лиза. — Это ключ! Как это я не сообразила?!

В итоге Лиза сломила Алисино сопротивление и вынудила ту подождать ее в ресторане «Ходжа Насреддин».

Алиса полчаса ковыряла долму, прежде чем в зал ворвалась растрепанная Лиза.

— С ума сойти! Пробка на Кольце просто нереальная! — возмущалась она, предупреждая упреки. — Ну!

— Что «ну»? — насупилась Алиса.

— Ты что, не поняла?

— Лиза, я понимаю только одно — у меня все очень плохо, я не знаю, как выбраться из долгов, ненавижу тебя за то, что ты втянула меня в эту аферу... Йес, я это сказала! И еще тут дикая история с «Сердцем Дьвола», которая смахивает на бред сумасшедшего — возможно, безумие у меня в генах... Что мне теперь думать? За мной гоняется психованный демон, который хочет получить свой алмаз, потому что все долги Елена свалила на меня? Так?

— Ну... — Лиза посерьезнела. — Кстати, вполне возможно... Но я не об этом! У тебя же появился шанс!

Алиса откинулась на спинку стула, сложила руки на груди и уставилась на Лизу.

Та легла грудью на стол и тихо произнесла:

— Алиса, тебе просто нужно забрать алмаз.

— И что? Я его продам и буду жить долго и счастливо в своей квартире? — нарочито громко сказала Алиса.

— О-о... — Лиза закатила глаза. — Зачем я с тобой связалась? Честное слово, если бы только знала, что ты такая тупая... Стой! — она вцепилась в Алису, которая уже вставала из-за стола. — Алмаз дает могущество — не всемогущество — закатай губу! — но все-таки огромную силу, по сравнению с которой твои сегодняшние возможности — ничто. И мои возможности — ничто. Поняла?

У Алисы все еще был такой вид, словно ничего она не поняла, так что Лизе пришлось объяснить:

— Ты разберешься со всеми своими проблемами. Потому что у владельцев алмаза не бывает проблем. У них все получается. Тебе нужно просто его взять — раз ты наследница Елены, то имеешь право забрать его у Екатерины.

— Знаешь, Лиза, я, пожалуй, пойду. Ничего личного. Просто я устала, — отмахнулась Алиса, которой больше всего хотелось опять стать затюканным главным редактором «Глянца», сидеть себе в недрах офиса и редактировать очередную статью об изменах или ревности.

ГЛАВА 17

И только в машине Алиса, наконец, ощутила весь драматизм ситуации. У нее колоссальные проблемы. Она ведьма-неудачница. С самого начала. Она ничего не знает, ничего не умеет, но решила, что именно она — самая умная, и может теперь, как взрослая, рисковать не только имуществом, но и жизнью. Собственной жалкой жизнью, в которой все ей приходилось выцарапывать когтями — только потому, что ей хотелось стать кем-то еще. Может, ее судьба — влачить существование журналиста в государственной газете, получать в общей сложности десять тысяч рублей и радоваться просроченной копченой семге, купленной на рынке почти за бесценок? И у нее будет муж с нормальными такими диктаторскими замашками — потому что военный, и он будет еще подрабатывать в частной охране и продавать какие-нибудь там холодильники, и у них будет хорошая, крепкая патриархальная семья и двое детей — девочка в бифокальных очках и мальчик — боксер, и по выходным она станет принимать сексуальные позы на грядках, а летом — отдыхать в ведомственном санатории на Черном море — в обществе офицерских жен, которые все еще упорно красят волосы пергидролем, несмотря на широкий выбор щадящих красок?

Может... она ошиблась? Может, уязвленное самолюбие и нездоровое тщеславие увели ее слишком далеко от нее самой?

Ей было плохо. Очень-очень плохо. Настолько,

что она не смогла бы вести машину. Подлый телефон зазвонил, и Алиса, переборов желание швырнуть его на асфальт и затоптать в пыль, ответила, не глядя на определитель:

— Да.

— Алиса! Это Марк. Я, наверное, не вовремя, но я все знаю, и мне очень жаль. Я могу тебе помочь?

— Ты дома?

— Да. Работаю.

— Я к тебе сейчас приеду, никуда не уходи, — сообщила Алиса и выключила телефон раньше, чем он успел что-то сказать.

Поймала такси, и через четверть часа уже поднималась в лифте.

Марик хорошо выглядел — похудел, загорел, но Алиса прошла мимо, добрела до любимого вельветового дивана, упала на него, прижалась щекой к подушке и сказала:

— Я труп.

Наверное, Марик был очень хорошим человеком. Он переодел Алису в халат, приготовил ужин — есть она отказалась, но Марк заставил — и не зря, Алиса вошла во вкус и еще погнала его на улицу за пирожными.

Когда он вернулся, она спала в его кровати с книжкой на животе. Марк отобрал книжку, выключил лампу и прикрыл дверь.

Проснулась Алиса спустя пять часов. Открыла глаза, нащупала тумбочку, включила свет и не поняла, где находится. Как-то не ожидала она застать себя в кровати у Марка. Прошлепав по коридору, обнаружила его в гостиной — он сидел за столом, бил по клавишам. Лицо умное, взгляд устремлен внутрь себя.

— Ужин на плите, — сказал он, не поворачиваясь в ее сторону.

Алиса знала, как это бывает. Пишешь, а потом приходят — и сбивают с мысли. Поэтому она свернула на кухню, но не успела дойти до плиты, как вдруг ей очень захотелось плакать.

Они так друг друга понимают!

Она знала, чем он живет — потому что когда-то тоже писала, пусть и статьи. Статьи — это тоже важно. Что будет с миром, если исчезнут глянцевые журналы? Во что превратятся женщины? Это же кошмар начнется и анархия...

Но дело не в этом.

Марик был таким понятным, таким близким, таким... Алиса боялась этого слова, но все же произнесла про себя — родным. Почему она его бросила?!

Правильно, конечно, бросила — столько было соблазнов...

Но сейчас ей больше всего хотелось вернуть близость — чтобы можно было прижаться, укусить в шею, поцеловать плечо, обнять и погладить его крепкую смуглую задницу, ощутить его тело руками, ногами, губами...

Когда он прижимал ее к себе, все становилось на свои места.

— Что с тобой? — послышался обеспокоенный голос Марка.

Алиса истошно всхлипнула, размазала по лицу слезы и неожиданно для себя, противным, истерическим голосом спросила:

— У тебя были женщины? После меня...

— Нет, что ты... — он ласково погладил ее по голове. — Теперь я гей.

— Ну! — она стукнула его в грудь.

Но он уже обнимал ее, а через несколько секунд они целовались — жадно и немножко нелепо, и Алисе казалось, будто все, чего ей не хватало — это его, и она, кажется, порвала Марику футболку, а он едва не придушил ее поясом от халата, который не желал развязываться, и пока они не встали — точнее, не сползли с дивана, она не понимала, что происходит.

Она была плоть от его плоти — или как там, и они были единым целым, потому что их тела, против их воли, сами притянулись друг к другу и вынудили их заняться любовью. Или сексом. Или чем-то еще — она точно не поняла, потому что находилась в помрачении рассудка.

Алиса с опаской взглянула на Марка — вдруг, прямо как в мелодраме, он сейчас сурово посмотрит, тяжело вздохнет, и ей ничего не останется, как убраться отсюда?

Но Марик взглянул на нее с одобрением и цокнул языком.

— Пупсик, ты класс... — сообщил он брутальным голосом.

— А ты... — Алиса хотела сказать что-нибудь едкое, но передумала. — Был мужчиной моей мечты... — брякнула она первое попавшееся и тут же застеснялась собственной глупости.

— Какой ужас, — покачал головой Марик. — Слушай, — он взял ее за руки. — Я понял, что ты... Гм... Алиса! Я намереваюсь выложить тебе страшные пошлости и глупости, и не знаю, как это все произнести — тем более сразу после секса, так что я не буду говорить, что ты — самая лучшая, и я все время о тебе думал... ну, не все время, но часто... и что мне будет очень грустно и больно, если мы с тобой сегодня просто потрахались, и у нас ничего впереди нет. Поверь, меня тоже тошнит от этих речей, но я должен тебя предупредить — как благородный мужчина, хотя я, конечно, не благородный, я просто хочу, чтобы ты знала — я по тебе скучал.

Алиса не могла ответить — потому что она как распоследняя нюня рыдала у него на плече, и все это было похоже на индийское кино, и все то ли умерли, то ли жили долго и счастливо... Но ей хотелось, чтобы все это длилось вечно, чтобы не было никаких завтра, чтобы ночь стала полярной, и чтобы у Марка оказалось пять миллионов долларов, которыми он оплатил бы ее долги, но это, разумеется, уже полная чушь...

Конечно, она может «попросить» эти деньги у какого-нибудь магната. Но ведь Лиза сказала, что деньги нужно возвращать. Ладно, допустим, она построит новый клуб, вернет деньги...

— Эй! — Марк взял ее за подбородок. — Не надо сейчас ломать голову. Неделя-другая ничего не решат. Мы завтра же, как только ты выспишься, поедем в Париж, проведем там три дня, а потом, на свежую голову, придумаем, что нам с тобой делать.

Алиса задумалась.

— Кажется, я не хочу в Париж, — заявила она.

— Через «не хочу». У меня там встреча с издателями. Будет шикарная гостиница, бассейн, вид на Сену... Соглашайся! Тем более, тебя сейчас нельзя оставлять одну.

Алиса кивнула.

— Ладно. Поедем, — согласилась она.

Глаза слипались. Она опять хотела спать.

— Но-но-но! — прикрикнул Марик. — В кровать только после ужина!

Он усадил Алису за стол, поставил перед ней глубокую тарелку с куриным пловом, налил огромный стакан компота, заставил все это съесть и только потом отвел в кровать, куда Алиса нырнула рыбкой и сразу же отключилась.

А через день они уже ехали по бульвару Распай — к маленькой, типично французской, но очень роскошной двухэтажной гостинице. И вечером, когда они ужинали в плавучем ресторане, в который рвались все туристы и куда было невозможно попасть, Алиса ощутила, что восстает из мертвых. То есть все еще, конечно, было очень плохо, но ей уже не хотелось провалиться в летаргический сон, чтобы не знать и не видеть того, что происходит.

Может, это и есть та самая дрянь, ради которой женщины рвут друг на дружке мелированные за шесть тысяч пряди? Мужчина Мечты — тот, кто в нужный момент прикроет тебя от невзгод, кто поможет не словом, а делом, и все такое?

Алисе очень хотелось сказать себе: «О, да! Это так!» — и размякнуть, успокоиться, спрятаться за спиной Марка, но во что же она тогда превратится? Получится, что все ее мечты — пшик?

Ладно, три дня за его счет — с поддержкой, защитой и прочими атрибутами она может себе позволить.

Это были хорошие три дня. Теплые, солнечные, с длинными прогулками, завтраками в кондитерских — и откровенным обжорством, с долгими сеансами в SPA-салонах, с вечеринками, которые устраивали друзья Марка.

Но уже в самолете все пошло наперекосяк.

Они летели первым классом (спасибо издателям), и только им показали места, как сзади кто-то громко воскликнул:

— Марик!

Они обернулись и увидели высокую блондинку с блестящими волосами до середины спины, со стильной челкой и несессером от «Луи Вьюттон». На девушке была чудесная курточка из лисы, стильные бежевые брючки в облипку, красный кашемировый свитер и отпадные сапожки от «Дольче&Габбана», которые Алиса видела только на сайте стайл.com — необычайной красоты кожа бронзового оттенка и голенище из шоколадного каракуля. О таких сапогах Алиса мечтала последние полтора месяца, и вот — пожалуйста!

— Оксана... — Марик распахнул объятия и облобызал девицу.

Конечно, облобызал — слабо сказано, запечатлел неприлично долгий поцелуй в губы — не взасос, но все-таки. Деловых знакомых так не целуют.

— Сколько лет... — низким голосом урчала девица, а Марик, между прочим, смотрел на нее с восхищением.

— Ты из Парижа? — поинтересовался он.

Нелепый вопрос, но девица так не считала.

— Ой... — она закатила глаза. — Стокгольм, Хельсинки, Амстердам, Лозанна, Мадрид, Париж, Брюссель, опять Париж — и теперь, наконец, в Москву.

Алиса все еще, как идиотка, переминалась с ноги на ногу — демонстративно сесть на свое место и отгородиться от них журналом было глупо — она бы показала, что злится, но стоять рядом и терпеть, что они ее не замечают, было ничем не лучше.

И тут Марик очнулся. Русалочьи чары развеялись.

— Ой, это Алиса, а это Оксана — моя старая подруга, мы знакомы уже лет семь, она раньше была моделью в агентстве «Элит», жила в Нью-Йорке, а сейчас деловая девушка, занимается предметами роскоши.

— В основном мебель, ткани, ну, есть и ландшафтное бюро, — в общем, все для дома, если ваш дом стоит больше трех миллионов, — усмехнулась Оксана.

— Здорово, — кивнула Алиса.

Класс. Про Оксану он рассказал все — только что размер лифчика не сообщил, а она — «это Алиса». Не «Алиса, моя девушка», и не «Алиса, у нее клуб «Лунатик» — правда, он сгорел, но это ерунда», а вот так — «Алиса», и все! Алиса, с которой я несколько раз переспал, но как только мы выйдем из самолета, я весь твой, любовь всей моей жизни, прекрасная Оксана, воплощение Афродиты!

В результате они устроились втроем — насколько это возможно в первом классе.

— Надо было брать чартер, — закапризничала Оксана. — Представляешь, я зажала деньги!

И они с Марком радостно засмеялись, как будто пожалеть пятнадцать тысяч долларов в один конец — это очень весело. Хотя если бы они поделили сумму на троих, вышло бы не намного дороже первого класса, но Алисе уже мерещилось, что Марик бы улетел с Оксаной, а ее бы оставили одну в аэропорту.

Алисе вдруг захотелось заманить Оксану в туалет и незаметно спустить в унитаз, чтобы она улетела в стратосферу. Но вполне живая и цветущая Оксана сидела перед ней (почти перед ней, через проход), снимала свою потрясающую куртку, изящно откидывала волосы, красила губы блеском от «Мак», уверяла стюарда, что здесь можно курить, заказывала шампанское и нежно улыбалась Марику.

Выяснилось, что познакомились они, когда Марик был начинающим автором, а Оксана — вечно голодной моделью. Она как раз уезжала в Нью-Йорк, а ему до успеха первой книги оставалось чуть больше полугода.

Алиса навоображала себе, как две амбициозные, уверенные в себе, тщеславные личности сталкиваются и между ними происходит бурный роман с изобилием жаркого секса, а позже, когда уже есть первая слава и первые гонорары, они совокупляются по всему миру в жанре прямо-таки Джеки Коллинз, а сейчас отправятся в туалет, запрутся, а ей скажут, что просто курили.

Это уже было слишком похоже на помешательство, но взять себя в руки не получилось — Оксана была слишком прекрасна, даже Катрин Денев в лучшие годы рядом с ней показалась бы Надеждой Константиновной Крупской.

Марик и Оксана мило трепались, сравнивая яхты Абрамовича и Билла Гейтса (на обеих Оксана бывала, и не раз), Монако и Лазурный Берег, «Гольфстримы» и «Челленджеры», Аспен и Гштаад — и мнения Алисы никто не спрашивал. Оксана, разумеется, мило улыбалась, и была вся такая дружелюбная, но Алиса знала эти приемчики.

Она отправилась в туалет и решила, что выглядит не хуже — у нее прекрасные волосы, модные тряпки, правда, круги под глазами и кожа бледная, но у нее ведь проблемы! Хотя девицы вроде Оксаны появляются именно в такие моменты — если у тебя болит живот, или ты только что пережила тяжелую ангину, или выбежала на пять секунд из квартиры за солью — в старых домашних штанах и майке с котятами. Может, у них третий глаз? Хотя по идее, третий глаз-то у нее, Алисы...

Так! Главное, не вести себя, как неудачница — то есть не злиться и не обнаруживать слабость. Она — лучше трех Оксан, причем даже если бы у первой был «Оскар», у второй — Нобелевская премия за вклад в дело мира во всем мире, а у третьей — Букер. Алиса — «зе бест»! Вяло улыбнувшись собственному отражению, Алиса выбралась из туалета и обнаружила, что Марик и Оксана заливисто хохочут.

Полет прошел ужасно, особенно во время тряски, которая длилась минут сорок — Алису утешало лишь то, что потенциально Оксану может стошнить на ее дивные брюки, но та, хоть и позеленела, выглядела от этого еще более трогательно.

О чем вообще она думает? В Москве ее ждут неприятности, долги и разорение, а она тут психует из-за какой-то метелки, которая ей и в подметки не годится?!

В Шереметьево Марк с Оксаной долго обнимались и целовались на прощание, а Алиса в это время сожалела, что не купила в «Дьюти фри» всю линию «Клиник» — это было так дешево...

Домой они приехали поздно, но Марик тут же

бросился звонить деловым знакомым, так что Алиса ушла в спальню и заснула, не дождавшись его.

Снилось ей, что Оксана выходит замуж за Марка, а она, Алиса, стоит на их свадьбе голая, в одних носках, и на нее похотливо взирает ее школьный учитель физкультуры — маленький, толстенький, с нечесаной кудрявой шевелюрой Ян Филиппович.

ГЛАВА 18

Весь следующий день Алиса провела в банке. Ушла она оттуда в состоянии аффекта — еще чуть-чуть, и она бы бросилась на управляющего и вырвала у него кадык, потому что этот бесчувственный сукин сын изображал из себя Сфинкса, и казалось, даже сообщение о смерти собственной матери не заставит его дрогнуть под напором эмоций — такой он был холодный и равнодушный!

Ей даже не разрешили зайти в квартиру и забрать личные вещи! Все, что она не успела украсть у самой себя: драгоценности, летняя одежда, книги, косметика — все это будет под присмотром охраны, которая, наверняка, полезет в ее шкафы грязными руками с заусенцами! Она не может получить даже початый дневной крем!

Кажется, это незаконно. Какие-то, черт побери, черные райдеры!

Во-первых, ей нужен хороший адвокат. Лучший адвокат.

И, во-вторых, взвод спецназа, чтобы взорвать к чертовой матери весь этот банк.

Потому что есть подозрения — что-то здесь нечисто.

И тут Алису чуть не разбил паралич!

Она только сейчас поняла, что не видела Елену со времени прилета из Гоа.

Куда та делась?

Она же единственная, кто может дать Алисе вменяемый совет.

Где эта предательница?

Алиса полезла за телефоном.

— Марик! — воскликнула она. — Ты где? А я рядом с банком. Жопа. Марк, что мне делать? Да, я приеду. Ты уж извини, я теперь, как цыганка — без кола и без двора, так что вряд ли откажусь от приглашения переночевать. Что? И когда ты уходишь? А куда? Встреча с Оксаной? Хорошо... Не-не, все в порядке...

Ладно. Пусть встречается с Оксаной. Ей сейчас не до ревности.

Нужен план.

Надо выкручиваться. Надо понять, как она оказалась в такой ситуации. Нужно найти деньги.

Если кто-то думает, что занять пять миллионов долларов так уж просто — даже если ты ведьма, то он ошибается.

У бизнесменов крепкая психика — это раз. Дело касается не двух тысяч долларов на благотворительные нужды, а целого состояния, так что у психически крепких бизнесменов включается защита — они изо всех сил сопротивляются подобным просьбам. Кроме того, надо их убедить и успокоить, чтобы они назавтра не бросились отнимать деньги. Потому что зомбировать нельзя — тут могут возникнуть непредсказуемые последствия. Все-таки элита бизнеса привлекает всеобщее внимание, и если один из магнатов резко съедет с катушек, то какой-нибудь въедливый журналист обязательно докопается и до Алисы, и до заклятий...

И если десять тысяч просвещенных граждан доверяют газете «Коммерсант», то десять миллионов — газете «Жизнь», в которой и появится заметочка с заголовком «Олигарха сглазили! Молот ведьм — все правда!»

Это вам не Танечку — соперницу Марьяны, охмурить. Танечка — это все равно, что вырвать гланды, а вот какой-нибудь Вип Випыч — это уже операция на сердце, ювелирная работа.

Алиса поехала к Фае и обнаружила, что идиотка-подруга забыла оставить ей ключи. Пришлось нежно взломать дверь.

Общению с неодушевленными предметами Алиса научилась сама — без Елены. На даче она нашла увлекательный четырехтомник, где были просто и ясно изложены основные принципы, и главное тут — ощущать материю. Стекло, дерево, металл — не важно, главное, понимать суть вещества, его происхождение, связь с природой — будь оно живое или мертвое, и тогда молекулы и атомы подчинятся тебе. Алиса могла заставить оконное стекло расплавиться и скататься в шар. Могла превратить ложку в кусок стали. Могла расщепить дерево на опилки. А уж открыть замок было плевым делом. Она зашла в гостевую комнату, куда они скинули добычу, и разложила книги на полу. Не густо. Но вот «Подчинение разума»... Хорошая книга. Здорово, что она выбрала именно ее. Не лучшая, но тут столько всего — что-нибудь да пригодится.

Н-да...

Обычное такое заклинание под номером двести шестьдесят три. Дело в том, что, когда человек о чем-либо задумывается, поток мыслей и чувств направляется в мозг. Допустим, приходит к бизнесмену N Алиса и говорит: «Здрасте, не одолжите ли мне несколько миллионов долларов?». Если у N есть свободная минутка, он усмехнется и спросит: «Зачем вам эти деньги?», а если нет — что наиболее вероятно — нажмет кнопку вызова секретаря и охраны, и скажет, не глядя на нее: «До свидания».

А внутри него в этого время происходит следующее. Мысль «Еще одна аферистка!» в определенную секунду пересекается с чувством: «Как они мне все надоели!» — и раздражение попалам со здравым смыслом сигнализируют мозгу, что пора гнать эту попрошайку вон.

И задача Алисы в том, чтобы подавить в нем чувство усталости и злости, и заменить на восторг и уважение. А трезвые рассуждения о подозрительной особе в корне пресечь и вместо этого послать убедительный сигнал: «Этой женщине можно верить! Она заслужила пять миллионов!».

Внешне весь этот хитрый процесс выглядит как заурядный обмен взглядами, но Алиса знала — каждая секунда покажется ей годом. Обычные ведьмы учатся этому с детства, и годам к двадцати даже не задумываются перед тем, как совершить подобное колдовство, но вот уж такая она особенная, женщина трудной судьбы, блин.

Надо на ком-то потренироваться...

На Марике?

И тут Алиса сообразила.

Она переоделась — исключительно для поднятия тонуса, завела машину и покатила к Марьяне.

— Я не понимаю! — шипела Марьяна, зажав перепуганного менеджера в угол. — Ты почему Амалию не посадил? Она не просто Амалия, она еще и наш постоянный клиент!

— Не было мест... — оправдывался менеджер.

— Надо было найти места, у нас же есть резервные столы, ты, тупица! — Марьяна уже не шипела, а свистела, как закипавший чайник.

Менеджер еще что-то мямлил, но Марьяна уже развернулась и ушла, прихватив с собой Алису.

— Марьян... — ласково взгянула на нее Алиса, когда они устроились за столом и заказали по молочному коктейлю с гренадином. — Я хочу тебя кое о чем попросить.

— Ну! — Марьяна явно была не в настроении миндальничать.

— Просьба несколько необычная... — тянула Алиса, которой нужно было настроиться на волну подруги. — Возможно, она тебя немного удивит...

— Алиса, чего ты тянешь кота за яйца?! — рявкнула подруга.

Но Алиса уже держала все ниточки настроения Марьяны — все-таки подруга, близкий человек, и хотя после вопроса: «Ты не могла бы подарить мне один из твоих ресторанов?» глаза у Марьяны полезли на лоб, она вдруг улыбнулась, взяла Алису за руку и ответила:

— Конечно! Я давно мечтала это сделать!

И глаза у нее лучились таким счастьем, что Алиса еще немного вспотела — на этот раз не от напряжения, а от стыда, и отпустила Марьяну.

Она была уверена, что та возопит: «Что?! Да ты офигела!», но Марьяна все еще блаженно улыбалась и бубнила, какая это отличная идея.

Алиса перепугалась. Впопыхах попыталась разобраться, как вернуть все обратно, но в панике все напутала и вызвала сложную реакцию: Марьяша со слезами на глазах уверяла, что с радостью отдаст ресторан кому угодно — хоть арабским сепаратистам...

Алиса отхлебнула коктейль, задержала дыхание, закрыла глаза и распутала клубок противоречий. Мысли и чувства подруги, наконец, потекли в правильном направлении, и та уставилась на Алису тяжелым недобрым взглядом.

— Марьяночка! Прости! — каялась Алиса, объяснялась, но Марьяна все еще дулась.

— Я тебе не тренажер! — обижалась она. — Почему я? Есть ведь еще Фая!

— Фая сейчас в салоне, не хотелось ее отрывать, но у нее я тоже обязательно попрошу магазин! — клялась Алиса.

Марьяна заявила, что хочет это видеть — иначе прощения ей не будет.

Поэтому вечером они собрались за городом у Файки — и та, на глазах довольной Марьяны, подарила Алисе свой лучший бутик, да еще и спросила: что так мало? Можно два, три... Видимо, Алиса опять перестаралась.

Остаток вечера они выискивали по Интернету «Форбсов», выбирали самых подвижных, а потом Фая с Алисой обзванивали знакомых редакторов всяких разных журналов, чтобы выяснить — где и когда будут вечеринки, на которых могут присутствовать самые-самые. В итоге остановились на премии «Лицо года», где награждали самых популярных медийных звезд, и куда бизнесмены рвались пачками, так как там можно было познакомиться с актрисами, певицами и телеведущими.

Артем Савичев просто обязан был там показаться — девушек он менял каждые полгода, независимо от статуса подруги. Будь то хоть Вайнона Райдер — и ее уволят спустя несколько месяцев. Может, он ведет дневник, где описывает лот № 231: Николь Кидман, актриса, в сексе так себе, характер отличный, готовить не умеет, любит фиолетовое белье... и так далее — ради удовлетворения своеобразного мужского эго.

Но волноваться за моральный облик Савичева Алиса не собиралась — это его личное дело, что он там принимает — виагру или литий.

Ночью, когда все разошлись по комнатам, и после того, как Марьяна устроила скандал, что в ее квартире свалка Алисиных вещей, и попыталась выжить ту из спальни, Алиса лежала в кровати без сна. Она устала, но тревожные мысли будоражили. Странно все это было. Раньше она думала, что если ее, не дай бог, уволят из «Глянца» — мир рухнет, а теперь она нищая и бездомная, но ей все еще кажется, что ничего не изменилось. Может, это такой самообман во спасение?

Послезавтра утром Алиса металась, как ошпаренная. Надо было выглядеть сногсшибательно... Хоть он и жертва, но все-таки мужчина...

Фая с интересом следила за терзаниями подруги,

которая разбрасывала вещи на полу, чтобы потом в них запутаться, клала на пудру перчатки, чтобы сразу их навечно потерять, вдевала в уши серьги и забывала об этом...

Но к вечеру Алиса более-менее успокоилась, смирилась с неизбежным (то есть либо с успехом, либо с провалом) — чему способствовал набег на магазин «Персонаж», где она оторвала убийственное черное платье из струящегося трикотажа, к которому подобрала Файкины серебряные браслеты в античном стиле — почти до локтя, и дивные серьги с одним бриллиантом на каждое ухо, но зато в два карата. Выглядела она упоительно — если бы не Фая, так бы и стояла перед зеркалом, хорошо хоть подруга пресекла сеанс самолюбования.

Фая же нарядилась в нечто в восточном стиле, что делало ее похожей на Жар-птицу — и она была единственным человеком, которому это шло.

На вечеринку они явились с опозданием — большинство гостей уже собрались. Фая непринужденно здоровалась со знакомыми и время от времени пинала Алису под ребра — та не могла ни на чем сосредоточиться и все время крутила головой в поисках объекта.

И, наконец, увидела его. Он разговаривал с Жанной Фриске, которая на этот раз была в простом вечернем платье от «Каролины Эрреры» — никаких тебе вырезов и обнаженного тела.

Алиса решительно направилась к ним, но тут ее перехватила Маша. Та самая Маша! На которую ее променял бывший любовник!

Маша, уж конечно, была в своем репертуаре — просто Камилла Паркер Боулз. Нечто серое, шелковое, невнятное, но ясно, что дорогущее. Прическа без затей, «невидимый» макияж. Скромность во плоти.

— Как дела? — с надрывом поинтересовалась Маша. Видимо, она все еще считала (и все ее подружки, включая Наташу, тоже так считали), что Алиса должна до сих пор переживать разрыв с Димой.

— Хорошо, — удивилась Алиса.

— Я слышала... — Маша смутилась. — О клубе...

— А! — оскалилась Алиса. — Ерунда! Все застраховано.

— Да? — с недоверием спросила Маша.

— Ну, а ты как? Как Дима? — Алиса перевела беседу на другую тему.

Маша расцвела.

— Вот! — она сунула Алисе под нос кольцо с нескромным бриллиантом.

— Классный маникюр! — одобрила Алиса. — Ладно-ладно, шучу... Отличное кольцо. Бриллиант?

— Конечно! — обиделась Маша. — Свадьба будет во Франции. Я так волнуюсь! Просто не могу себе представить — я выхожу замуж! Мне даже иногда страшно...

— Не хочу тебя обидеть, но я лично не понимаю всей этой предсвадебной истерии, — Алиса пожала плечами. — Не уверена — не обгоняй. То есть если ты сомневаешься, во-первых, подпиши брачный договор, а, во-вторых, подожди с этим. Вы же все равно живете вместе, зачем торопиться?

Маша посмотрела на нее с такой тоской, что Алисе даже стало стыдно. Немного. Конечно, Маша не ожидала от бывшей девушки своего жениха экстаза от счастья за нее, Машу, но, видимо, предполагала, что на фразу «Я боюсь — это же на всю жизнь!»,

Алиса ответит что-нибудь предсказуемое: «Ой, ну что ты! Тебе так повезло! Он такой дивный! И богатый! И так тебя любит!»...

Но зачем, интересно, Алисе утешать Машу, если у той ничего такого трагического не случилось? Маша и сама знает, что Дима богатый и милый, и любит ее. Наверное, невесты пристают к знакомым потому, что им кажется, будто те им недостаточно завидуют.

К тому же свадьба в современном мире казалась Алисе странной и подозрительной традицией: вы приглашаете родственников со всего света, многие из которых выглядят так, что рядом с ними вряд ли оставишь сумочку, каких-то знакомых с работы, которые уже через полчаса лыка не вяжут, напяливаешь чудовищное платье, фату и делаешь вид, что фраза: «Теперь вы можете запечатлеть первый поцелуй» не вызывает у тебя приступов смеха — это после трех лет бурного секса...

— Маша, слушай, все у тебя будет хорошо, поверь мне! Дима — отличный парень, а если ты чаще будешь заниматься с ним оральным сексом, можешь из него веревки вить, — посоветовала Алиса, и, не дожидаясь нервного припадка после слов «оральный секс», пошла дальше.

Фриске отвлекли, она одарила Артема сказочной красоты улыбкой и уплыла, и Алиса поспешила занять ее место.

— Я помню вас, — сообщила ему Алиса. — Вы были в моем клубе.

Артем взглянул на нее с интересом. Она была красивой, изысканно одетой женщиной в дорогих серьгах.

Алиса не помнила точно, бывал ли Савичев в «Лунатике», но сделала ставку на то, что в «Лунатике» были все.

— А в каком клубе? — спросил он.

Алиса пояснила.

— Да! — с чуть большим воодушевлением ответил Артем. — Но он, кажется, сгорел. Я хотел отвезти туда партнеров, однако секретарь сказал, что это невозможно.

— Сгорел, — кивнула Алиса. — Знаете, — начала она, поймав его взгляд. — Я как раз об этом ведь и хотела с вами поговорить.

— Та-ак... — он поднял бровь.

— Здесь, наверное, не лучшее место для такого рода бесед, но у меня просто не было выбора... — Алиса говорила первое, что приходило в голову. — Не записываться же мне к вам на прием?

— Почему нет? — довольно прохладно ответил он.

Она чувствовала, что зацепила его! Еще немного...

— Просто мне бы не хотелось, чтобы наша встреча была чересчур официальной, — она даже не забыла улыбнуться. — Все-таки для меня здесь более привычная обстановка, чем офис... — Есть! — Понимаете, у меня возникли некоторые трудности, и для их решения мне не хватает пяти миллионов долларов. Вы же можете мне их одолжить?

Ура! Взгляд у него был, как у Марьяны — немного отрешенный, с некоторым излишком блеска, и вид — почти в нее влюбленный. Поэтому Алиса не сразу поняла, о чем он говорит.

— Вы с ума сошли?! — воскликнул он и расхохотался. — Девушка! Я сейчас охрану позову!

Алиса смотрела на него во все глаза и никак не

могла поверить, что все рухнуло. Не может быть! Она чувствовала его, она им управляла!

Хотелось провалиться сквозь мраморный пол, но вместо этого Алиса подхватила подол юбки и бросилась наутек. Если бы она случайно не налетела на Фаю — убежала бы без нее, но Фае повезло — сначала Алиса чуть ее не опрокинула, а потом она еще и дернула ее за сумку и поволокла за собой.

— Быстрей... — задыхалась Алиса.

— Что случилось?! — сопротивлялась Фая.

— Я тебе потом расскажу! — орала Алиса не оборачиваясь.

Они быстро забрали шубы — Алиса прорвалась в начало очереди и закричала: «У подруги приступ аппендицита, пропустите!», отобрала у Фаи ключи от машины, села за руль, проехала пару кварталов, затормозила посреди дороги — и тут-то у нее и началась истерика. Сначала затряслись руки, потом потекли слезы, а скоро Алиса уже выла и вскрикивала.

— Девочка моя, ну-ну-ну... — жалела ее Фая.

Наконец, Алиса более-менее успокоилась, нашла в бардачке бутылку воды, вышла из машины, умылась, вытерлась платьем и призналась:

— Явка провалена. Не подействовало.

— Не может быть! — ахнула Фая. — Не верю!

— Вот так... — развела руками Алиса.

— Это невозможно! — отрицала подруга.

— Возможно, Фая, возможно! — Алиса опять сорвалась на крик. — Такая вот хреновая из меня ведьма!

— Спокойно! — Фая, почуяв новый приступ слез и воплей, стукнула подругу по спине. — Давай-ка, на мне покажи, как ты это делала!

— Что? — вздрогнула Алиса.

— Проведем следственный эксперимент, — пояснила Фая. — Попроси меня о чем-нибудь.

— Да ты мне подыграешь... — засомневалась Алиса.

— С какой стати? — обиделась Фая. — Попроси меня сделать что-нибудь такое, что я не сделаю никогда.

Алиса задумалась.

— Ладно... — решилась она.

Несколько минут она трепалась ни о чем.

— А теперь я хочу, чтобы ты кое-что сделала ради меня, — глядя в глаза подруге, произнесла Алиса. — Позвони Толику и скажи, что ты до сих пор его любишь.

Толик был двухнедельным увлечением Фаи. В лучших своих традициях однажды утром она выставила его за дверь, но упрямый Толя звонил еще год, ждал ее под дверью — точнее, под воротами, слал цветы и конфеты, писал письма, засорял почтовый ящик стихами собственного сочинения. Он совершенно замучил Фаю своей любовью, и она теперь даже избегала мужчин с именем Анатолий — ей казалось, что они все немного чокнутые.

В глазах у Фаи мелькнуло страдание, но она покорно достала телефон и полезла в записную книжку. Телефон Толика она не удаляла — чтобы знать, если он позвонит.

Убедившись, что Фая звонит тому, кому надо, Алиса вырвала у нее трубку, нажала «отбой» и осторожно вывела ее из транса.

— Ну? — воспряла Фая. — Работает?

— Работает... — Алиса, как дурацкая собачка на панели у таксистов, кивала головою. — Тогда я не понимаю, как же так...

Они помолчали.

— Вот что я тебе скажу! — подала голос Фая. — Что-то тут не то. Не нравится мне эта история! Поехали домой, а завтра я помогу тебе выяснить, что на самом деле произошло.

 ГЛАВА **19**

Но сразу они домой не попали. Взбешенная Алиса заявила, что ей просто необходимо увидеть, как Оксана совращает Марика, они вычислили ресторан — с помощью мобильного телефона (Алиса вовремя подсуетилась еще в первый заход любви к Марику), заявились в «Бон» в своих вечерних нарядах и сразу же увидели их. Оксана была в белом и облегающем, в стиле восьмидесятых, Марик — в стильном ярко-синем джемпере, и выглядели они как похотливая влюбленная парочка.

Алиса присела, уставилась на них тяжелым взглядом, но только приблизился официант, встала и заявила:

— У нас тут друзья. Пойдем, поздороваемся.

Фая пыталась ее удержать, но Алису, как робота из «Войны миров», мог остановить только ядерный взрыв.

— Привет, — без выражения произнесла она, оказавшись рядом с Оксаной.

Они взглянули на нее не без удивления.

— Приве-ет... — протянула Оксана, которая, кажется, даже и не пыталась скрыть разочарования.

Марик смутился. И не потому, что его застукали,

а потому, что застукала ревнивая баба-дура, думала Алиса, кусая губы.

— Ой, Марик, привет-привет! — набросилась на него Фая, которая изо всех сил пыталась разрядить атмосферу.

И отнюдь не потому, что это соответствовало ее личному кодексу чести, а потому, что она считала — Алисе сейчас не стоит лишний раз волноваться, тем более из-за бывшего парня. А Марик с ее точки зрения был стопроцентным бывшим — даже несмотря на то, что Алиса пару раз с ним переспала.

— Ой... — на лице у Фаи неожиданно (и к большому разочарованию Алисы) расцвела самая нежная и сладостная улыбка. — Я вас знаю... Вы Оксана Платонова?

— Да, — приосанилась Оксана. — Мы где-то встречались?

— Не совсем... — весь вид Фаи источал такой сахар, что у Алисы запершило в горле, и она без спросу налила в стакан для минералки вина. — Мне сказали, что вы устроили у меня в магазине на Тверской жуткий скандал, потому что вам не предложили скидку, и кричали, что придет Малахов и всем нам устроит черный пиар за то, что мы не хотим давать его лучшей подруге тридцатипроцентную скидку. Я спрашивала Андрея — он смутно припоминает, что вы знакомились на какой-то тусовке. А лицо я ваше помню потому, что вы у нас запечатлены на камере слежения.

Оксана побледнела и поспешно отпила вина.

— Ладно, — обратилась Фая к Алисе. — Я думаю, сегодня мы не настроены на европейскую кухню. Хочется чего-нибудь китайского. Пока-пока.

— Ну, ты даешь... — восхитилась Алиса, когда они с гордо поднятыми головами вышли из ресторана.

— Да меня просто озарило! — хвасталась Фая. — Мы всех таких буйных посетителей отслеживаем — много же попадается психов, которые орут: «Я племянница Пугачевой!».

— Слушай, но у тебя контингент вроде приличный, не базар же в Черкизове...

— Я тебя умоляю! Пришла одна девка, купила костюм за полторы тысячи, кожаный, и продавщица ей говорит: «Девушка, он вам мал!», а та уперлась, и ни в какую! А на следующий день возвращается с таким оскорбленным видом и показывает — на жопе треснул шов. Верните деньги, мол, я жена Самойлова, он вас съест! Евгений Самойлов был известным актером в восьмидесятые. В наши дни его забронзовевший лик уже немного покрылся патиной, но в последнее время актер много работал, скандалил и появлялся в обществе молодых женщин, что делало его одним из самых выгодных клиентов. Звоню Самойлову. Спрашиваю, Евгений Гаврилович, тут ваша жена у нас хочет новые брюки получить бесплатно... В общем, с этой «женой» он встречался несколько лет назад, никакого отношения она к нему не имеет, но мы все равно ей брюки поменяли, потому что там по шву зашить за двести рублей и заново продать — как не фига делать. Ладно, Оксану эту мы с тобой прищучили, что дальше будешь делать?

— Ну, поехали, разберемся с этим банком, — Алиса пожала плечами.

— Алиса! — Фая перегородила подруге дорогу. — Я не о том! Что ты тень на плетень наводишь с этим своим Мариком?

— В смысле? — насупилась Алиса.

— Алиса, я тебе сейчас скажу все, как есть! — Фая положила руку на грудь и сделала большие и честные глаза. — Чего ты в него вцепилась?

— Фаина! Я отказываюсь вас понимать! — Алиса сделала самый надменный вид, на который была способна.

Но Фая потащила ее в машину, усадила на заднее сиденье, закурила и сказала:

— Мне, если честно, твой Марик никогда не нравился.

— Вот это новости! — Алиса всплеснула руками.

— Да! — кивнула Фая. — Потому что он неприятный.

— Что значит «неприятный»? — воскликнула Алиса, которой уже хотелось броситься назад к Марику и рассказать ему, как она его любит.

— «Неприятный» — значит человек, который не вызывает приязни, — спокойно пояснила Фая. — Он скользкий, ушлый и себе на уме.

— Фая, что ты несешь?! Где ты этого нахваталась?

— Где-где! Ну, ты же его таскала за собой! И потом, если ты думаешь, что я одна такая, то Марьяне он тоже не нравится!

— Да ну!.. — расстроилась Алиса.

— Ну, давай ей позвоним... — Фая достала мобильный и набрала подругу.

— Алле! — раздался по громкоговорителю немного искаженный голос Марьяны.

— Ну, расскажи, почему тебе не нравится Марик! — велела Фая. — Мы тут с Алисой. Я раскололась.

— Да-а?.. — растерялась Марьяна. — Ну, ладно, раз уж я пьяная... Короче, Алиска, Марик твой — стремный тип. С тобой он лапусик, это понятно, но вот на нас он иногда так посматривал, как будто мы агенты ФСБ. Вроде и все в порядке, но что-то не так. И потом, не было в нем божьего огня — не горели у него глаза, когда он на тебя смотрел.

— Он просто не такой человек... — запротестовала Алиса, но Марьяна не дала себя перебить: — Вот поэтому мы и считаем, что этот «просто не такой человек» не совсем тебе подходит.

— Блин, девочки, да вы пургу гоните! — рассердилась Алиса.

— А Оксану мы тоже гоним? — разозлилась Фая. — Что он с ней по кабакам шляется?!

— Ну, да... — огорчилась Алиса.

— Ты дура, Алиса, набитая! — оживилась Марьяна.

— А ты где? — поинтересовалась Фая.

— Ну, сижу тут у себя с одной компанией...

— Ладно, пока! — крикнула Алиса, выхватила у Фаи трубку и отключила телефон.

Они перебрались на переднее сиденье — причем Алиса попыталась перелезть вперед с заднего, что заняло у нее втрое больше времени, чем у Фаи, которая вышла из машины и пересела.

— Слушай! — Фая побарабанила пальцами по рулю. Вспотевшая Алиса, которая два раза чуть было не порвала платье, кое-как попала задницей на сиденье и теперь запихивала ноги. — Что-то мне не понравился тон Марьяны...

— А уж мне как не понравился! — подтвердила Алиса. — Устроили Марику травлю...

— Я не об этом. Она, кажется, хотела сказать, что ей в той компании скучно и ее надо спасать.

— Точно! — оживилась Алиса. — Поехали?

И они поехали. Марьяна пьянствовала в «Жан Жаке» с незнакомой компанией телевизионщиков. Телевизионщики были довольно надменные и слишком уж интеллектуальные — тихо пили водку и вели медленные беседы про войну в Ираке и ядерный потенциал Ирана.

Марьяна, видимо, чувствовала себя прекрасно — самозабвенно строила глазки милому юноше с черными, как вороново крыло, волосами и совсем не обрадавалась явлению Скорой Психологической Помощи в лице сестер милосердия — Фаины и Алисы.

Но раз уж они приехали, тем более в вечерних платьях, то решили не уезжать — вдруг Марьяна в конце концов поймет, чем ей грозит эта скучнейшая тусовка — невыразительным сексом и тягостным похмельем, и остались. Закончилось тем, чем и положено в таких случаях — Фая с Алисой напились больше всех и выплясывали посреди ресторана в своих шикарных нарядах, а потом ползали по-пластунски между столиками, так как у Алисы из уха вылетела серьга с брильянтом.

Марьяна делала вид, что она не с ними, но с юношей все-таки поругалась. Он наехал на программы о звездной жизни, которые Марьяша смотрела запоем, и той ничего не оставалась, как принести секс в жертву убеждениям.

— Послушай, если ты напыщенный сноб, это еще не значит, что другие люди не имеют права на собственное мнение! — заявила она, встала и гордо удалилась.

Причем удаляться ей было особенно некуда — кроме офиса, так что Фая с Алисой вцепились в нее мертвой хваткой и поволокли домой. По дороге выяснилось, что Марьяна забыла, куда положила ключи от машины, а в машине была шуба, которую она по неизвестной причине оставила там, так что всю дорогу она требовала топить как в бане и истошно орала, если они курили и открывали окна. Естественно, можно было бы вернуться в ресторан и поискать там ключи, но стравливать Марьяшу с несостоявшимся любовником хотелось меньше всего на свете — всю дорогу она объясняла им, почему он недостоин даже ногтя на ее мизинце.

Домой они явились совершенно невменяемые: Марьяна заснула на диване и так захрапела, что Фая с Алисой хохотали минут десять — стоило им посмотреть, как она шевелит губами и сучит ногами.

А потом позвонил Марк. Накрученная подругами Алиса ответила холодно.

— Ты где? — спросил он.

— Я у Фаи, — призналась она, но, хорошо подумав, прибавила: — И я не поняла, ты уже прешь эту Оксану или только собираешься?

— Алиса...

— Просто если ты собираешься устроить дружный гарем, то это без меня, пожалуйста... — вежливо, но уже сорвавшись на крик, произнесла Алиса.

— Алиса, какой гарем? Оксана — моя старая подруга...

— Марик! — осадила его Алиса. — У меня тоже есть старые подруги, но они не суют мне под нос свои сиськи. И не смотрят на моих молодых людей так, что у меня от одного их взгляда в желудке начинает образовываться цианистый калий и отравлять мне жизнь!

— Что?.. — Марик, видимо, запутался в сложном потоке Алисиного воображения.

— То, что, если ты собираешься втянуть меня в групповуху — мой ответ «нет», и я хочу, чтобы ты это ясно понимал!

— Ну, ладно... — буркнул он и повесил трубку.

— Вот так! — объявила Алиса и помахала телефоном.

— Слушай, ну, ты тоже загнула! — фыркнула Файка. — Мы это, будем упиваться в сиську или притормозим?

— Ну уж нет! — Алиса покачала головой. — Пьем!

И они выпили кашасы. Как и положено — с соком лайма, коричневым сахаром и толикой теплой водицы.

И кашаса не замедлила дать о себе знать. Алиса и Фая напялили парики, нацепили развратные Фаины халатики (была у нее такая слабость), и только собрались отправиться к Масику — им нужна была лояльная аудитория, тем более, Масик проболтался, что у него гостят друзья, как тут зазвонил дверной звонок. Звонок был препротивный — орал как пожарная сирена, так что даже Марьяна подскочила на диване, безумными глазами оглядела комнату и рухнула обратно, прикрыв голову подушкой.

— Кто там? — прокричала Фая с порога.

— Марик! Фай, открой! — донеслось с улицы.

— Не пускай! — велела Алиса.

— Сама не пускай! — Фая топнула ногой. — Я что, хабалка из Бутова? Что ты замерла? Шубу надевай!

Алиса надела шубу, Фая накинула белую норку до пола, выключила свет и потопала к калитке.

— Привет, — улыбнулась Фая. — Еще раз.

Марик в немом ужасе взирал на их наряды — а тут еще стоит упомянуть и макияж: синие тени до век у Алисы, красная помада и румяна во все щеки, зеленые, с блестками — у Фаи плюс люминесцентно-розовая помада и сердечко из стразов на правой щеке.

— Ты здесь постоишь или пойдешь с нами?

Марик поплелся за ними.

Дом Масика впечатлял — не дом, а дворец, комнат меньше сорока метров там не водилось. Масик собрал небольшую приличную компанию — двое мужчин в пуловерах с ромбами, семейная пара в «Армани», девушка с короткой стрижкой в бежевой водолазке и слаксах и еще довольно молодой человек, похожий на известного комика.

Фаю, Алису и даже Марика встретили с открытыми ртами.

— А здесь разве не костюмированная вечеринка? — распахнула глаза Алиса.

— Не волнуйся! — шикнула Фая всполошившемуся Масику. — Скандалить не будем. Мы сегодня тихие.

— Хочешь пирожок с лососем? — пролепетал Масик. — Горячий.

— Очень! — хором ответили девушки, которые только сейчас вспомнили, что так и не поужинали.

С прибытием Фаи и Алисы гости Масика стали быстрее напиваться, а через час все уже радостно отплясывали под «Синий, синий иней» и требовали караоке.

Под шумок — а точнее, под вопли девушки с короткой стрижкой, которая страстно исполняла «Червону руту», Марик уволок Алису на кухню, открыл дверь на балкон, закурил и спросил:

— Алиса, в чем дело?

— Дело в том, — вполне внятно начала Алиса, — что мне не нравится, наглые грудастые телки в брюках на размер меньше вешаются тебе на шею, а ты делаешь вид, будто этого не замечаешь, что выглядит глупо, потому что у тебя на нее стоит — и это очевидно. Если ты против — до свидания.

— Алиса, ты сама от меня ушла! — возмутился он.

— Но это еще не значит, что на моих глазах ты можешь лезть в трусы кому попало! — заорала Алиса.

— Я не лез! — проорал Марик.

— Только потому, что она не носит трусов!

Они скандалили красиво и самозабвенно. Наконец Алиса вымоталась и стала заламывать руки, моргать, вышибая слезу, и пару раз простонала:

— Я больше ничего не хочу... Уйди, а?

Но они ушли вместе — дворами прокрались к Фае и бросились друг на дружку, не дойдя до спальни. Точнее — до Алисиной спальни. И на то была причина — спальня Фаи была намного удобнее. Для секса, во всяком случае.

Фая вернулась под утро, устроила сцену, но из комнаты их не выгнала — она бы все равно не смогла сейчас сменить простыни.

Алиса вспомнила, как бойфренд ее подруги начал с того, что напился до розовых слонов, полез на подругу с кулаками, бросил в унитаз ее кольцо с аквамарином (и спустил), и все, конечно, говорили, что нужно немедленно его бросить, что он пьяница, сволочь и комнатный Наполеончик. Но подруга всех послала к чертовой матери, вышла за него замуж и зажила так счастливо, что на нее с мужем молиться ходили, как на икону. Кстати, муж бросил пить и стал совершенно другим человеком.

Так что нравится Марик девицам или не нравится — это их личное дело, а она будет делать то, что подсказывает ей сердце.

ГЛАВА **20**

Сердце подсказывало: если она сейчас пошевелится — оно остановится. Не надо, не надо вставать и идти в ванную — в конце концов, тут есть ваза, а попить можно снег с подоконника...

Но все-таки Алиса медленно, без резких движений, поднялась с кровати и доползла до ванной. Там ее с полчаса тошнило — тихо так, женственно, после чего Алисе почудилось, что жить стало легче, и она прокралась на кухню, где вполне бодро заварила чаю, отпила глоток — и все началось по-новой. Минут через сорок в ванной показался Марк — зеленый и мятый, так как вчера после вечеринки у соседа он допил остатки кашасы, а это — штука коварная. Поначалу кажется, что ты счастлив, бодр и весел, а когда кашаса заканчивается, на тебя снисходит откровение — ты пьян в лоскуты, и ничто тебе не поможет до тех пор, пока последняя капля напитка не выйдет с липким, холодным похмельным потом.

Некоторое время они с Марком ковырялись в ванной — мылись, в надежде, что вода смоет весь этот ужас, время от времени бросались к унитазу, перевернули все вверх дном в поисках анальгина, а когда рухнули в гостиной на диван, пришли к выводу, что без пива им грозит долгая и мучительная смерть.

— Это ведь не значит, что мы — алкоголики? — простонала Алиса.

Марик задумался.

— Смотря с какой стороны... — пробормотал он.

Но тут в гостиной появилась Фая — и она была страшна, как угроза глобального потепления. В руке Фая держала бутылку «Миллера».

Марик и Алиса переглянулись и бросились к холодильнику. Пить хотелось невыносимо, Алиса выдула бутылку и скоро ощутила, что угроза неминуемой смерти отступает. Конечно, она снова была практически пьяна, зато чувствовала себя как человек — ничего не тряслось, и желудок успокоился.

— Ну, как Оксана? — поинтересовалась Фая.

— Знаешь, в постели она не очень! — с раздражением ответил Марк, который одолел только полбутылки, и благодать на него пока не снизошла.

Фая скорчила рожу.

Алиса отвернулась и раздула ноздри. Не очень-то это этично со стороны Фаи — осуждать ее мужчину.

— Ладно... — Марик тяжело поднялся с дивана. — Я поеду.

— Куда ты поедешь? — всполошилась Алиса. — Ты же пьян!

— Я поеду домой, — пояснил он.

Пошатываясь, Марк вышел из дома, завел машину и, по мнению Алисы, слишком резво газанул.

— Фая! — развопилась Алиса еще со двора. — Если он попадет в аварию или у него отнимут права, я нашлю на твою шуструю задницу такие фурункулы, что о сексе тебе придется забыть на долгие годы!

— Это ты мне говоришь?! — закричала Фая. — Своей подруге? Ты!.. Ты ведь говоришь не как человек, а как ведьма! И если на моей заднице вскочит хоть пятнышко, я тебе устрою инквизицию!

— Я уже и так погорела... — ответила Алиса и почувствовала, как жалость к себе нарастает — и не помещается внутри... Слеза капнула, а через секунду Алиса уже ревела взахлеб.

— Ну... — расстроилась Фая, присела рядом с ней и попыталась ее обнять, но Алиса принялась отбиваться.

— Что ты мне всю жизнь портишь? — кричала она.

— Почему это всю? Мы с тобой только пять лет знакомы! Что я такого сделала?!

— Зачем ты, жаба, Марика выгнала?!

— Ну если ты не видишь, что он просто какой-то жиголо на фиг, что мне теперь делать — попу ему подтирать?!

— Блин, я вас сейчас обеих прибью... — послышался голос Марьяны. — Зачем вы так кричите? Голова раскалывается... — Марьяна побрела по гостиной и рухнула в кресло подальше от подруг.

Фая метнулась на кухню, бросила в один стакан аспирин, алказельцер, две таблетки растворимого витамина С, вытащила из холодильника пиво и плюхнула все это перед Марьяной. Та залпом выпила коктейль, открыла пиво, отпила и выдала чудовищную отрыжку. Фая с Алисой, хоть и находились в центре боевых действий, расхохотались.

— Фая, отвяжись от Марика... — проблеяла Марьяна.

— Вот! — восторжествовала Алиса.

— Ничего не знаю... — Фая с головой спряталась в холодильник и вынырнула с тарелкой жареной рыбы.

— Знаете, я поеду, — объявила Алиса, которой после пива море было по колено. — Вы меня все раздражаете.

И она действительно поехала. Пришлось, правда, вызывать такси и ждать, не обращая внимания на враждебную Фаю, но это было ничего, потому что сорок минут, пока до них добиралось такси, они ели. Ели все, что было у Фаины в холодильнике.

В такси Алиса прикорнула и к Марику приехала почти отдохнувшая. Его, правда, не было дома.

— Не-ет... — застонала Алиса.

Она вышла на улицу, прошлась по Астраханскому, около метро купила еще пива и первый раз с пониманием взглянула на бомжей, пасшихся возле автобусной остановки. Пиво она отдала бездомным, а сама направилась в любимый бар Марика. Он был там. Пьяный. С синяками под глазами. В мятом свитере.

Алиса встала рядом и сделала жалостливое лицо.

— Я не готов стоять между тобой и твоими подругами.

— А я готова стоять между тобой и всеми твоими потенциальными Оксанами.

— Ну, и хорошо.

— Пойдем домой, что ли?

— Ни за что.

— Почему? — нахмурилась Алиса.

— Я не в том настроении, — буркнул Марк.

На уговоры у нее ушло не меньше получаса.

В конце концов она приволокла его домой, и они завалились спать. То есть Марк заснул сразу, а Алиса еще некоторое время любовалась пьяным, не особенно свежим Мариком, который умудрился отключиться с мрачным выражением лица, — и он казался ей самым красивым на свете.

Подлая Фая позвонила среди ночи. Алиса дремала, изредка открывая глаза, чтобы прочитать еще пару страниц детектива (старая добрая Агата Кристи), а потом опять засыпала, и ничто не нарушало ее покой — кроме любимой подруги.

— Я тут навела справки об этом твоем банке, — без предисловий начала Фая. — С помощью Масика, он же банкир. Так вот, никто ничего не знает.

— Как это «не знает»?

— А так. Все слышали об этом банке — ничего особенного, просто кто-то мимо проезжал, кто-то знает о нем от тех, кто проезжал мимо, но никто никогда не встречал ни менеджеров, ни владельцев, никто не заключал сделок, не брал там кредиты...

— То есть...

— То есть ты жопа! — подвела итог Фая. — Но завтра мы с Масиком туда поедем и посмотрим, что это за контора, а еще Масик обещал мне специального человека, не помню, как он называется, из правительства, который как раз банками и занимается.

— Круто... — растерялась Алиса. — Спасибо большое!

— Да не за что, мне и самой интересно, — с притворным равнодушием ответила Фая.

— Кто звонил? — сквозь зевок полюбопытствовал Марк.

Видимо, он проснулся и выбрался в гостиную.

— Да! — отмахнулась Алиса. — Фая.

Марк тяжело вздохнул и направился в ванную комнату.

Вернулся он бодрым, свежим и здоровым. Переоделся в спортивные штаны, благодаря чему Алиса тут же возбудилась — вид у него был атлетический и очень сексуальный. Не хуже, чем у Брюса Уиллиса в лучшие годы.

Все-таки девочки не видели его голым. Но, с другой стороны, это и хорошо, что им не нравится ее мужчина. Это же ее мужчина, и он должен нравиться только ей.

Марик сел рядом и взял Алису за руку.

— Алиса... Я ничего не могу обещать — просто потому, что в нашей жизни столько неопределенностей, и мы не способны прогнозировать будущее, но я очень тобой дорожу, и я бы даже женился на тебе, если бы ты была к этому готова. Но я очень раскаиваюсь из-за Оксаны, потому что я хотел тебя разозлить, мне до сих пор очень обидно, что ты тогда меня бросила. Я хочу быть рядом с тобой, особенно сейчас, и если хочешь, я куплю тебе квартиру — только получу гонорар за новую книгу, мы попробуем найти деньги, чтобы оплатить проценты, потому что сначала мы должны заплатить процент по кредиту, а уже потом думать, как жить дальше, и я хочу сказать... Алиса, ты знаешь, я тебя люблю.

— Сейчас-сейчас... — заморгала она.

Она схватила сигареты и унеслась в ванную. Пол под ногами ходил ходуном — по крайней мере, ей так казалось.

Это...

Было в этом что-то противоречивое.

Она не готова! Может, у нее нечто вроде предсвадебной истерики — и самое время раскаяться за все те случаи, когда она презрительно фыркала при виде мечущихся невест? Она и хотела, и боялась поверить в то, что есть мужчина, который возьмет на себя часть ее проблем, что он будет ее плечом, и они будут засыпать, обнявшись, и она будет счастлива только потому, что он у нее есть...

Почему все этого боятся? Обязательства? Скука? Компромиссы?

Н-да... Зато при мысли, что у нее есть Он, на душе становилось тепло. И это тепло грело бы ее всю жизнь — лучше всяких там норковых шуб. Хотя хорошая норковая шуба... Ладно! Не будет же она сравнивать Марка с шубой, в конце концов! Хотя... Нет!

Конечно, на его гонорар они купят разве что более-менее пристойную однушку — не совсем в центре, сейчас все-таки такие цены, что ого-го, так что вряд ли Марик поможет ей разрулить ситуацию, но он готов быть рядом — и это, наверное, главное...

Алиса затушила сигарету в раковине, положила ее на край ванны, вернулась в гостиную и обняла Марика.

— Я тоже тебя люблю, — неуверенно произнесла она.

Весь следующий день она провела в магазинах — Марик дал ей денег, которые она тут же потратила на тряпки, сумки, туфли и платочки.

В «Персонаже» она, как всегда, смела практически все: от дивных, из шелкового джерси платьев и кофточек, до джинсов, которые сидели так, словно дизайнер (один из троих) был тайно влюблен в Алису.

В «Гесс» после ее визита не осталось приличных

сумок, в «Иль Де Боте» — косметики, а из ЦУМа она уволокла все приличные туфли.

Счастливая Алиса притащила домой все эти богатства, вывалила на кровать (получился неслабый холм, с которого можно было смело сигать на сноуборде) и бросилась их примеривать. Когда она снимала хитрое платье от «Москино» — все в лямках и карабинах, зазвонил телефон.

— Были мы в этом банке! — рявкнула Фая. — Я тебе скажу: очень странное место. Начнем с того, что нас не хотели пускать. Пришлось сказать, что мы твои представители.

— Ой... — испугалась Алиса.

— Не дергайся! Я их даже не обманула — я действительно представляла твои интересы. Так вот, внутри все просто шикарно...

— Фай, я же там была! — напомнила Алиса.

— Точно! — обрадовалась Фая. — Тогда ты меня понимаешь — слишком уж там роскошно для никому не известного банка. Ну, и менеджер тот еще фрукт! Омерзительный тип! Н-да... Ну, все без толку, их ничем не проймешь! Побывали мы у этого кекса из правительства. Он по своим каналам все проверил. Можешь смеяться — разузнать, кто владелец банка, практически невозможно.

— Как это? — удивилась Алиса.

— А вот так. Банк зарегистрирован черт-те где — в Перу, а здесь — филиал, так что с кондачка и не разберешь, что у них там происходит. Но нам повезло — у этого Антона Павловича, почти Чехова, из правительства в Перу знакомый работает в Американском посольстве, так что он там подсуетится, и мы все узнаем про мистера Оуэна.

— Какого Оуэна? — опешила Алиса.

— Ну, как из «Десяти негритят»! Владелец острова.

— Ах, да... Фай! Ты мой лучший друг!

— Что делаешь?

— Примеряю платье, — похвасталась Алиса. — Хочешь, встретимся?

Но Фая отказалась — Масик заманил ее в модный ресторан с потрясающей кухней, на который она без всяких сомнений променяла подругу.

Марк пришел вечером, вымотанный встречей с читателями, и он был такой трогательный, что Алиса и сама не поняла, как сказала:

— Знаешь, а я же ведьма!

Марк взглянул на нее без интереса. Наверное, решил, что Алиса переборщила с гороскопами.

— Не-не-не... — Алиса замахала руками. — Ты все неправильно понял! Смотри!

Она щелкнула пальцами, и свет погас. Во всем доме.

Марик встрепенулся.

— Ух ты! Это что, телекинез? — воскликнул он.

Алиса покачала головой. Она выставила вперед руку и указательным пальцем написала в воздухе: «Марик — дурак». Светло-розовые буквы мерцали, как пламя, и Алиса даже не сразу увидела, что Марик стоит с опрокинутым лицом.

Алиса прошла сквозь надпись и положила руки ему на плечи. Выглядел Марк не совсем так, как она ожидала. Она думала, он будет шокирован, удивлен, испуган, а он был... смущен. Как будто она призналась, что в юности подрабатывала проституцией. Или что-то вроде того.

Она встряхнула его за плечи.

— Марк! Я ведьма! Такая, о которых в книжках пишут!

— Блин... Алиса... Мы сошли с ума?

Он встряхнул головой.

— Нет! — Алиса подпрыгнула и взмахнула руками. — Поверь мне, я настоящая, не сумасшедшая ведьма! Давай садись, я тебе все расскажу!

Марик слушал, подперев щеку рукой и изо всех сил изображал скепсис. Алиса понимала — все его существо, разум, душа и даже тело отказываются верить, потому что, поверив, он перешагнет едва различимую грань между нормальным человеком и всеми теми психами, которые слышат голоса, общаются с духом царицы Тамары и верят в то, что Рон Хаббард — новый Мессия.

Но если он ее любит, ему ничего не остается, как знать о ней правду, потому что не может ведь она шестнадцать часов в сутки скрывать от него то, кто она есть?

Вид у Марка был странный. Он словно пытался что-то для себя решить — но у него ничего не получалось.

— Сейчас... — пробормотал он и ушел в туалет.

Алиса хмыкнула. Странная реакция. Если бы он размахивал руками и кричал: «Чур меня, чур!» — это было бы в порядке вещей... Может, у него от изумления расстройство желудка случилось?

Алиса подошла к туалету и прислушалась. В конце концов, вдруг его там выворачивает наизнанку?

Но Марик, судя по всему, был в полном порядке — раз уж у него хватало сил говорить по телефону.

— И что мне теперь делать? — спросил он собеседника. — Ага! Вот сама с этим и разбирайся!

— Марк! — крикнула Алиса. — Ты в порядке?

— Да! — заорал он. — Все хорошо!

Вернулся он без телефона, что было несколько странно, но, может, он просто его там забыл... Хотя, конечно, Марк никогда не оставлял мобильник дальше, чем на метр. Они еще долго говорили, прежде чем Марик признал, что все увиденное — правда, и что Алиса, если отвергнуть предрассудки, может быть ведьмой — что бы это ни значило.

Ближе к вечеру они вышли прогуляться — Алисе срочно нужно было обновить сапоги, свитер и новую сумку, а Марку — проветриться.

— Ты можешь сделать так, чтобы она поскользнулась? — прошептал Марик Алисе на ухо и ткнул пальцем в грузную женщину в куртке с фиолетовым меховым воротником.

— Зачем?! — рассердилась Алиса. — Что за хулиганские фантазии?

Но тут тетка пихнула сумкой — большой такой хозяйственной сумкой — девушку в белом пальто и даже не подумала извиниться.

— Сейчас... — Алиса сжала руку Марка. — Минутку...

И тетка запела. Черный бумер. Громко и отчаянно. Люди оборачивались, смеялись, похихикивали, шарахались, но тетка заливалась на всю улицу — песня рвалась на свободу.

Закончив, тетка завопила, запричитала и вскочила в первый попавшийся трамвай, который случайно остановился рядом.

Марк смеялся так, что слезы выступили на глазах.

Алиса же смутилась: ей казалось, что использовать дар ради таких вот аттракционов — глупо и стыдно.

— Ой... — разогнулся Марк. — Ты что? — удивился он, посмотрев на нахмурившуюся Алису.

— Что смешного-то?

— Да ладно! — и он снова захохотал. — Не будь занудой! — воскликнул он, утерев слезы. — Это же прикол!

— А у меня такое странное чувство, будто мы смеемся над чернобыльской собачкой с тремя хвостами, — буркнула Алиса.

— Да ну тебя! Весь кайф обламываешь! — отмахнулся Марик.

Во время прогулки она все никак не могла успокоиться: вдруг тетка сошла с ума — и в этом виновата она, Алиса?

— Да эта баба и так больная на всю голову! — утешал ее Марик. — Видела, как она ту девицу сумкой двинула?

Но Алиса все еще сомневалась, хотя тетку уже не было жалко. Может, зря она Марику во всем призналась?

 ГЛАВА 21

На следующий день Алиса проснулась в тревожном настроении. Елена исчезла без следа. Каждую ночь Алиса ждала ее, даже приняла вчера снотворное, отчего наутро голова была плюшевая, а мысли разбредались во все стороны, но ни следа Елены в снах не обнаруживалось. Куда она делась? Алиса сходила с ума от того, что не может получить ответ на вопрос, и это окончательно выбило ее из колеи. Марик уехал в спортзал, подруги спали, а она бродила по квартире в десять утра в полной растерянности. Кое-как заварив кофе, Алиса устроилась на кухне перед телевизором и сидела бы так до вечера, если бы ее не потревожил мобильный. Лиза. Алиса не хотела отвечать, но, вспомнив о неприятностях с банком, решила, что имеет смысл объясниться.

— Лиза, давай позавтракаем, — предложила она.

— Ну, конечно... — не очень уверенно согласилась та.

Но Алисе некогда было разбираться в нюансах Лизиного настроения — она быстро собралась, кое-как мазнув новыми тенями от «Мак» по глазам, нацепила джинсы, шикарную безрукавку с воротником-хомут, и помчалась на встречу.

Лиза словно ждала неприятного разговора — она была напряжена и смущена.

— Лиз, а откуда ты вообще взяла этот банк? — Алиса без предисловий приступила к делу.

Подруга покраснела.

— Вот об этом я и хочу с тобой поговорить, — заискивающе произнесла она.

— То есть у тебя есть что мне сказать? — уточнила Алиса.

— Ну... — Лиза отвела глаза. — Насчет банка. Понимаешь, этот банк существует уже триста лет. Это наш банк. Для ведьм. Раньше в Москве не было филиала, а лет десять назад открылся, и многие решили, что легче общаться с русским отделением, чем ездить, к примеру, в Швейцарию. Ну, а кто-то по привычке работал с европейскими филиалами. В общем... — Лиза вздохнула. — Я пыталась узнать, кто владелец, чтобы поговорить, но ничего не вышло. Ощущение такое, словно владельца просто нет.

— Но такого ведь не может быть? — Алиса с трудом скрывала разочарование. Она-то понадеялась, что Лиза уже все уладила.

— У меня есть версия, — призналась та. — Правда, совершенно безумная.

— Та-ак... — заинтересовалась Алиса.

— Понимаешь... А вдруг это Елена?

— Что?! — Алиса даже обиделась.

— Ты не думала, что Елена затеяла какую-то интригу? — предположила Лиза.

— Какую? — усмехнулась Алиса.

— Например, она хочет вернуться.

— А это реально? — уже серьезно спросила Алиса.
Лиза пожала плечами.

— Думаю, можно смело предположить, что оставаться там, где она есть, Елена не желает. Ты хотя бы смутно представляешь, какой сильной, влиятельной и тщеславной она была?

— Наверное, нет, — ответила Алиса после недолгих размышлений.

— Вот! — Лиза подняла вверх указательный палец. — Не думаю, чтобы она всерьез сложила на тебя полномочия. Я же говорила — ты была сенсацией, все это обсуждали, и Елену в том числе — мы же знали, что ты ее вызвала. Только ты ее вызвать не могла — она вышла к тебе сама, по собственному желанию. Значит, для чего-то ей это нужно. Скорее всего она хочет получить алмаз.

— То есть я должна его забрать? — растерялась

Алиса. — Она мне говорила о том, что я ей нужна, чтобы преодолеть препятствие... Ну, не такими словами, но смысл тот же. Ты думаешь, она именно это имела в виду?

— Спроси ее сама. Или боишься?

— Я бы спросила, но она пропала.

— Ага! — восторжествовала Лиза. — Неужели ты не понимаешь? Она тебя бросила, чтобы ты запаниковала!

— Во-первых, все это непредсказуемо, — решительно заявила Алиса. — Мало ли, как я себя веду, когда паникую! А, во-вторых, что, если у меня не получится забрать алмаз?

— Тогда она найдет другую Алису, — усмехнулась Лиза. — Думаешь, что ты ей особенно дорога?

— Наверное, нет... Кстати, при чем тут банк?

— При том, что он был открыт для каких-то определенных целей. Может, для того, чтобы тебя кинуть.

— Но это бред! — возмутилась Алиса. — Помимо банка, существуют еще и суд, и адвокаты... Целая система! Я найму юристов...

— На какие деньги? У тебя договор, и сейчас твое имущество уже переходит в собственность банка, так что ты лучше о суде меньше задумывайся! Ты договор читала?

— Слушай, Лиза, ты меня очень и очень бесишь! — вспылила Алиса. — Это твой банк, твой договор, так что не рассчитывай, что выпутаешься из этой истории без потерь! К тому же как могла Елена практически из преисподней открыть этот гребаный филиал?

— Алиса, глупо винить меня в том, что ты попала

под раздачу! — Лиза тоже умела злиться. — Ты видела контракт, у тебя, между прочим, был какой-то там юрист, который якобы все это читал, ты могла выбрать любой другой банк из тысячи, и я тебя не принуждала! Я даже не уговаривала!

Тут Лиза слукавила. Уговаривала.

Алиса это отметила, но спорить не стала, так как дискуссии сейчас ни к чему не приведут. Ни к плохому, ни к хорошему.

— Ладно, я пойду, — сказала Алиса.

Но только она поднялась, Лиза тоже вскочила и вцепилась ей в руку.

— Алиска, а если реально заполучишь этот алмаз, ты ведь станешь всемогущей и сможешь добиться всего, чего захочешь!

— Знаешь, ты сама только что сказала, что у меня алмаз сразу же отнимет Елена, — вырывалась Алиса.

— А как она его отнимет, если ты будешь всесильной? — напирала Лиза.

— У такой лахудры, как я, отнять можно все, что угодно. Спасибо Елене, тебе и Господу Богу за этот жизненный урок, — выдала Алиса, отняла-таки руку, схватила пальто и убежала.

Она знала, что ей нужно делать прямо сейчас.

Она должна добыть информацию.

А нужные сведения можно получить у Лили в магазине. И Алиса отправилась в «Чародейку». Ей повезло — в книжном было немного народу, а значит, никто не будет заглядывать ей через плечо.

Полезных книг оказалось сто двадцать. С помощью консультанта, пожилого мужчины в очках с золотой оправой, они сразу отмели штук семьдесят — как полухудожественную попсу, после серьезных размышлений отложили еще двадцать, и Алиса осталась с тридцатью томами, посвященными Елене и Сердцу Дьявола.

О красном алмазе Алиса узнала то, что это единственный в мире бриллиант такого цвета — алый, как свежая кровь, глубокий и чистый. В природе таких не существует, но зато есть много свидетелей, лично видевших камень — и большинство из них заслуживает уважения. По их словам, алмаз имеет необычное сияние — словно внутри него горит пламя, и может, это лишь игра света, или вызвано его необычным происхождением — ведь он был найден в Геенне Огненной. Считается, что владелец алмаза несокрушим, что он обретает необыкновенную силу, и пока алмаз с ним, его преследует удача.

По преданию, Сатана был восхищен красотой камня и долго носил его при себе, но преданность Азазеля вызвала такое уважение Люцифера, что тот решил наградить Азазеля чем-то особенным, тем, чего больше нет на свете, а именно, Сердцем Дьявола, уникальным талисманом.

В одной книге автор писал, что использовать алмаз в полную силу могут лишь те, кто стоит на стороне Зла, кто предан Сатане, но другой исследователь опровергал это мнение — впрочем, не очень уверенно, так как он был из тех, кто лично видел алмаз, и, судя по восторгам, что сыпались с каждой страницы, находился под сильным впечатлением. Красоту «Сердца» вообще хвалили щедро — дивная игра света в глубине алмаза в сто карат завораживала, покоряла и вызывала трепет.

Алиса пока не могла понять, чем этот алмаз отличается от рубина — внешне по крайней мере, но, судя по восторгам свидетелей, было в нем что-то неповторимое.

Насчет Елены писали, что она, с одной стороны, получила камень в соответствии с буквой закона, но все же он достался ей не по совести — она, можно сказать, получила его через постель, от глупого и спившегося владельца. Говорили, что «Сердце» обретает полную силу лишь тогда, когда предыдущий владелец признает заслуги следующего и отдает ему талисман в знак уважения. И то, что его передавали по наследству, и то, что им владели недостойные люди, и самое важное — что Елена получила его обманом, все это, вроде бы, ослабило силу камня.

Благодаря всем этим измышлениям Алиса только еще больше запуталась. Если допустить, что у алмаза есть характер, то что будет с ней, Алисой, если она получит камень? Может, алмаз вообще откажется иметь с ней дело, так как она не только не законная владелица, а вообще — седьмая вода на киселе?

Алиса листала все книги подряд — заняться все равно было нечем — пока в одном из скучнейших томов не наткнулась на необыкновенную главу, которая в отличие от предыдущих, изложенных деревянным языком, была написала живо и увлекательно. Автор пересказывал личную беседу с Еленой, которая неожиданно разоткровенничалась и выдала одну из своих хитростей.

В то время к ней, как и ко многим ведьмам, довольно часто обращались с просьбами избавить от сглаза, снять порчу и прочими схожими жалобами. Среди просителей были люди, которые хотели изменить себя, свою судьбу, но у них ничего не получалось.

Например, приходит к ней мужчина Х и говорит, что у него жена, пятеро детей, а живут они в скромном домике, и ему хочется переехать в большой просторный дом, но отчего-то никак не выходит. У них счастливая семья, все здоровы, но теснота замучила — сил больше нет терпеть крики, вопли, топот и прочий гвалт.

Мужчина и сам не знает, кого винить — то ли себя, то ли судьбу, но уверен — от такой жизни он скоро рехнется, и тогда его семья пойдет по миру.

Причем мужчина этот не глупый, работящий, купец — пусть и не самый успешный, но что бы он ни делал — все без толку.

Но дело было не в том, что мужику не везло, и не в том, что ему не хватало смекалки или он был слишком нерешительным, а в том, что его жена привыкла к соседям, особенно к соседке, у которой было трое детей, и она всегда могла попросить ту об услуге — купить молока, присмотреть за детьми, и в том, что соседи тоже к ним привязались, им было на кого положиться, и еще старшая четырнадцатилетняя дочь влюблена в художника, что проживал неподалеку, а младшие сыновья обожали свой большой сад и улицу, по которой бегали лисы, и приказчик в магазине делал дневную выручку за счет овощей, которые покупало семейство — и все эти нити накрепко удерживали купца в этом доме, где все, кроме него, были счастливы, — а он просто не видел своего счастья, не готов был его получить. Прошло бы время, и он бы догадался, но мужчина уже обратился к Елене и та без всякой жалости оборвала нити, что связывали его с домом. Алиса вспомнила, что и в ее жизни были похожие случаи: лучшая подруга, с которой после семи лет неразлучной дружбы все еще трепались с семи вечера до шести утра, вдруг исчезла, не отвечала на звонки — в лучшем случае ее бойфренд или секретарша просили перезвонить позже; или же сама Алиса неожиданно забыла учительницу по литературе, которая еще со школы стала ее наставницей, старшей подругой — и Алиса жизни не могла без нее представить. Как-то вдруг обрывалась связь — и лишь смутное удивление: «Что это мы давно не созванивались?» — отдавалось эхом, но она так ни разу и не услышала в трубке ее голос.

Нити лопнули, обвисли — клиент Елены стал свободным, но вряд ли счастливым.

Никто его больше не держал, и он купил новый дом в буржуазном районе, старшую дочь выдали за мирового судью, которого она обманывала, младших отправили в пансион, чтобы те выросли в молодых шалопаев, не желавших пальцем о палец ударить, жена скучала в обществе новых соседей — высокомерной парочки с двумя надутыми отпрысками, приказчик отложил свадьбу, а незадачливый купец чувствовал, как отдаляется от семьи — их мало что связывало, кроме общего дома и взаимных обязательств, и становился угрюмым, раздражительным ворчуном, который закончил свои дни в гостинице, один, с горничной, которая так и не донесла ему остывший чай.

Он получил, что хотел, но это разбило его жизнь.

Елена сказала, что не обязана отвечать за чужие ошибки, но с этого и начался их разлад с Екатериной, которая узнала о купце и пришла в ярость.

Екатерина считала, что Елена подрывает основы

основ — делает все возможное, чтобы люди возненавидели ее и всех остальных ведьм.

Еще больше потрясла Алису история девушки по имени Мария — история настолько обычная, неприметная, что драматизм, скрытый за кулисами, потрясал. Историю рассказала не Елена, а автор — это был пример из жизни последовательниц Елены.

Жила на свете девушка Мария, немного взбалмошная, капризная любимая дочка богатых мамы и папы. Она всем нравилась, ее все любили. Однажды Мария переспала с молодым человеком своей знакомой — правда, она не знала, что он чей-то возлюбленный, и, скорее всего, ей даже не хотелось об этом задумываться, потому что Мария была уверена: если чей-то мужчина с тобой переспал, в этом виноват он. Она даже считала, что женщины должны быть ей благодарны — чем раньше они узнают, что представляют собой их возлюбленные, тем лучше. Дело было в том, что Мария верила в чистую светлую любовь.

Но Люда была не из таких. Она собиралась выйти замуж, несмотря ни на что — на измены ей было наплевать, потому что у вожделенного мужа была квартира в центре, отличная работа, обеспеченные родители, а у нее — подмосковная прописка и туманные перспективы карьерного роста.

Но молодой человек влюбился — и не в Люду, а в Марию. На Марию, к счастью, он большого впечатления не произвел, но Людочка все-таки предполагала, что при неудачном стечении обстоятельств Мария смягчится по отношению к нему, и тогда она, Люда, вылетит из его чудесной квартиры и из его замечательной жизни.

И тогда она обратилась к одной ведьме, обозначенной в книге буквой N, которая работала по методу Елены.

Вместо того чтобы наслать на Марию порчу, проклясть ее, ведьма всего-навсего свела ее с новой подругой — милой девушкой Аллой. Алла была интересна тем, что не могла найти нормального любовника — все ухажеры бросали ее с изощренным цинизмом, после чего Аллочка страдала, обжиралась шоколадом и антидепрессантами. К тому же пышечка Алла с дивной кожей персикового цвета, большими карими глазами, смотревшими на мир с недоумением — ее взгляд, казалось, говорил: «Боже мой, какая красотища-то!», — считала себя жирной и время от времени резала вены. Наверное, у нее начинался старый добрый маниакально-депрессивный психоз, но Мария этого еще не знала — когда они познакомились Алла была весела, а Мария и представить не могла, что новую удалую подругу придется все время от чего-то спасать. Не успели они подружиться, как в их компанию затесалась третья девица — Оля, дослужившаяся на радио до должности программного директора. Оля была немного цинична, зла, но остроумная и драйвовая — как и все новые подружки Марии, она любила загулять до утра, а с утра — как следует обсудить новых поклонников (или любовников — как повезет).

За несколько месяцев (Людочка вся извелась, но ведьма ее успокаивала), Алла пережила несколько попыток перерезать тупой бритвой вены — и уже Мария, как ближайшая подруга, верила ей не больше, чем тому мальчику из сказки, который все кричал: «Волк! Волк!». Оля пока в этих драмах не участвовала — Алла ее немного стеснялась.

И вот однажды, когда Алла в очередной раз влюбилась и сделала все возможное, чтобы ее бросили, она позвонила Марии и сказала, что умирает. Но Мария оказалась занята — она была на первом в своей жизни собеседовании и очень хотела произвести впечатление. Поэтому она выключила телефон. Алла раз двадцать, не меньше, позвонила, пришла в бешенство и набрала номер Оли, которая, разумеется, страшно всполошилась и бросилась спасать подружку.

Мария же в это время вышла с собеседования — потная и несчастная, потому что ей в лицо сказали, что она не соответствует этой должности, в два часа дня отправилась в ближайший бар, где и напилась. Она позвонила Оле, чтобы та ее забрала, но Оля, уже совершенно озверевшая от хныкающей Аллы (она была совсем не такой жалостливой, как Маша, и быстро раскусила притворщицу Аллочку), послала Машу подальше, заявив, что люди, которые переваливают на других свои проблемы, ее достали, а лично она — Маша, ведет себя, как маленькая девочка: «Заберите меня отсюда...» — передразнила она, и тогда Мария, которой не хотелось ловить такси — потому что она была избалованной папиной-маминой дочкой, и ее тошнило от запаха чужих машин, радио «Шансон» и незнакомых водителей, села за руль — как взрослая девочка — и благополучно въехала в грузовик.

Очнулась она в больнице после наркоза с переломом челюсти, раной на скуле, швом на лбу и гипсом на обеих ногах.

Молодой человек женился на Людочке, Оля разругалась с подругами, Алла все-таки угодила в психушку, а Маша вышла из больницы другим человеком, взялась за ум, поступила в юридическую академию и устроилась на работу к знакомому отца. Ей проще было думать, будто все, что ни делается — к лучшему, автокатастрофа расставила все точки над i, и она бы ни за что не поверила, что все это случилось с ней ради того, чтобы незнакомая ей Люда вышла замуж за молодого человека, чьего имени Маша не помнила.

Алиса уже с трудом различала буквы, поэтому, когда консультант по собственной инициативе принес ей бодрящий чай с облепихой, она, наконец, отложила книгу, взглянула на часы и ахнула — полночь!

Выпила чаю, схомячила овсяное печенье и нехотя отправилась домой. Что-то она упустила. Наверное, надо завтра вернуться и заново перетряхнуть все книги. Но завтра ей уже стало не до этого.

 ГЛАВА **22**

Алиса сопела в подушку в Марикиной квартире, когда зазвонил мобильный. Она накрылась одеялом с головой и отрешилась от оглушающей мелодии — телефон валялся неподалеку, но до него надо было преодолеть два метра, чего делать не хотелось. Только замолкнув, труба опять разразилась песней Мумий-Тролля «Факсами... Мон ами...», но Алиса сделала вид, что уже спит. И только на третий раз она, взбешенная, подскочила, увидела номер Фаи и закричала:

— Что ты мне звонишь? Я же не подхожу!!!

— Три часа, между прочим, — упрекнула Фая. — Могла бы хоть один глаз открыть.

— С какой стати?! — бушевала Алиса, которая уж чего-чего, но нотаций на тему «кто рано встает, тому бог подает» не ожидала.

— Алиса, еще полчаса — и ты проснулась бы с квадратной головой! — гнула свою линию Фая. — Ладно, я просто не выспалась, поэтому меня и заносит! — она неожиданно сменила тон. — Но! Я звоню не просто так. У меня срочное дело. Ты давай умывайся, а я за тобой заеду где-то через полчаса, если на Ростокинском не встану.

— Фай, а что происходит?

— Это реально та самая фигня, которую называют «нетелефонный разговор», — сообщила Фая. — Давай, ноги в руки!

Алиса выпятила губу, чего Фая, конечно, видеть не могла — зато Алиса наконец-то увидела в зеркале, что выглядит она с такой гримасой довольно нелепо, насыпала в кофе-машину «Лаваццо», пустила воду в ванну и откусила кусок котлеты. Ей не повезло — к замерзшей котлете прилип жир со сковородки, что было препротивно.

Кое-как собравшись — в знак протеста Алиса осталась в любимом черном костюме от «Джуси Кутюр» — она включила телевизор и бессмысленно уставилась на экран в ожидании подруги.

Фая позвонила снизу и потребовала, чтобы Алиса спустилась вниз.

— Ну? — спросила Алиса, но Фая покачала головой.

— Сейчас приедем в одно место... — пообещала она.

— Ты мне что-то хочешь показать? — заволновалась Алиса. — Что-то случилось?

— Случилось... — кивнула Фая. — Но показать мне нечего. Почти нечего. Алиса! — она притормозила на выезде со двора. — Я жутко волнуюсь. У меня плохие новости. Жуткие. Так что ты посиди пока, мы сейчас быстро приедем, и я тебе все доложу.

Алиса пожала плечами. Возможно, в такой прелюдии есть некий сакральный смысл — она подготовится, наберется мужества... Подавив спонтанное желание укусить Фаю, Алиса уставилась на дорогу.

Ехали они в центр, на Маросейку. Фая оставила машину на улице, они высадились и подошли к красивому зданию под модерн — судя по всему, это был офисный центр.

На входе сидел симпатичный охранник, которому Фая сказала:

— К Натану Владимировичу.

Охранник потребовал паспорта, переписал все, кажется, даже домашний адрес в гроссбух, другой охранник проводил их до лифта, а на последнем, седьмом этаже они попали в объятия секретарши в стильном костюме.

Таинственный Натан Владимирович, устроившийся в зимнем саду на крыше, оказался Масиком.

Он нервничал, и его расстроенный вид опечалил Алису. Но что бы они ей сейчас ни рассказали, это были ее друзья — Фая, вот еще и Масик, и это как-то обнадеживало.

Масик усадил Алису рядом с собой, налил ей зеленого чаю, придвинул вазочку с конфетами «Моцарт» — ее любимыми, она обожала марципаны, и даже потрепал по плечу.

— Алиса! — Фая начала первой. — Ты, возможно, не в курсе, но у Натана большие возможности. Если понадобится найти кольцо, потерянное в Акапулько два года назад, это к нему — у него везде связи. Это я к тому, что мы... точнее, Натан... все сто раз проверил, так что ты даже не сомневайся — так оно и есть.

Она кивнула, передавая эстафету Масику.

— Фая просила найти владельца банка, который выдал тебе кредит, — сообщил Масик Владимирович. — И вот что мы имеем... — он открыл красивую папку, что лежала на столе, вынул из нее документ. — Козак Елизавета Анатольевна, — и он протянул Алисе бумагу, где были какие-то данные и еще фотография.

Брюнетка не очень удачно вышла, но все равно было ясно — это Лиза.

Алиса так и сидела с открытым ртом, пока Фая ее не толкнула — довольно ощутимо, и не рявкнула:

— Воды налить?!

Алиса медленно покачала головой.

— Ребята... — она крест-накрест приложила руки к груди. — Я понимаю, что все это — правда, но я тупо не могу поверить... У меня не укладывается в голове.

— Алисочка! — Фая бросилась к ней и обняла. — Это мы во всем виноваты! — причитала она. — Дуры, тусовщицы, разгильдяйки! Мы думали, что быть ведьмой — это круто, мы тебя с пути сбили с этой сукой Лизой, которая нас обработала!

— Фая! Моя твоя не понимай! — одернула ее Алиса.

Фая села рядом, с шумом поставив стул между Алисой и Масиком.

— Мы с самого начала, когда она появилась, с Марьяной удивились: что, мол, за фифа, и какого черта Алиса с ней цацкается? А потом дурынды решили, что мы тебя просто ревнуем, что должна же у тебя быть подруга-ведьма, и к тому же она нас тоже везде приглашала, а эти ее фантастические тусовки... В общем, развела она нас, как лохушек, и еще и купила дешево — можно сказать, за еду!

— Да брось ты! — отмахнулась Алиса. — У меня ведь своя голова на плечах... была. Хотя мне льстит, что вы с Марьянкой так за меня переживаете.

— Алисонька! — Фая взяла подругу за руки. — Масик обещал помочь. Он заплатит долги, только, ты пойми правильно, квартира и дом пока будут за ним, но ты заберешь вещи, а их можно сдать и хоть с частью долгов рассчитаться.

— Ты ведь понимаешь, что если даже я сдам дом за семерку, а квартиру за треху, то миллион я буду отдавать где-то лет восемь? — поинтересовалась Алиса.

— Алиска, ну ты же придумаешь что-нибудь! — воскликнула Фая. — Ты же ведьма!

И тут вдруг Алиса обратила внимание на одну несуразность.

Она перевела взгляд на Масика. Тот развел руками.

— Натик — свой человек! — воскликнула Фая.

— Вот тварь! — Алиса понемногу приходила в себя. Она стукнула кулаком по столу. — Гадина! Как она могла?! Еще уговаривала меня алмаз забрать!

— Какой еще алмаз? — опешила Фая.

— Ну, помнишь, я тебе говорила? Сердце Дьявола! Вроде он существует — я вчера весь день о нем читала.

— А-а... — протянула Фая. — А может, она сама хотела его заграбастать?

— Как? — усмехнулась Алиса.

— Ну, ты бы его получила, а она бы его украла?

Алиса скорбно вздохнула.

— Алмаз можно только подарить. Или отдать на хранение, но сторож не может им пользоваться.

— Тогда бы она тебе сказала: я прощу долг, если ты подаришь мне алмаз, — предположила Фая.

— Суть в том, что с алмазом я и так бы разделалась с долгом.

— Н-да... — озадачилась Фая. — И все-таки я думаю, у нее есть план. Иначе зачем все это?

— Вот и я бы не отказалась это понять... — Алиса отхлебнула остывший чай. — Натан! Можно я что-нибудь разобью?

Масик попросил секретаршу принести из столовой тарелок, которые Алиса швыряла о пол на террасе, пока не вспотела. Потом она почти разревелась — слезы покапали, но слишком быстро закончились, чтобы принести облегчение. Внутри у нее была засуха — Алиса уже выпила две бутылки минералки, но ничто не помогало — злость, отчаяние и страх жгли ее изнутри. Она казалась себе такой беспомощной, такой несчастной, что даже если бы все каким-то странным образом вернулось на круги своя — она все равно бы не оправилась.

Но вот тут неожиданно она поняла, что ей сейчас нужно. Кровь шумела, но в ее шуме Алиса четко различала голос — и этот зов был столь отчетлив, что она нервно вскочила и сообщила, что ей нужно ехать.

Фая с Масиком переглянулись.

— Тебе надо успокоиться... — Масик встал и положил ей руку на плечо.

— Натан, успокоиться я все равно не смогу, даже если выпью стакан валокордина и заем его валиумом. Так что эту тему закрываем. И не подумайте, что я взбесилась. Мне нужно к Лиле. К двоюродной бабушке.

Фая подняла бровь и выпятила нижнюю губу, что означало одобрение.

— Это мысль, — согласилась она. — Я тебя отвезу.

— Фая! Ну не будешь же ты меня возить целый день! — сопротивлялась Алиса.

Фая покачала головой.

— Вечером меня сменит Марьяна, — сказала она.

— Девочки! — вмешался Масик. — Я вам дам машину с шофером...

— Какую? — перебила его Фая.

— «Лексус».

Фая скисла. Она не любила японские машины, особенно «Тойоту».

Но Алиса обрадовалась — «Лексус» удобный и шикарный, так что Фая может засунуть понты куда-нибудь подальше.

К «Чародейке» они доехали часа через полтора — влипли в страшную пробку, а когда машина припарковалась, Алиса с удивлением поняла, что ее тормошат и что-то кричат на ухо. Оказывается, она заснула как убитая — Фая даже щекотала ее по дороге, но Алиса не подавала признаков жизни.

Подруга обрызгала Алису термальной водой, прошлась по лицу пудрой, подкрасила ресницы, и они пошли. Алиса, признаться, побаивалась. Она знала, что Лиля не одобряет ее образ жизни, Лизу не переносит, и всю эту авантюру она наверняка бы предотвратила — если бы Алисе хватило смелости и ума прислушаться к родственнице.

Некоторое время они ждали, пока Лиле сообщат о нежданных гостях, наконец их проводили до кабинета бабушки. Фая замялась и даже пробормотала:

— Я тебя, наверное, где-нибудь подожду...

Но тут дверь открылась, и на пороге показалась Лиля. Она с пристрастием оглядела внучку с головы до пят, усмехнулась и распахнула пошире дверь.

— Заходи! — велела она Фае, и та бочком протиснулась в кабинет.

— Доигралась? — обратилась Лиля к Алисе.

— Ты все знаешь! — та всплеснула руками.

— Ладно... — вздохнула Лиля. — Не буду тебя сейчас казнить. Хотя следовало бы. Наделала ты дел... Но я все равно во всем виню Лиану! — воскликнула она так громко, что Алиса вздрогнула. — Нельзя было скрывать от ведьмы, что она — ведьма, потому что кровь все равно даст о себе знать! Вот старая дура!.. Ты тоже хороша! — прикрикнула она на внучку. — Кстати, я ничем не могу тебе помочь.

Алиса вскочила с дивана.

— Поэтому я к тебе и не обращалась! Я ждала чего-нибудь в этом духе! Масик может мне помочь, а родная кровь — нет! Ха!

Алиса, конечно, уже разошлась, но Лиля тоже встала, посмотрела на нее, и от этого взгляда у Алисы потяжелели руки и ноги. Она осела на диван, ощущая себя полнейшим ничтожеством.

— Я действительно не могу тебе помочь, — с нажимом произнесла Лиля. — Я могу дать тебе денег. И дам. Но если ты наивно полагаешь, что на этом все кончится, то ты глубоко — и широко — заблуждаешься. От тебя кто-то чего-то хочет, и это будет длиться до тех пор, пока он от тебя желаемого не получит. Или пока ты не развалишься. Детка... — Лиля подошла к ней и села рядом. — Это крупная игра, игра без правил, и мне очень жаль, что тебя в нее втянули. Хотя я с самого начала сомневалась в этой афере с вызовом Елены.

— Ты думешь, это все из-за нее? — пискнула Алиса с надеждой, что Лиля скажет: «Я не уверена на все тридцать процентов...» — и окажется, что все не так плохо.

Но Лиля лишь в очередной раз вздохнула.

— С самого начала это был ее бенефис. Доказать не могу, но, по-моему, и сомневаться не имеет смысла. Ты просто не представляешь, что она значит для нашего мира. Одни жаждут ее возвращения. Другие готовы на все, чтобы удержать ее хотя бы там, где она сейчас.

— А что изменится, если она вернется? — подала голос Фая.

— Самое смешное, что ничего такого не произойдет. До поры до времени. Какие у нее планы — одному черту известно. Будет некая перестановка сил, что беспокоит тех, кто сейчас у власти, но это, понятно, мелочи, подковерные интриги, а в целом, есть смысл опасаться того, что у Елены существует прожект по захвату власти над нами, нечистью. Мы ведь все-таки гораздо выше людей, в смысле развития, а она всегда была амбициозной и стремилась к всемирному господству.

— Знаешь, есть две вещи, услышав которые, мне сразу же хочется вызвать «Скорую помощь», — прервала ее Алиса, — всемирный заговор и всемирное же господство. Тебе не кажется, что есть в этом нечто болезненное?

— Да ты понимаешь, ведьмам не так уж сложно достичь господства, даже всемирного, — горько улыбнулась Лиля. — Елена — идеалистка. Только вот идеалы у нее сомнительные. Она считает, что глупость — первая причина жестокости, потому что глупый человек беззащитен, а значит, труслив, а трусость порождает жестокость. Люди, по ее мнению, глупы, жестоки друг с другом, с природой, не разбираются в чувствах, отчего мужчины и женщины вечно не удовлетворены, а когда они не удовлетворены, значит, агрессивны — и вот уже мы имеем бессмысленные войны, которые, опять же, разрушают природу...

— А пусть она тогда в «Гринпис» запишется! — брякнула Фая.

Алиса смутилась, а Лиля рассмеялась.

— Не в этом дело. Те, которые «Гринпис», они все правильно понимают, уж не знаю, почему. Ты, наверное, поняла... — она положила руку Алисе на коленку, — ...что мы — часть природы. И мы ощущаем связь с ней больше, чем люди. Они тоже чувствуют, но у них это на уровне эмоций, которым люди не доверяют. Для нас природа — начало всех начал, Мать, сила, а для людей — бумага, бензин, меню в ресторане. Ты знаешь, занятно смотреть, как они развиваются: самолеты, компьютеры, кредитные кар-

ты... И я верю, что в каком-нибудь там веке они поймут — хотя, возможно, это будет не эта цивилизация,
а другая, потому что мы ни разу не дали им разру-
шить все до основания...

— А почему тогда погибли майя? Они же не раз-
рушали мир? — полюбопытствовала Алиса.

— Перестали развиваться, — без вдохновения ответила Лиля. — Так вот, возможно, люди поймут,
что им не нужны искусственные крылья, потому
что парить должна душа, а не куча железа. А Елена
ненавидит людей за их заблуждения, за близору-
кость, за невежество, но она, конечно, не права, потому что мы все — и она, и я, и вы — от божествен-
ного начала, а все эти мысли — от Лукавого. А Сатана ведь просто хочет доделать за Бога его работу, и
он не знает жалости, сострадания — потому что сам
так страдает, что не приведи Господь! Он отверженный, но отверженный гордый, самолюбивый, а
значит, вряд ли попросит прощения, и вряд ли будет прощен. Он желает доказать Ему, что может
встать с Ним на одну ступень, или хотя бы рядом,
но ненависть затмевает глаза, и он лишь хочет, чтобы люди были похожи на нас, а они не могут, потому что они — люди. Мы с тобой — потомки ангелов,
падших, но все-таки ангелов, и в нас есть и Добро,
и Зло, просто у всех по-разному. Елена хочет быть
жестокой, чтобы потом у нее была возможность
стать доброй, и в этом она, как ни смешно, похожа
на людей. Так что, моя дорогая внучка, ты попала в
заваруху, и я просто не представляю, как ты выкру-
тишься.

— А этот... алмаз? Сердце Дьявола? — пробормотала Алиса без всякой надежды.

— Алмаз... — призадумалась Лиля. — Алмаз у Екатерины, и я не верю, что она его отдаст. Она-то как раз против всех этих идей. И я против. Еще ни одно насилие — даже над разумом — не давало положительных результатов. А Елена готовится именно к этому. И не умерла она только потому, что у нее до сих пор связь с Сердцем.

— Как это не умерла? — поразилась Фая.

— То, что сейчас происходит с Еленой, не есть смерть, — строго взглянула на нее Лиля. — Это лишь существование без плоти. Ее дух настолько силен, что не может быть признан мертвым. Она опасна даже из потустороннего мира, и Екатерине проще тебя убить, чем дать Елене хоть малейший повод победить.

— Круто! — кивнула Алиса.

— Я не теряю надежды. Просто хочу, чтобы ты понимала — все очень серьезно, а ты в большой опасности, — подытожила Лиля. — Денег я тебе дам, а квартиру эту ты продай к чертям собачьим, дурная она. Новую купим. Мы все станем тебя защищать, но борьба будет трудной, детка. Ты должна быть готова к самому худшему.

Лиля еще долго поила их чаем, кормила ужином, а к вечеру отправила домой.

— Поедем ко мне или сначала зарулим к Марьяне? — с наигранной живостью спросила Фая.

— Отвези меня домой... — простонала Алиса.

— Домой? — удивилась Фая.

— К Марику.

— Поедешь к нему? — поморщилась подруга.

— Фая, я действительно не хочу это обсуждать! — взорвалась Алиса. — Это мое личное дело!

Та лишь пожала плечами, отвернулась и за всю дорогу ни разу не посмотрела на подругу. Возле подъезда Фая мрачно простилась, оставив Алису в недоумении — как она ни силилась, никак не могла понять, чем же Марк так не угодил ее подругам?

 ГЛАВА **23**

Алиса приплелась домой, прошла по коридору до ванной, уперлась лбом в дверь и только тут сообразила, что шла на автопилоте, пока не уткнулась в тупик. Развернувшись, пошла в гостиную, села на диван и уставилась в черный экран телевизора. Сообразив, что ведет себя странно, выбрала фильм, включила DVD-плеер — все только ради того, чтобы выйти из прострации, но не получилось. Любимый фильм «Реальная любовь» казался нагромождением одного маразма над другим, так что она решила не продолжать изнасилование мозга, который и так уже дымился — из ушей пар валил.

Какая же злобная тварь эта Лиза!

А она, Алиса, просто глупая провинциалочка, которая в Москву приехала по объявлению «Ищем молодых девушек с пятым размером бюста на постоянную работу в закрытом ночном клубе, без интима» — и девушка эта искренне так надеется, что ей предложат вакансию бухгалтера, потому что бухгалтеру, разумеется, жизненно важно иметь бюст объемом 101 см...

Алиса посидела немного на диване и вдруг поняла, что хочет есть. С самого утра аппетит бесследно исчез — у Масика в офисе она с превеликим трудом проглотила конфету, у Лили почти не ела, но вот сейчас проснулся животный голод. Правда, при мысли, что нужно тащиться в магазин, она приуныла — пока не вспомнила, что она у Марка, а у Марка всегда есть еда, потому что у него кухарка!

Холодильник оправдал самые смелые ее ожидания. Рыба в польском соусе, странный на вид, но неожиданно вкусный темный рис с проращенным зерном, пирог с капустой, вскрытая банка черной икры, наполеон...

Алиса наелась так, что свалилась в кровать и уснула без задних ног. И в довершение сумаcтошного дня к ней все-таки пришла Елена. Обычно это происходило так: Алиса бежала. Бежала во сне от неведомого страха, но бежать было довольно трудно — ноги становились ватные, колени подгибались. Она металась по темным каменным коридорам, но страх догонял — он дышал в затылок, и Алиса уже была готова сдаться, пока вдруг не вспоминала, что где-то там, впереди — спасение, чудо, свобода от этого потного, со зловонным ледяным дыханием ужаса. Она бежала быстрее, и уже почти видела свет, как вдруг снова теряла надежду и падала обессиленная — но там, куда она должна была рухнуть, всегда оказывалась дверь, сквозь которую она проваливалась в другое пространство. В пространство, где находилась Елена. Иногда это была комната. Иногда — сад. Иногда — горное плато.

На этот раз Елена ждала ее в аэропорту. В пустом, будто вымершем зале она сидела на пластиковом оранжевом стуле и задумчиво курила сигарету.

— Где ты была? — воскликнула запыхавшаяся Алиса.

Елена повернулась к ней, и Алиса поняла, как та устала. Елена была бледной, с густыми тенями под глазами, и лицо у нее осунулось. Алиса прочитала о снах в удивительной книге, которую, к сожалению, пришлось оставить в доме завоевателям на растерзание, потому что она была слишком большая — в этой дивной книге с иллюстрациями ручной работы она прочитала, что дух в пространстве сна более уязвим, так как находится в зоне чистых эмоций и почти не способен контролировать ситуацию. Елена не могла скрыть от Алисы своего состояния — конечно, и бледность, и круги под глазами дорисовало ее воображение, но то, что Елена утомлена и напряжена, Алиса чувствовала.

— У нас проблемы, — сообщила Елена.

— Это вчерашние новости, — усмехнулась Алиса.

— Просто я хочу подчеркнуть, что трудности не у тебя, а у нас, — повторила Елена. — Это подстава, моя дорогая. Кто-то затеял интригу с алмазом — и все ради того, чтобы всполошилась Екатерина. А уж она меня в покое не оставит! Я балансировала на грани. Эта стерва чуть было не загнала меня в Ад. Кому-то еще больше, чем Екатерине, не хочется, чтобы я оставалась на Земле. Даже в такой вот форме.

— Кому?! — фыркнула Алиса, которая не очень-то поверила в подобную версию.

— Тому, кто хочет получить Сердце Дьявола, — спокойно пояснила Елена.

Это уже было похоже на правду. Если кто-то узнал, что Алиса — наследница Елены (а это все знали), то придумал неплохую игру: сначала нужно загнать в угол ее, Алису, — желательно с шумом, чтобы пошли слухи, ненароком упомянуть об алмазе, озадачить Екатерину, которая бросится в атаку, под шумок уговорить Алису забрать у той алмаз — пока Елена будет ослаблена, и каким-то способом заставить Алису алмаз подарить. Все логично.

— И кто это? — полюбопытствовала Алиса. — Лиза?

Елена пожала плечами.

— Лиза мелковата. Если только ей не снесло крышу, что, кстати, вполне возможно. Я думаю, за ней кто-то стоит, потому что интрига, конечно, не идеальная, раз уж у нас есть шанс все это сейчас обсуждать, но спланировано все грамотно.

Они помолчали. Видимо, урока сегодня уже не будет, подумала Алиса, которой лестно было вот так сидеть и разговаривать с Еленой на равных.

— Слушай... — робко начала Алиса. — Я тут читала кое-какие книги, и там рассказывается о твоей... твоих принципах. Или догмах. Не знаю, как сказать.

— Да? — Елена очнулась от раздумий.

— Ну, мне кажется, все-таки это немного резко... Ты что, правда хочешь, прости Господи, всемирного господства?

— О, Боже... — Елена закатила глаза. — Всемирное господство! Послушай, Бог создал эту неудобную планету для людей. Раньше, когда мы были падшими ангелами, нечистью, страшилками, мы прятались. Ты даже не понимаешь, что это такое — жить в обособленном мире, знать, что все шушукаются у тебя за спиной, проклинают, боятся. Мы прятались, но люди все равно знали о нас, ненавидели. Тебе трудно представить, какими они были лет триста назад. Всего триста лет назад, а я уж не говорю о Средневековье! Дикие, грязные, невежественные, глупые, подозрительные, жадные, суеверные — они не больно-то отличались от животных! Знаешь, что хочет сделать любой человек, когда сталкивается с кем-то не похожим на него? Убить! — воскликнула она. — Мои подруги горели на кострах, их пытали, они плакали кровью, нас уничтожали просто так — от переизбытка ненависти, и люди поливали свои высохшие поля нашей кровью! — она прикусила губу. — Ты хочешь спросить, ненавижу ли я людей? Да! Ненавижу! Я вижу, что они меняются. В лучшую сторону. Но боль в моем сердце еще слишком сильна. Поэтому у меня такая крепкая связь с алмазом. Он не для счастливых, знаешь ли. Только раненое сердце может оценить всю мощь талисмана. Мы не вечны. Екатерина умрет, и я получу камень. Ждать осталось недолго, лет сто. Может, то, что я увижу, оказавшись на Земле, примирит меня с человечеством.

— А мне что делать? Стоит попытаться забрать у нее камень?

Елена посмотрела на Алису недобрым взглядом.

— Это мой камень, — заявила она. — Но забрать ты его можешь. Теоретически.

— А она мне его отдаст?

Елена развела руками.

— Дорогая... Зная Екатерину, могу только заверить тебя — если и отдаст, то в тяжелой и неравной, для тебя, борьбе.

— Но она ведь обязана! — возмутилась Алиса.

— Ага, — кивнула Елена. — Только до того она может тебя убить, сделать невменяемой, отыграться на твоих родственниках...

— Ничего себе... — огорчилась Алиса.

— А впрочем, как пожелаешь... — Елена зевнула. — Это твое дело. Но хочу напомнить, что я пока еще не научила тебя и десятой части того, что знаю сама, а Екатерина знает не меньше меня. Ну, и практики у тебя — кот наплакал.

— То есть ты мне ничего дельного не посоветуешь?

— А что я могу тебе посоветовать?! — вспылила Елена. — Я и сама не знаю, что делать!

— Ой-ой-ой... — поморщилась Алиса.

— Для того чтобы знать, что делать, нужно выяснить, кому это выгодно, — отчеканила Елена. — Выясни, тогда и получишь совет.

Она встала и направилась к выходу из зала.

— Елена! — окликнула Алиса. — А я так и не поняла, что со всемирным господством?

Елена остановилась в дверях, обернулась и смерила Алису тяжелым взглядом.

— Я считаю, это очень хорошая мысль — поставить здесь, на Земле, наместника, который бы направлял энергию человечества в правильное русло, — произнесла она и исчезла.

Алиса же полетела во влажное, как баня, пространство ночных кошмаров. На этот раз кошмары были с сексуальным подтекстом, отчего она проснулась с неуютным чувством стыда и гаденькой болью в затылке.

Оказалось, что Марик уже пришел — устроившись в кресле, читал книгу Вербера, которую недавно купила Алиса.

— Ты так сопела, что я уже хотел тебя будить, — сообщил он.

— Мне кошмары снились, — пробурчала она, потрогав влажную от пота майку. Не очень-то приятно просыпаться в мокрых вещах.

— Сделать тебе ванну? — спросил он, присев рядом.

Она кивком выразила согласие.

— Я тебе кое-что купил, — подмигнул Марик и пододвинул здоровенный бумажный пакет.

Порывшись в нем, он положил ей на колени большую коробку шоколада «Линдт». Следующим номером были фильмы «Чего хотят женщины?», «Все о Еве», «Энни Холл» — наконец-то нормального качества! — «Мелкие мошенники» — опять Вуди Аллен и «Красотка». Последний фильм заставил ее расхохотаться. Давно она не получала в подарок «Красотку»! Точнее — никогда. У нее даже дома диска не было, но в том и прелесть: «Красотка» — это же классика, фильм «должна иметь»!

После Марк достал дивный комплект нежно-голубого кружевного белья из «Дикой орхидеи» — и это было ужасно приятно, велюровый банный халат — тоже голубой, который едва прикрывал задницу, тапочки на смешном каблуке, несколько пушистых полотенец, роскошный набор для ухода за телом и лицом от «Герлен», две шелковые ночнушки, и, наконец, просто немыслимую коллекцию средств для ванны от «Лаш» — казалось, Марик скупил весь магазин.

Алиса бросилась ему на шею и целовала, пока он не спасся бегством.

— Там еще свечи! — он ткнул пальцем в пакет.

Алиса вынула несколько ароматических свеч, но Марик быстро все отобрал и сказал, что сам сделает ей ванну, а она в знак благодарности должна лежать на диване и не нервничать.

Ванна получилась такая, что у Алисы голова закружилась, стоило только войти в комнату. Тут был такой аромат эфирных масел, что казалось, она очутилась в райских кущах. Повесив в шкафчик новый халат, уложив на раковину новые полотенца, Алиса разделась и легла в горячую воду, которая обволокла ее чем-то маслянистым и очень приятным. Он даже купил шампунь! Правда, какой-то неизвестный, типа натуральный на основе трав, но она ведь не обязана мыть им голову каждый день — на один раз сойдет. Однако шампунь оказался ничего — по крайней мере, пах приятно, и бальзам неплохо смягчил волосы. Алиса читала журнал, который предусмотрительный Марик также сунул в пакет, отмокала и уже надумала поселиться в ванной, если бы Марик не сунул голову в дверь и не сказал, что через полчаса ей нужно выходить. Алиса хотела поинтересоваться, с какой стати такая спешка, но Марик уже исчез — в том направлении, где громко играла музыка. В новом халате и новых смешных тапках с гагачьим пухом Алиса вернулась на кухню и ахнула: Марик приготовил чай с медом и корицей, разогрел пирог с капустой и ждал ее.

Алиса разомлела. Наевшись пирога, напившись чаю, она ощущала себя так, словно вдруг ее мамаша, которая никогда не могла приготовить ничего приличнее яйца вкрутую, вдруг преобразилась в заботливую Ухти-Тухти с мишленовским дипломом и окружила дочь любовью и заботой.

И тут в дверь позвонили. Алиса в растерянности взглянула на Марка, но тот лишь подмигнул и впустил приятную женщину лет сорока трех.

— Это Алиса, а это лучшая массажистка нашего города Наташа.

Наташа застеснялась, отказалась пить чай — Марик, правда, все-таки ее уломал, а потом она сделала Алисе такой массаж тела, головы и лица, что та передумала любить Марка и решила жениться на Наташе.

— Марик, — позвала она его, когда массажистка ушла.

— Да, дорогая... — он сел на кровать и поцеловал ее.

— Мне так приятно, что ты все это для меня делаешь...

— Ну, ты была похожа на психопатку из фильмов, которую держат в комнате, обитой матрасами, так что считай, я сделал это не для тебя, а для себя, — улыбнулся он.

Алиса обняла его. А что еще нужно? У нее есть любимый, который ее поддерживает, вместе они — банда, и это значит, он не даст ей расклеиться, впасть в саморазрушительную депрессию, с ним она устоит и будет счастлива, несмотря ни на что. Может, весь этот пожар случился не зря?

Но тут едкое сомнение прокралось в душу. Она вспомнила поучительную историю девушки Марии, у которой были подруги Алла и Оля, и Маша тоже думала, что автокатастрофа произошла нарочно для того, чтобы она переоценила ценности. Ха-ха. Если она не сошла с ума, то выходит, что Марик — пешка? Или это уже бред? Бр-р! Надо затолкать эти мысли подальше, иначе она дойдет до того, что появится в ресторане «Версия» с марлевой повязкой от микробов и собственным столовым набором — вилки, ножи и ложки.

— Надо завтра выйти в люди, — заявил Марик. — А то ты совсем раскиснешь.

— В какие такие люди? — заволновалась Алиса.

— Мне тут прислали приглашение на вечеринку в честь выхода книги... Дарьи Воскресенской. По телевизору что-то ведет про секс.

— А-а... — разочаровалась Алиса.

Она-то надеялась, что «выход в люди» будет тихой вечеринкой в художественной галерее — ни журналистов, ни светских жаб, ни понтов...

Но нет! Марк, как нарочно, выбрал самое шумное и вульгарное мероприятие из всех возможных! Хотя... Действительно, надо приходить в чувство.

Ночью он был удивительно нежен, даже честно делал вид, что гладить ее по спине — его любимое занятие, но вдруг их словно ослепило, и они набросились друг на друга с таким жаром, будто завтра никогда не наступит.

Вечером следующего дня Алиса сидела перед зеркалом и думала о том, в какой квартире она хотела бы жить. Представила апартаменты в самом центре, на тихой улочке, в доме с охраной и консьержкой, и комнат у нее будет четыре: спальня, кабинет, гостиная, кухня не считается, и комната для гостей. Все там будет такое... как из фильма про Шерлока Холмса — тяжелая резная мебель цвета кофе, оконные проемы тоже будут оформлены деревом, витражи, деревянные стенные панели, камин, восточные ковры... Темно и уютно.

Наконец, она очнулась и с недовольством осмотрела спальню Марка — все хорошо, но явно не то.

Принарядив лицо, Алиса нашла драпированное черное платье, купленное в последний заход, к нему подобрала кожаную куртку в байкерском стиле, новые лодочки от «Дольче&Габбана» с шипами и кучу резиновых браслетов, напульсников и прочей панк-атрибутики. Разрядилась в пух и прах, но выглядела, к счастью, без лишнего шика: все-таки панк с готикой не очень гламурное сочетание.

Волосы в последний момент начесала, как у ранней Мадонны, и тут, наконец, почувствовала удовлетворение. «Вот вам всем!» — так она выглядела.

Вечеринка была в модном ресторане на Тверской, который был заполнен до самого верха публикой, разряженной как на карнавал. Дарья, видимо, пригласила всех, кого когда-либо видела: тут были и звезды первой величины — в основном, эстрадные, так как передача выходила на музыкальном канале, и второй, и третьей — звездочки в грязных дешевых ботинках, и девы в нарядах всех цветов радуги, а на некоторых имелось такое количество блесток, что казалось — их пришивали тройным слоем.

Под руку с Мариком Алиса шла через весь этот тарарам — и на них оборачивались, прямо-таки шеи выкручивали, потому что они стопроцентно были самой стильной парой в этом курятнике. По дороге Алиса даже беззастенчиво уставилась в декольте некой рыжей — причем рыжей с ног до головы, так как искусственный загар тоже был оранжевым — красотки, которая, наверное, и силиконовые прокладки подложила, и грудь скотчем подтянула — сиськи у нее прям-таки выпрыгивали из декольте с розочками. На девице была пышная шифоновая юбка чуть ниже попы, а уж босоножки точно украшали самые огромные стразы во Вселенной — и красные, и зеленые, и лиловые...

Красотища!

Хватало и молодежи а-ля Тимати: мальчиков с татуировками и часами за двадцать тысяч долларов, девочек, закованных в золотые цепи и втиснутых в мини-юбки.

У Алисы даже глаза заболели — столько блеска, что хотелось постоять рядом с помойкой, полюбоваться на бомжей. Тут к Марику бросилась редактор с СТС — они собирались сделать с ним «Историю в деталях», Алиса направилась к бару, но ее перехватила Аня, та самая корреспондентка из отдела светской хроники, которую Алиса на дух не выносила.

— Алиса? — высокомерно обратилась к ней Аня. Интонация была намеренно вопросительная — видимо, она хотела подчеркнуть, как удивлена, встретив здесь знакомую.

— Нет, вы ошиблись, — широко улыбнулась Алиса.

— Ха-ха-ха! — расхохоталась Аня. — Не ожидала тебя увидеть!

— Да я и сама не ожидала! — поддержала ее Алиса. — Ты же знаешь, я по таким нелепым тусовкам не хожу, но меня Марк затащил, он же все-таки коллега Дарьи.

— Гм... Просто я давно тебя не видела. Думала, ты сейчас редко где бываешь, — гнула свою линию Аня, которой ну уж очень хотелось подчеркнуть, что Алису вынесло на обочину жизни.

— Наоборот! — еще шире, чем в первый раз, растянула губы Алиса. — Времени-то у меня навалом, так что больше мне заняться и нечем!

— А как твои дела? — с придыханием спросила

Аня. Жалостливо-жалостливо спросила, чтобы Алиса прониклась своим незавидным положением.

— С одной стороны, я, конечно, в жопе, — жизнерадостно объявила Алиса. — Определенно, тут какая-то афера, так что будем разбираться. По крайней мере, все застраховано, а, во-вторых, долги за меня оплатит бабушка.

— Бабушка? — растерялась Аня.

— Двоюродная бабушка, — уточнила Алиса. — Сумма, конечно, не маленькая, но и не бог весь какая — пять миллионов.

И Аня дрогнула.

— Долларов? — скрипнула она.

— По курсу доллара рублями, — пояснила Алиса.

Аня была ошеломлена. Еще бы! Где взять такую бабушку, которая запросто выложит пять миллионов? Не то чтобы Лиля рассталась с деньгами запросто, но все-таки они у нее были — и не последние. Может, еще парочка миллионов останется.

И вдруг Алиса увидела ее. Румяную, с дивной кожей, в синем платье от «Хлое», довольную жизнью, веселую Лизу.

И тут с Алисой что-то случилось.

Она не успела сообразить, что точно намеревается сделать, как уже отодвигала с дороги Аню и с таким грозным видом шла сквозь толпу, что все расступались. Она схватила Лизу за волосы и дергала в разные стороны. Алиса запомнила, как Лиза махала руками, что было глупо, и кричала:

— Ты что? Ты что?

А она, Алиса, орала, задыхаясь:

— И тебе хватает наглости ходить по тусовкам!..

Лиза попыталась ее толкнуть, что Алису необычайно разозлило — она схватила бывшую подругу за плечо, поехала ткань... Вокруг них собралась толпа побольше, чем на матче Тайсона и Холлефилда, и никто не пытался их разнять, пока зевак не растолкал Марк и не оторвал Алису от вражины.

— Пусти! — вопила, захлебываясь криком, Алиса. — Отстань!

Но Марк приволок ее в туалет, наклонил над раковиной и включил воду. Алиса чувствовала, как плывет тушь, стекает тональный крем, но ничего не могла сделать — Марк был крепким и тяжелым.

Но все же она извернулась и топнула по его ботинку каблуком.

— У-у... — застонал Марк и скорчился.

— Что ты делаешь?! — закричала она, схватив бумажное полотенце.

Дамочки, открывшие было дверь со стороны коридора, замерли на пороге.

— Пошли вон! — заорала Алиса.

Но Марк схватил ее за руку и вытащил из туалета. Он волок ее до гардероба, но тут Алиса пришла в себя, вырвала руку и толкнула его в грудь.

— Давай не здесь! — зашипел он.

Алиса швырнула гардеробщику номерок, забрала пальто и вышла на улицу. Через минуту показался Марк.

— Ты охренел?! — набросилась она на него.

Но Марик был не из тех, кого можно взять нахрапом.

— Я?! — заорал он. — Тебе мозги отшибло?! Что ты вытворяешь?

Несмотря на то что Алиса пребывала в бешенстве, она заметила странные интонации в голосе Марка — он злился, он был в самой настоящей ярости и считал, что она виновна! А она ничего такого не сделала. Подумаешь, подралась! С кем не бывает?

— Да это та самая Лиза, которая меня подставила, которой банк принадлежит, я тебе говорила! — выпалила Алиса на одном дыхании. — А теперь она ходит по вечеринкам — после того, как меня ограбила! На мои, блядь, деньги!

Марк сжимал и разжимал кулаки, тяжело дышал — казалось, он сейчас ее ударит. Ничего не ответил и пошел к машине. Алиса громко сказала: «Ха!» и направилась в другую сторону. Ничего, пусть успокоится.

Алиса вернулась домой первой. Ключи она оставила дома — зачем брать вторые, если вы идете вдвоем? — так что пришлось ждать в подъезде. Ожидание длилось с полчаса, и взбешенная Алиса уже собралась уходить и почти позвонила Марьяне, как вдруг двери лифта открылись и показался Марик. Бледный и уставший.

— Прости меня... — сказал он.

Подошел к ней, обнял и уткнулся носом в шею.

— Я за тебя испугался, меня вывели из себя фотографы...

— А что, были фотографы? — ахнула Алиса.

— Куча, — кивнул он.

— Да-а...

— Ну, ты понимаешь, что будет завтра в прессе. Они это так преподнесут, что драка была из-за меня. Короче, я психанул. Кстати, со мной это часто бывает.

— Не замечала.

— Тебе повезло.

— Ладно... — Алиса поцеловала его в щеку. — Два психа под одной крышей — это нормально. Давай войдем в квартиру и устроим оргию?

— Мне нравится ход твоих мыслей. Ключи у тебя.

— Не может быть! — Алиса прикрыла рот рукой.

— Я тебе говорю!

Он отобрал у нее сумочку, долго рылся в духах, платках, документах, чеках, пока не вытащил связку ключей.

Алиса пожала плечами и рассмеялась.

Марик щелкнул ее по носу, и они зашли в квартиру. В их квартиру.

ГЛАВА 24

Март промчался незаметно. Как обычно бледные, замученные, подсевшие на витамины «Антистресс» (ярко-красные, как губы Мерилин Монро), москвичи психовали на предмет глобального потепления, модных ботинок, прожженных уличным реагентом, и собственных, нажитых за зиму задниц.

Бездельница Алиса же, наоборот, расцвела. Четыре лишних килограмма, которые неожиданно придали ей здоровый вид, скрывал загар из солярия, куда она повадилась ходить три раза в неделю; кожа на лице от курса массажа с эфирными маслами светилась; волосы обрели новый прохладный оттенок, а на одном из ногтей появился кокетливый брелок в виде сердечка. Подруги намекали, что она превращается в домохозяйку, но Алиса наслаждалась — может, у нее больше не будет в жизни другой такой возможности полениться от всей души?

Лиля взяла на себя финансовые дела: для разминки закатила скандал Лизе, которая по необъяснимой причине вела себя на удивление спокойно; отправилась в банк, где обещала всех засудить, и велела Алисе не дергаться, так как, по ее словам, подключила к делу влиятельных людей, которые «размажут эту выскочку по всей Центральной Африке».

Лиля же умудрилась получить доступ к Алисиной квартире, откуда вывезла драгоценности и картины, что вывело Алису из себя, так как бабушка не забрала ни одной ее вещи — в смысле одежды.

— Учись получать удовольствие от того, что есть! — отрезала Лиля.

Марик очень за них беспокоился, рвался помочь Лиле, но, если честно, он вроде их немного побаивался — ведьм, потому как стоило им собраться вместе, он затихал, устраивался на кухне и лишь прислушивался к разговорам — да и то с таким видом, будто вот-вот описается.

Прелести моногамии с каждым днем казались Алисе все более привлекательными. Раньше она впадала в ярость, когда понимала, что из-за романа с каким-нибудь Димой никогда не узнает, что такое — заниматься любовью с красавчиком с индейским ирокезом, а сейчас получала удовольствие от того, что ей есть ради кого идти на компромиссы с самой собой, что ей хочется выбирать в пользу Марка, быть недоступной для других, быть Его женщиной.

Будни превратились в праздники, и Алиса не замечала рутины, на которую жалуются знакомые — им с Марком было весело, они были счастливы, и все — абсолютно все, что они делали вместе, казалось увлекательным, феерическим, новым.

Алиса вспомнила, как однажды шла по улице мимо скромного такого, неприметного дома — и решила срезать путь, пройти двором. И вот со двора ей открылось удивительное зрелище — то ли архитектор перепутал, то ли нарочно так задумал, но торцевая сторона оказалась роскошным фасадом в стиле раннего конструктивизма — наклонные лестничные окна, благодаря чему казалось, что это не окна кривые, а лестницы накренились, захватывающий дух дизайн балконов, сплошное королевство кривых зеркал и броский минимализм. Возле дома Алиса стояла с четверть часа — приходила в чувство, и сейчас с Марком произошло все то же самое — с торца эта странная семейная жизнь оказалась такой интересной, что Алиса никак не могла понять: о чем она думала все эти годы? Почему ей никто не сказал? Хотя у нее перед глазами был пример рублевской Наташи и ей подобных, а это мало кого способно обнадежить — разве что самых отпетых охотниц за миллионерами, но ведь ясно, что не все живут так, как Наташа...

Правда, «не так» представлялось Алисе неким усредненным вариантом, слепленным из журнальных статей, старых анекдотов и программы «Большая стирка» — женатые, с детьми, вечером — готовка и любимый сериальчик, по выходным — средней паршивости загородный дом и свой огородик, потому как огороды появлялись на участках даже самых обеспеченных знакомых: либо домработница не могла пережить столь халатного обращения с землей и где-нибудь между розами и нарциссами высаживала петрушку, либо мама божилась, что получит инфаркт, если не увидит за бассейном парник с огурцами, либо сами втягивались, склоняясь к мнению, что кабачки, выращенные своими руками, дадут сто баллов вперед рыночным.

Иногда, когда Марик уезжал на встречи с читателями, на интервью или на обязательные встречи с издателями или распространителями, Алиса брала машину и отправлялась за город. К себе. Сначала она объезжала вокруг дома, потом ставила машину неподалеку и гуляла, высматривая сквозь решетку особняк. Квартиру она точно решила продать — потом, когда все закончится, а вот дом полюбила — только надумала ремонтировать, чтобы добавить больше от себя.

Иногда заходила к Насте, и та поила ее жидким чаем с запахом заношенных тапок и кормила вкуснейшими жареными пирожками. Настя похорошела — призналась, что даже сидит на диете, так как готовилась к встрече с московским доктором, которого ей нагадала Алиса, и не хотела предстать перед будущим мужем без маникюра, в застиранном халате. Алиса страшно развеселилась и в следующий раз привезла Насте модный сатиновый халат, белье — недорогое, из стока, но сексуальное, краску для волос, свой старый фен с диффузором и еще мешок всякой ерунды — кремы, лосьоны, губки для лица, косметику — все, что было куплено, но не подошло ей самой. У Нины, которая была одного размера с Настей и которая в последнее время сильно поднялась материально, Алиса отобрала старые вещи и отдала соседке — а вдруг, и правда, появится тот самый суженый доктор?

Апрель был удивительно теплый. В середине вдруг коварно подморозило, но зиме, видимо, стало неловко за такую настойчивость, и за два дня она капитулировала.

В воскресенье утром она спала сном младенца, когда Марик прошептал ей на ухо, что уходит, поцеловал в макушку, но она уже проснулась, перехватила его и потребовала разъяснений. Возбужденный Марик признался, что еще в прошлом сезоне купил себе спортивную «Ямаху», а сейчас поедет в гараж к некому Зае (как позже выяснилось, здоровенному мужику на красном мотоцикле) приводить в порядок технику. Может, они дадут круг почета по району — ведь в конце апреля официальное открытие сезона, прокачают тормоза, посмотрят последние записи гонок — в общем, мальчуковые развлечения.

И Алиса поехала к себе «домой» — раз уж она вчера прикупила Насте красную водолазку с короткими рукавами, стильный черный шарф и отобрала у Фаи в магазине «бракованное» пальто, которое просто замерили, а после химчистки оно снова превратилось в новое и красивое.

Во-первых, Алисе было неловко, что она так обнадежила Настю, но самое главное — соседка связывала ее с домом, была последней ниточкой, которая тянулась в усадьбу. Настя чуть не родила, когда Алиса вывалила вещи из сумки, благодарила ее так, что охрипла, вытащила ее на прогулку, нарядив в страшные коричневые резиновые сапоги, а по возвращении накормила так, что Алиса уже собралась остаться с ночевкой — после борща, котлет с жареной картошкой, домашних солений и пирога с малиновым вареньем даже сил курить не было. Настя отправила дочь в магазин за кофе, и Алиса выдула две здоровенные кружки, которые Настя по-деревенски называла бокалами, прежде чем смогла сесть за руль, будучи уверенной, что не заснет через минуту-другую.

Был поздний весенний закат, когда уходящее солнце тешит надеждой, что будет новый радостный день, и листва скоро зазеленеет, и вода в озерах согреется, и предвкушение лета застилает унылый загородный пейзаж с весенней грязью и разливными лужами... Алиса не спеша ехала по шоссе и уже подбиралась к МКАД, когда зазвонил телефон. Номер был незнакомый — и это ее заинтриговало.

— Алло, — на всякий случай строго ответила Алиса.

— Алиса Денисовна? — уточнил мужской голос.

— Вроде бы... — растерялась Алиса. По имени-отчеству ее давно уже никто не называл. Разве что представители страховой компании и бухгалтерия.

— Трейман? — продолжал голос.

— Да. С кем я говорю?

И тут мужчина принялся объяснять, но Алиса все никак не хотела его понимать. Рванув наперерез движению, под залп автомобильных гудков, она припарковалась на обочине, дрожащими руками вытащила из пачки сигарету — одну вытащила, а остальные вывалила на пол, прикурила и перебила мужчину, который, кажется, очень хотел, чтобы она ответила на какой-то вопрос.

— Извините! — взвизгнула Алиса. — Вы не могли бы еще раз объяснить, что случилось? Я... — она всхлипнула. — Я... — и тут она разрыдалась.

Закончив беседу и записав все данные, Алиса вышла из машины — в глазах было темно — поставила автомобиль на сигнализацию и взмахнула рукой.

К счастью, тут же остановился вполне приличный «Форд» — видимо, возжелал помочь девушке, у которой машина сломалась (а что он еще мог подумать?), Алиса устроилась на заднем сиденье и схватилась за голову. Она совершенно не понимала, куда они едут — все расплывалось перед глазами. В голове тикала мысль: «Этого. Не может. Быть».

Он не мог! Марик не мог врезаться в «Газель». Или «Газель» в Марика. Это ошибка. Он в коме!!! Алиса не выдержала и громко разрыдалась. Очень милый водитель подсовывал ей салфетки и воду, Алиса даже понимала, чего он от нее хочет, тянула руку, но промахивалась — потому что ничего не видела, и сопли текли за воротник, как у маленькой, но ее даже это не отвлекало — она не могла пережить такое горе, оно рвалось изнутри и кожа трещала, и кости хрустели, и не было никаких сил поверить, что так бывает!

Наверное, по дороге она позвонила Фае, потому что подруга ждала ее у входа в Русаковскую больницу, усадила, привела врача — пока тот шел, показалась Марьяна, она что-то говорила, но Алисе казалось, у нее на голове платок и шапка-ушанка — звуки были где-то далеко-далеко.

Врач сказал, что все очень плохо — они не уверены, выйдет ли Марк из комы, а если выйдет, не будет ли паралитиком... Тут Алиса уронила лицо на колени и взвыла, так что с врачом подруги разбирались сами. Чуть погодя ее отвели в кабинет, где медсестра вколола ей что-то, и после этого Алиса заснула, не дойдя до Файкиной машины.

Проснувшись, получила от Фаи еще одну порцию таблеток — и так длилось два дня, пока Алиса вдруг не открыла глаза и не поняла, что ее тело переполнено транквилизаторами. Поняла она это настолько отчетливо, что тут же догадалась — она в себе.

Сил хватило лишь на то, чтобы спустить ноги с кровати — все-таки она два дня ничего не ела и, видимо, нервничала во сне. Минут через десять Алиса встала — и это ей не понравилось. Стоять, оказывается, жуть как тяжело. Побыстрее преодолев расстояние от кровати до двери, Алиса прямо-таки вспотела от усилий. Хорошо хоть, что ее уложили на первом этаже — с лестницы она бы точно навернулась, так как голова кружилась с энергией фигуристки, выполняющий тройной тулуп.

— Встала! Жива! — завопили подруги и бросились на помощь.

Марьяна тут же разогрела «еврейский аспирин» — постный куриный бульон, Фая поставила тарелку с жареными креветками — от креветок Алиса не могла бы отказаться даже на смертном ложе, и они заставили ее поесть прежде, чем они расскажут новости.

Алиса ждала чаю и думала о том, что все это не могло произойти, потому что не могло произойти никогда. И не только авария, а то, что случилось с ней. Истерика. Забытье. Такое горе, словно ей руками вырвали сердце и на ее глазах скормили его голодным свиньям.

Она всегда хорошо держалась — что бы ни произошло. Разорилась? Ничего! Переживем! Она даже не дрогнула, когда сгорел клуб, а сейчас она была растением, на которое наступили сапогом. Ничто. Ноль. Живой труп. Слезы сами потекли. Просто текли ручьями — Алиса не тряслась от рыданий, не всхлипывала, не подвывала... Девочки обняли ее, вытирали ручьи полотенцами, гладили по голове, но ее как-будто ранили — и вместо крови текли слезы, и никто ничего не мог с этим поделать.

Часа через два Алиса, наконец, перестала рыдать, стоило кому-то произнести его имя (не обошлось без тазепама) и смогла выслушать последние известия.

Марк все еще был в коме. Он ехал со скоростью сто шестьдесят пять километров в час, что, конечно, считалось нарушением сразу всех правил дорожного движения, а тут еще и придурок на «Газели», который решил развернуться на Стромынке через две сплошные — и попал аккурат в Марика, который вместе с мотоциклом пролетел десять метров, и еще метров тридцать отдельно. У него было сотрясение мозга, смещение шейных позвонков, перелом позвоночника и вывихнута кисть. Если сравнить все это со смертью, то он еще дешево отделался, но Марк был в коме — и никто не мог предположить, выйдет ли он из нее когда-нибудь, уж слишком сильным был удар в голову. К тому же врачи волновались насчет гематомы, а уж от этих мыслей Алиса теряла сознание: если они затеют трепанацию черепа, кто даст гарантию, что нейрохирург не ошибется?

Девочки бегали вокруг нее, предлагали таблетки, но Алиса вдруг очнулась и сказала, что хочет посидеть на улице. Ее укутали так, словно у нее был не шок, а грипп — Марьяна твердила, что организм ослаблен и может сейчас подхватить грипп даже от ребенка Волковых, которые живут на соседней улице, так что Алиса влезла в свитер, куртку, напялила шапку и дутые сапоги — и в таком виде вышла на террасу.

Вечерняя прохлада отрезвила ее, как пощечина — Алиса с удивлением огляделась вокруг и сообразила, что два дня назад она собиралась помирать от горя, даже не выяснив, а есть ли повод. Марк жив. Один ее приятель, байкер, летел метров триста — перед тем, как врезаться в «Ладу», очнулся с переломами всего, третьим сотрясением мозга, левая рука год не работала — и ничего, жив и почти здоров, кроме некоторого подобия нарколепсии — катается, выпивает и знакомится с девушками. То есть, конечно, все это ужасно, и вполне можно поплакать и даже поболеть денек, но чтобы вот так — рухнуть в черную тоску, двое суток не есть ничего калорийнее лекарств и ощущать в груди гниющую рану... Она сошла с ума?

Разум говорил одно, но душа отзывалась такой болью, что Алисе хотелось взвыть и добровольно сдаться в дурдом. С трудом удерживаясь на грани между некоторым подобием здравомыслия и маниакальным психозом, Алиса вернулась в дом.

— Сейчас Нина с Машей приедут! — заглядывая ей в глаза, воскликнула Марьяна. Алиса кивнула и почти улыбнулась — сухие губы чуть не треснули, когда она их растянула. Представив, как это выглядит со стороны — гримаса скорби, Алиса потребовала лосьон для лица, расческу и блеск для губ. В зеркало она старалась без крайней нужды не заглядывать — оно отражало нечто зеленое, взлохмаченное, с красными глазами-щелочками. Фая принесла свежую майку, и спустя полчаса Алиса была уже немного похожа на человека, что, впрочем, не спасло ее от причитаний Нины и Маши. Маша, бывшая домработница-невидимка, преобразилась в шикарную девицу, блондинку в обтягивающих кожаных штанах — этакий готический уклон.

— Не надо смотреть на меня так, словно я села на героин и стырила у вас фамильные драгоценности! — рявкнула Алиса через полчаса.

Маша и Нина переглянулись. Казалось, между ними вспыхнула искра.

— Ты тоже заметила? — взвизгнула Маша.

— Да как тут не заметить-то?.. — вздохнула Нина. — Не знаю, как это выглядело «до», но сейчас у нее только что на лбу не написано...

— Девушки, а вы о чем? — Фая перегнулась через Марьяну и с интересом взглянула на них.

— Да ее заворожили! — воскликнула Нина.

— Меня... что? — у Алисы отвисла челюсть.

— Дай руку! — велела Маша.

С минуту она держала ее за руку, отпустила и откинулась на спинку дивана.

— Ну, ты даешь! — воскликнула она. — Ты что, не замечала ничего? Не чувствовала себя... странно?

Алиса решила не выпендриваться и честно покачала головой. Ничего она не замечала. Ни разу. Ни намека. Ни малейшего повода.

— Не самое сложное, но надежное, проверенное колдовство, — подытожила Маша. — Если честно, для ведьмы я бы выбрала что-нибудь поинтереснее. То ли тут дилетант практиковался, то ли... черт его знает кто. Будем тебя лечить?

— Да ну что ты! Не беспокойся, я и так похожу! — фыркнула Алиса.

Но Маша только закатила глаза.

— Простыня, живая курица, древесная зола и нож для колки льда! — распорядилась она.

Ответом ей была тишина.

— Можно мне получить то, что необходимо для снятия чар? — Маша повысила голос.

— А! — отозвалась Фая. — Не поняла, о чем ты! У меня нет ножа для льда!

— Так купи!

В магазин поехала Марьяна, а Фая разожгла камин.

— А где же мне взять курицу? — растерялась Фая, пока Маша с недоверием ощупывала простыню.

— Здесь что, деревни ни одной нету? — отрезала ведьма.

И Фая пустилась в путь. Где-то через час вернулась с мешком, в котором были прорезаны дыры. Мешок трепыхался — а Фая с выражением отвращения на лице держала его двумя пальцами.

— Она вся в какашках! — объявила Фая, положив мешок на каменный пол у порога.

— Можешь ее помыть и надушить, — буркнула Маша.

Огромную шелковую простыню она намочила и расстелила на полу.

— На все подоконники поставь свечи, — приказала Маша.

Фая вздохнула и бросилась звонить Марьяне, чтобы та купила все свечи, какие увидит — их явно могло не хватить.

Алису Маша уложила посредине простыни и по контуру тела расставила свечки, но не зажгла их. В голове насыпала кучу золы — Фая заскрежетала зубами, так как это была ее лучшая — точнее, единственная белая простыня.

Ждали Марьяну. Та приехала минут через сорок,

навьюченная покупками. Маша прямо на пороге влезла в пакет, достала нож и велела, во-первых, выключить свет во всем доме, а, во-вторых, потребовала, чтобы Алиса встала и разделась.

— У меня отросли волосы на линии бикини, — смутилась та.

— Ты же не рожать собралась! — возмутилась Маша. — Снимай трусы, пока не поздно!

Алиса взяла со всех слово, что они не будут ее осуждать, и разделась.

Маша опять уложила ее между свеч, зажгла их, а сама села сбоку от угольной кучи — положив напротив мешок с притихшей курицей. Некоторое время она словно чего-то ждала.

— В твоем сердце боль и страх... — произнесла она наконец. — Никто не знает, как тебе тяжело, как гноится и воспаляется рана, как из тебя уходит жизнь... Никто не поймет, что без него у тебя в душе лютый холод, и ты хочешь умереть, лишь бы не терпеть больше эти муки, не вспоминать, не страдать, не переживать за него...

Она говорила и говорила, с садистским наслаждением описывая каждое чувство, малейший его оттенок — и все это Алиса прочувствовала на себе: и воспаленную рану, и жажду смерти, и пронзительную, острую, невыносимую боль. Но когда ей уже казалось, что сил терпеть нет — когда болела не только душа, но и тело — боль отдавалась в коже, в суставах, в сосудах, Маша вдруг замолчала.

— Потерпи еще немного... — более ласковым голосом сказала она. — Я хочу, чтобы ты знала — будет очень-очень плохо, но ты справишься.

Маша встала, взяла заранее приготовленную глубокую тарелку и слила туда воск со всех свечей. Положила в тарелку руку и потом со всей силы плюхнула ладонь Алисе на грудь.

— А-аа! — взвилась та, но не смогла и рукой пошевелить.

— Боль, горячая, как слезы, жаркая, как похоть, жгучая, как перец, растопи чары, открой сердце, дай волю ей... — во весь голос кричала Маша.

Алиса могла только стонать — казалось, у нее в сердце нож, длиной метров в пятьдесят, и этот клинок все тянут, тянут, и сталь режет по живому... А может, она и кричала — просто не слышала, оглушенная собственными мучениями.

Наконец, Маша оторвала руку, и Алиса почувствовала — нож выдернули, а из нее хлынуло что-то горячее, липкое, много...

Маша же в это время скатала воск с руки в шар, выдернула из мешка помертвевшую от ужаса куру, ловким движением затолкала ей в глотку воск и неожиданно для всех пронзила сердце птицы ножом для льда. Кто-то вскрикнул. Придерживая курицу, из которой хлестала кровища, над кучей золы, Маша приговаривала:

— Пусть боль твоя превратится в пепел...

Наконец, она положила несчастную курицу в мешок, взмахнула рукой над золой — и та закружилась, образовав крошечный тайфунчик — покружила минут пять и исчезла.

Алиса закрыла глаза. Сквозь шум она слышала, как некто охал, кто-то жалел несчастную птицу, кто-то волновался за нее, но не было сил вмешиваться — и желания не было, потому что боль прошла. Остались грусть, волнение, сожаление и отчаяние — но боль, та боль, из-за которой она уже почти серьезно подумывала сдаться, бросить все и умереть от горя — ушла.

— Курицу надо закопать, — слышала она голос Маши.

— Только уж, пожалуйста, не у меня в саду! — возмущалась Фая.

— Пойдемте все вместе, ей нужен покой, — убеждала Нина.

Наконец, они ушли. Перед уходом Маша завернула Алису в простыню — и отчего-то мокрое холодное покрывало оказалось очень уютным — оно приятно холодило разгоряченное тело и было таким гладким...

Алиса наслаждалась тишиной, но вдруг все изменилось — и простыня стала скользкой и неприятной, и спина затекла от лежания на полу, и захотелось укутаться в теплый халат, выпить горячего чаю... Захотелось жить.

Только вскипел чайник, вернулись подружки. Фая выложила на стол все, что было в доме, достала вина — и все было чудесно, пока Алиса не спросила:

— Интересно, а кому понадобилось меня зачаровывать?

ГЛАВА 25

Нина неожиданно для всех тоном строгой мамочки заявила, что все разговоры по делу — после ужина, а Маша добавила, что Алисе нужно набраться сил. Ели они, правда, молча и как-то уж слишком поспешно — зато не обсуждали ничего, что могло бы повредить стопроцентному усвоению калорий.

И только разлив чай, Маша сказала:

— Есть осложнения. Я все думала: зачем использовать чары, если эти чары устарели лет двести назад? Понимаете... — обратилась она к Алисе, Фае и Марьяне. — Такие чары годятся для клиентов — если есть клиенты, которые хотят привязать мужчину или женщину, а тебе не хочется перебарщивать — то есть ты собираешься и клиента удовлетворить, и в то же время не слишком повредить другой стороне.

После того как ее превратили в невидимку за слишком сильный приворот, Маша буквально помешалась на осторожности и соответствии букве Кодекса.

— В общем, ведьма ведьму вряд ли бы так заколдовала, — продолжала Маша. — Но! Тут у нас есть нюанс. Для обычной ведьмы такое заклятие — как пыль на телевизоре: ощутимо, но не смертельно, а при определенных обстоятельствах ты ее почти не замечаешь. Однако Алиса — ведьма неопытная, это раз, а, во-вторых, она и так любила Марика. И вот эти чары наложили не очень усердно — видимо, их, вообще, в спешке набросили только ради того, чтобы в случае расставания с Марком Алиса сильнее мучилась.

— Зачем? — Алиса всплеснула руками.

— Я думала, ты нам скажешь, — удивилась Маша.

— Я? — растерялась та.

— Это же твоя жизнь! — напомнила Нина. — Ты лучше знаешь, что там у тебя происходит.

Алиса сделала вид, что задумалась. На самом же деле она думала о Марке. Допустим, кто-то быстро окутал ее чарами, и случилось это не очень давно — иначе бы Лиля, например, обратила внимание. Но Алиса никак не могла сосредоточиться — все мысли затмевал Марк, который сейчас где-то там в больнице, в реанимации, лежит, утыканный иглами, дышит в аппарат, и никого нет рядом... А кстати! У него же должны быть родители! Марк не очень много говорил о семье — упоминал, что мать с отцом сейчас живут в Крыму — купили там дом на море, и все такое... Но им ведь должны были позвонить? Известить. Или нет?

— Девочки! — воскликнула Алиса. Все уставились на нее, словно ожидали откровения. — Я думаю, нужно съездить в больницу. Мне надо его увидеть, понять, что я чувствую и что из этого следует.

Подруги смотрели на нее, не скрывая разочарования. А чего они ждали? Они решили, что она прям как мисс Марпл сейчас выдаст, кто убийца?

Алиса надулась. Чего они от нее хотят?

Но девушки молчали и все еще смотрели на нее с тяжелым недоумением.

— Алиса, — строго начала Марьяна. — Как человек, я понимаю, что ты чувствуешь, но ты же ведьма, так что, подруга, извини, но ты не отмажешься! Ты не можешь сидеть тут с опрокинутым лицом и думать: «За что мне это? Почему я?» — ты теперь другая.

— Я не другая! — закричала Алиса и слезы навернулись на глаза. — Я все та же!

Подруги поджали губы, что означало: «Раз уж ты кричишь, то мы не станем ввязываться в ссору, но мы не согласны — и согласны не будем».

— Нет?! — Алиса всплеснула руками.

Фая покачала головой. Она потянулась к сигаретам, прикурила и наклонилась вперед, оперевшись локтями о колени.

— Алиска... — с чувством произнесла она. — Ты же знаешь, как я живу. Я каждый день клянусь себе не превращаться в одну из этих деловых женщин, которые не выходят из стресса, но ты не думай, что это у меня получается. Я психую, отыгрываюсь на мужиках, я тебе не говорила, но я тоже хожу к психоаналитику, и у меня бывают припадки депрессии, когда я по три часа сижу в остывшей ванне и страдаю. Когда с тобой в прошлом году все это произошло, я столько всего прочитала о ведьмах, говорила с Машей, с Ниной, и я поняла, что твоя сила — это не только то, что ты можешь щелчком зажечь свечи, а это сила жить — сила духа, понимаешь? Нам всем ее не хватает, мы слабые, мы с таким трудом справляемся с невзгодами... — Фая обвела руками комнату, видимо, имея в виду работу, дом, личные дела. — И я так ждала, что ты станешь сильной, и я буду тобой восхищаться... Чтобы хоть кто-то среди нас был скалой...

Алиса с подозрением смотрела на подругу. Фая по три часа сидит в остывшей ванне, чтобы было не так больно внутри? Ха-ха...

Почему-то Алиса никогда не думала о себе — о новой себе с этой точки зрения. Ей казалось, что быть ведьмой — значит легко добиваться желаемого, но легче ей не стало — и это факт, так что, возможно, Фая права, а она, Алиса, просто не ощутила свою силу, которая ей так сейчас нужна, чтобы все пережить.

— Девочки... — она встала. — Я пойду к себе в комнату, мне хочется подумать.

Фая по-быстрому соорудила для нее передвижной столик, набив его сверху донизу сладостями, сигаретами, пепельницами, салфетками, втиснула чайник, накрыла пленкой тарелку с закусками и поставила туда же, проводила Алису до комнаты и крепко обняла — можно было подумать, что они прощаются навеки.

Прелесть официальной комнаты для гостей была в том, что коридор, который вел к ней, упирался в дверь, за дверью был небольшой холл, с одной стороны коего находилась собственно большая и удобная комната с кроватью, диваном, двумя креслами, телевизором, баром, а напротив — ванная и туалет для гостей. Из холла же можно было выйти во двор, если гости возвращаются позже и не хотят сталкиваться с хозяевами, а хозяйский выход в сад находился в гостиной — через французское окно.

Так что Алиса могла рассчитывать на полное уединение. Оставив столик в холле, она подцепила пепельницу и сигареты, взяла плед, открыла дверь на улицу, поставила на порог пепельницу и закурила. Разумеется, одна порочная привычка повлекла за собой другую — Алиса налила в толстый стакан виски, глотнула и почувствовала, что готова сосредоточиться.

Она должна быть сильной. Ключевое слово — «должна». Она не должна, она — сильная. Потому что она — ведьма. Главное — как-то в это поверить. Что вообще такое — сильные люди? Ходорковский сильный? Путин? Буш? Как они реагируют на стресс, на неприятности? им все по фигу? злятся? хотят всех убить?

А, может, они просто видят выход? Как в триллерах: слабаки бьются в конвульсиях, а главные герои пытаются пластмассовым ножом перепилить решетки.

Кто она?

Алиса притушила сигарету и легла на пол — торс в комнате, ноги — на улице. Год назад она была просто Алисой, девушкой, которая ходит жаловаться на жизнь психотерапевту — все было не очень хорошо, зато понятно, а сейчас она ощущает себя той же самой Алисой, только она стала другой — как будто сделала пластическую операцию, превратилась в красотку, но до сих пор воспринимает себя, как серую мышку. Где потоки этой самой силы? Где уверенность? Как вообще жить?

Так ничего и не решив, Алиса вернулась в комнату. Но в кровати, когда она уже лежала с закрытыми глазами, кое-что прояснилось. Марик болен, да. Но зачем тогда подруги-ведьмы, если они не могут ему помочь? Наверняка Лиля знает пару целительниц, которые его не только из комы выведут, но и срастят позвонки и все прочее.

К двум часам следующего дня она приехала в больницу, но новый «Бентли» Лили заметила не сразу. Все-таки «Бентли» — не «Порше», в глаза не бросается, тем более — темно-зеленый. Алиса подошла к машине, потянула на себя дверцу и увидела внутри двоюродную бабушку и еще двух женщин. Кое-как втиснувшись на заднее сиденье — «Бентли» хоть и большой, но все-таки не резиновый, — Алиса вежливо всем улыбнулась.

— Знакомься, — произнесла Лиля. — Это Анфиса, одна из лучших целительниц, а это — Фрида, она первоклассный диагност. Как вы догадались, это моя внучка, Алиса. Спасибо вам огромное, девочки, что смогли приехать.

Алиса приложила руку к груди.

— У меня слов нет, чтобы выразить свою благодарность, — сказала она.

Тетушки кивнули, и все вылезли из машины.

Их пытались задержать на входе в отделение, но Лиля что-то нашептала — и медсестра любезно проводила их в реанимацию. Врач тоже пробовал сопротивляться, но, разумеется, сдался и пустил их в палату. Анфиса и Фрида сразу же развели бешеную активность. Фрида простукивала Марка костяшками пальцев, держала руки у него на висках, слушала сердце, сделала что-то вроде массажа ступней, а Анфиса в это время пытала доктора.

Наконец, Анфиса вытащила из сумки бутылку с водой, помыла ею руки — водой из-под крана она, видимо, брезговала, вытерлась своим же полотенцем, после чего посыпала ладони то ли тальком, то ли еще чем-то — от порошка шел резкий аммиачный запашок. Фрида ей помогала: зажала Марику между зубов марлевую подушечку, набитую травой, перевязала руки жгутом — будто собиралась делать уколы, и обрызгала его водой с лавандовым маслом. Комнату все это время проветривали, но потом окно закрыли, чтобы расставить всюду лампадки с эфирными маслами, которые пахли чем-то вроде ладана. Алису оставили, Лилю выгнали — Анфиса сказала, что с ними должен быть тот, кто переживает за больного, желает ему здоровья.

Мудрили они довольно долго — Алиса с беспокойством наблюдала, как у Марка изо рта течет слюна — зеленоватая из-за травы, и пыталась заговорить, но Фрида на нее даже замахнулась — молча, но вполне серьезно, и Алиса зажалась у себя в углу, где торчала все это время. Прошло часа два, прежде чем Анфиса топнула ногой и заорала:

— Мне нужен воздух!

Фрида с Алисой бросились к окну, столкнулись, распахнули створки, а Анфиса плюхнулась на стул и принялась обмахиваться листком бумаги.

— Ничего не понимаю! — заявила Анфиса. — Не получается!

— То есть? — насторожилась Алиса.

— То есть! — передразнила целительница. — Не получается. Ощущение такое, словно на него наложили проклятие.

В ответ Алиса просто открыла рот — да так и стояла, пока Фрида не вернула ее челюсть на место.

— Какое проклятие? — простонала Алиса. — Нет... Я так больше не могу...

И тут вдруг Анфиса подошла к ней и со всей силы залепила такую пощечину, что расслабленная Алиса отлетела к окну. Издав боевой вопль, она бросилась на ополоумевшую Анфису, но ее перехватила Фрида. Хватка у Фриды была крепкой, как у Кличко — как Алиса ни вырывалась, объятия диагноста не раздвинулись ни на миллиметр.

— Послушай, девочка! — рявкнула Анфиса, встав напротив. — Тебя тут немного разбаловали, но я люблю твою бабушку, так что хочу предупредить — детство закончилось. Чему бы там ни научила тебя Елена, я уверена — знаешь ты достаточно много, чтобы не делать одну глупость за другой и думать своей головой. Ты сама должна принять решение — на свой страх и риск, потому что это твоя жизнь, а уж Лиля точно тебе ничем не обязана, лишь радостью за то, что ты — продолжение вашего рода. Не она тебя воспитала, не она скрывала от тебя наш мир, да и ты — не ромашка, сама бы могла справиться. Я говорю это не только потому, что мне жаль Лилю, а потому, что мы все в равной степени тебе сочувствуем и желаем добра. Я давно искала повод, чтобы поговорить — и, к счастью, он нашелся.

— К счастью, — усмехнулась Алиса, кивнув на Марка.

— Ты не знаешь, к счастью это или нет, пока не получишь результат, — заявила Анфиса. Они с Фридой стали собираться. — Я, кстати, не специалист по проклятиям, так что пригласи еще кого-нибудь. Я бы посоветовала Сашу Лемм — она твоя ровесница, но в смысле проклятий она — гений. Вам, кстати, не повредит подружиться.

Алиса осталась в палате одна. Некоторое время думала, потом ждала Лилю, но, выйдя из коридора, увидела, что Лиля ее отнюдь не ждет. Созвонившись с ней, выяснила, что Лиля провожает Анфису с Фридой, взяла телефон Лемм, заказала в палату суши — ей казалось, что здесь легче думается, и набрала номер этой самой гениальной Саши.

— Алло! Это я, но у меня реально всего минута, так что быстрее!

— Э-э... — Алиса поначалу растерялась, но быстро взяла себя в руки. — Меня зовут Алиса Трейман, я внучатая племянница Лили Кастаки, она дала ваш телефон, а у меня проблемы с проклятиями.

— Проблемы с проклятиями? — хихикнула Саша. — Ясно... Срочно?

— Дело жизни и смерти! — отозвалась Алиса.

— Вы где?

Алиса продиктовала адрес.

— Буду через три часа, — пообещала Саша. — Калифорнийские роллы, суп с угрем — только, чур, чтобы горячий, салат с крабами — любой на выбор и сливовое вино.

Не успела Алиса поинтересоваться, с какой стати она должна тут устраивать в честь какой-то Лемм банкет, та уже отсоединилась.

Через три часа и пять минут дверь палаты распахнулась. Алиса, ссутулившаяся над журналом «Глянец», который к собственному удовлетворению нашла скучным и дурно написанным, резко разогнулась и уставилась на брюнетку в черном. Черные джинсы-клеш, кашемировый топ и элегантная косуха плюс огромная сумка из грубой кожи, набитая до отказа, — скромно, но стильно.

Брюнетка застыла на секунду, медленно прошла в комнату, бережно поставила сумку на пол и встала напротив Алисы.

— Здрасте, — произнесла Саша.

— Здрасте-здрасте, — повторила за ней Алиса.

— Мы виделись однажды, — напомнила Саша. — У Тамары. Маму это бесит, но я время от времени хожу на эти сборища. Надо же знать врага в лицо.

— Врага?

Саша посмотрела на часы, на Алису, на Марика, в окно...

Достала из сумки пачку сигарет, бутылку с чем-то розовым, кивнула на дверь и вышла из палаты.

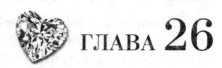 ГЛАВА **26**

Уже в коридоре Саша сделала странный жест рукой — будто начертила знак на входе в палату, и повела Алису в закуток, где сидели медсестры.

— Девочки! — обратилась к ним Саша. — Нам поговорить нужно. Наедине. — Медсестры молча встали и вышли — правда, глаза у них были стеклянные.

Саша села спиной к окну, усадила Алису напротив, отвинтила крышку от бутылки и протянула Алисе. Та с большим сомнением сделала первый глоток, но выяснилось, что это всего лишь фруктовый коктейль.

— Обалденная вещь! — кивнула Саша. — Мне клиентка сделала, знает, что я это люблю. Значит, так. Слушай. Вообще-то это не в моих правилах — навязываться с добрыми советами, но все-таки ты сама по себе — исключение из правил, так что, надеюсь, ты со всем вниманием отнесешься к тому, что я тебе скажу. Готова?

Алиса кивнула.

— Тамара, Лиза и прочие дамочки из их круга — это все шушера.

— Шушера? — переспросила Алиса.

— Да. Знаешь, чего стоит обмануть человека? Да ничего! — Саша сама ответила на свой вопрос. — Как два пальца... об асфальт. Нужна какая-то начальная практическая магия...

— Подожди! — перебила Алиса. — Ты не права! — И она рассказала, как хотела надуть магната, выклянчить деньги, но у нее не вышло.

Саша некоторое время думала, после чего откинула прядь со лба и высказала свое мнение:

— Значит, кто-то поставил защиту. Какой-то твой «друг» хотел, чтобы у тебя ничего не вышло.

Если честно, то такое объяснение вписывалось в схему. Некто (Лиза) желала принудить Алису к определенным действиям и спокойно, без нервов, перекрывала другие выходы. Без нервов — потому, что Алиса была до примитива предсказуема.

— Н-да... — буркнула Алиса.

— Я просто хочу рассказать тебе о том, что такое настоящая магия. Наверняка тебе уже жаловались, что люди — глупы, что мы, ведьмы, нечисть, как нас называют, узники совести... — Саша усмехнулась. — И что где-то в будущем мир станет нашим, потому что иначе и быть не может, ведь мы — высшие существа...

Алиса с большим подозрением уставилась на Сашу: она что, была рядом, когда Елена говорила ей все это?

— Послушай, я не читаю твои мысли, просто это очень популярная теория, и даже наша любимая шушера готова присоединиться к такой точке зрения — при том, что они напрочь лишены какой бы то ни было общественной активности.

Саша выдвинула ящик тумбочки, вынула оттуда чистую чашку, налила в нее фруктовый коктейль и закурила.

— Я просто хочу, чтобы ты поняла кое-что, — продолжила она. — Мы, ведьмы, отнюдь не высшие существа. Земля была создана для людей, и они идут своим путем, который не мы выбираем. Мы, подруга, и правда, нечисть, мы прокляты в тысячном поколении, но у некоторых из нас есть шанс заслужить прощение. Мы действительно можем помогать людям, но для многих из нас самопожертвование равно самоубийству, поэтому сестер милосердия ты не найдешь среди своих. Знаешь... Ко мне вчера пришла женщина, ее двадцать лет бил муж, а когда выросла дочь, стал и ее бить. У женщины родился мальчик-инвалид, год назад она на седьмом месяце выкинула ребенка и, наконец, развелась. И ко мне она пришла не потому, что верит в проклятия, нет. Она просто хочет понять, как ей жить с грузом всего этого за плечами. Ты можешь мне сказать, она глупа? Несчастна? Труслива? Нет. Нет. И нет. Проклятие было. Но я почти не могу снять его, если человек сам этого не хочет. Ко мне разных приводят: наркоманов, шизофреников, мазохистов, и я способна заглянуть к ним в душу, увидеть, что там, внутри, но я не могу сломать волю, а человек, увы, волен желать страданий. Эта женщина, с которой я начала, хотела начать новую жизнь, и ей почти не нужна была моя помощь — она все уже решила и сделала. Но ты знаешь, я бы и не смогла ей помочь, если бы не в состоянии была пропустить через себя ее боль. Потому что либо ты помогаешь другим, как самой себе, либо ты ни черта не понимаешь в жизни. Скажи... ты хочешь помочь этому своему парню?

— Да.

— А ты уже знаешь, что помощь, хоть мы и берем за нее деньги, в основе своей бескорыстна? Что мы не должны помогать ради тебя, ради того, чтобы твой...

— Марк, — подсказала Алиса.

— Чтобы твой Марк проснулся и полюбил тебя?

— Да он вроде любит... — Алиса пожала плечами.

— А если разлюбит? Вдруг передумает? Будешь ли ты винить его в том, сколько для него сделала, будешь ли проклинать?

— Чего ты от меня хочешь?! — разозлилась Алиса.

— Я хочу, чтобы ты поняла: принцип «добро возвращается к добро дающему» для нас не работает. Мы же прокляты, помнишь? Это работает только с людьми. Ты всегда должна быть готова к тому, что за добро тебя возненавидят, и что все будет не так, как ты предполагаешь.

— Я готова, — усмехнулась Алиса.

— Уверена? — настаивала Саша.

— Послушай, давай не устраивать тут «Поле чудес»! — отрезала Алиса. — В конце концов, именно ты получишь за это деньги.

— Ладно! — неизвестно чему обрадовалась Саша. — Просто я хотела... В общем, меня бабушка попросила тебе сказать, что если вдруг с тобой что-то случится, ты всегда можешь обратиться за помощью. Бесплатной, — ухмыльнулась она.

— Пойдем? — предложила Алиса.

И они вернулись в палату. Саша расстегнула свою огромную сумку, вытащила серебряное блюдечко, испещренное арабской вязью, достала бутылку с водой, налила ее в блюдечко — и на глазах изумленной Алисы надписи исчезли. В воде они стали не видны. Над блюдечком Саша поставила треногу с зеркалом, повернутым лицом к воде, на треноге расположила три черные свечи и на каждой вырезала ножом какое-то слово, видимо, имя, так как слова начинались с большой буквы.

— Духи огня, земли и воздуха, — пояснила Саша, краем глаза заметив, что Алиса смотрит во все глаза.

Наконец, Саша выключила свет, закрыла окно, перетянула руку Марика жгутом и взяла кровь из вены. По капле крови досталось каждой свече. Выдавив несколько капель себе на палец, Саша соединила свечи затейливым узором. Остальное вылила в воду. После чего распустила волосы, достала небольшую книгу в черном кожаном переплете и принялась читать с первой страницы до последней. Всего страниц было пятьдесят, и, несмотря на то, что текста на каждой было с гулькин нос, на одно заклинание ушло часа два. Наконец Саша замолчала и поднесла руки к свечам — так, чтобы пламя поджарило ладони.

И вдруг огни дрогнули. В комнате не было ни малейшего ветерка — в платной палате установлены отличные стеклопакеты и хорошие двери, но пламя накренилось и остановилось параллельно полу. Лицо у Саши было напряженным — словно она не была уверена в результате. Минут через пять пламя выправилось, вспыхнуло с невероятной силой — языки достигли полуметра, после чего заискрились, будто бенгальские огни. А потом вдруг ушли внутрь свечей, которые плавились с такой скоростью, словно их бросили в костер. Причем свечи не просто расплывались — они испарялись, а когда последняя капля воска (или чего там) исчезла, Саша быстро перевернула зеркало и уставилась на отражение странного знака, которое совершенно точно не было в самом начале — Алиса видела своими глазами!

Треногу Саша отодвинула, достала из сумки другую книгу — не очень большую, но необычайно толстую, обтянутую зеленым сукном, и принялась листать ее с бешеной скоростью. Из своего угла Алиса увидела знаки — похожие на те, что показало зеркало. Наконец Саша остановилась — это был тот самый символ! — положила книгу на колени, обхватила руками блюдце и зачитала сопроводительный текст.

И они принялись ждать. Ожидание длилось с полчаса, после чего вода в блюдце медленно закрутилась. А когда успокоилась, любопытная Алиса, которой велено было держаться подальше, не выдержала — на цыпочках подкралась к Саше, заглянула через ее плечо и увидела, что на воде появились красные надписи. Это что, кровь Марка?..

Читала Саша не быстро — около часа она что-то бормотала себе под нос, а потом так резко вскочила, что Алиса едва успела отпрыгнуть.

— Это надо вылить на землю, — распорядилась Саша, протянув блюдце Алисе. — И ни капли не пролей мимо, пока не выйдешь на улицу. Не под дерево, просто во дворе где-нибудь.

Алиса вернулась минут через двадцать: перемещаться с блюдцем, полным воды, оказался нелегким делом — выяснилось, что весь мир состоит из сплошных препятствий — неровный линолеум, трясущийся лифт (пришлось идти вниз по лестнице), корявый асфальт...

Саша сидела, подперев голову рукой.

— Сегодня это третье дело, — пожаловалась она. — И никому нельзя было отказать, у всех срочно. Я, кажется, уже готова поменяться с ним местами... — она кивнула на Марка. — По крайней мере, высплюсь.

— Ты выяснила, что с ним?! — набросилась на нее Алиса.

— Ага! — с сарказмом ответила Саша. — Только тебе это не понравится.

— То есть? — Алиса схватилась за сердце и села на кровать.

Саша как-то странно посмотрела на нее.

— Ты, и правда, так его любишь? — спросила Саша.

— Ты можешь мне сказать, что с ним?! — кипятилась Алиса.

— Ты его любишь?! — заорала Саша.

Она побледнела, ногти заострились, глаза загорелись страшноватым желтым светом. Ведьма... Алиса порядком струхнула и побледнела, наверное, еще больше Саши.

К той быстро вернулся человеческий облик — и она даже взяла Алису за руку.

— Ни разу не видела, что ли? — удивилась она.

Алиса покачала головой.

— Ничего, привыкнешь... — и Саша потрепала ее по плечу.

И тут Алиса почувствовала, как же она устала!

Опустив голову, сдерживая слезы, она пробормотала:

— А я не уверена, что хочу привыкать...

— Ну-ну-ну... — Саша обняла ее и прижала к себе. — Не расстраивайся, это со всеми бывает... У меня так было, и у сестры моей тоже... Мы все спрашиваем себя, даже люди: а почему мы такие, какие есть, за что нам все это, мы хотим быть слабыми, чтобы нас кто-то защищал, только ведь на самом деле никто слабых не защищает — просто некоторые используют их слабость для каких-то своих темных целей. Ты пока не хочешь верить, что ты все можешь, что ты сильная, настолько сильная, что тебе никто не нужен для того, чтобы выжить, но чтобы жить, тебе нужны подруги, друзья, мужчина — все это делает твою жизнь еще лучше! Давай сядем...

Она усадила Алису на свободную койку и взяла за руки.

— Я не могу помочь твоему парню, — глядя ей в глаза, произнесла Саша. — К сожалению, помочь ему можешь только ты.

— Как?! — воскликнула Алиса.

— Не знаю. Стой! — она пресекла все вопросы. — Дай я тебе все поясню, и не перебивай меня. Заклятие, наложенное на твоего друга, находится под покровительством древнего демона. Демон до сих пор жив, но настолько стар, что уже стал частью природы — он живет в торфяниках, так как у него огненная природа и для жизни ему нужно тепло, много тепла. Последняя активность демона связана с лесными пожарами — помнишь, торф горел в Подмосковье?

Алиса энергично закивала.

— Не все проклятия патронируют демоны. Это очень редкое, почти уникальное явление. И всегда связано с жертвой. Тот, кто налагает проклятие, договаривается с демоном, а это значит, что он, во-первых, является носителем древнейшей магии, а, во-вторых, у него достаточно сил, чтобы встретиться, собственно, с демоном. Суть в том, что спасти кого-то... например, Марка... можно, если ты сделаешь нечто, чего хочет демон.

— А чего он хочет? — поинтересовалась Алиса.

— Я не поняла, но ключевыми словами были «сердце» и «черт».

— Дьявол?

— Может, и Дьявол, не важно, — отмахнулась Саша.

— Не важно? — воскликнула Алиса, вставая с дивана. — Очень даже важно!

Она принялась мерить палату шагами.

— Сердце Дьявола! — остановившись, она топнула ногой. — Твою мать!

— Сердце Дьявола? — расхохоталась Саша. — Что за бред? Не хотят же они, чтобы ты достала Сердце Дьявола?

— Мы говорим о камне, ага? — вспыхнула Алиса. — Это не настоящий дьявол, и не настоящее сердце — мы ведь все это понимаем?

— Да куда уж мне! — Саша развела руками. — С нашим-то свиным рылом да в калашный ряд!..

— Прости, — смутилась Алиса. — Я только не поняла, а что в этом смешного?

— Смешно то, что это все равно, что послать тебя за луной, за солнцем... Нечто заранее невозможное.

— Но почему?! Я же наследница Елены...

— Екатерина и Елене сердце не отдаст! — перебила Саша. — Только, если ее убить.

— Ха! — фыркнула Алиса. — А кого лучше убить: Марика или Екатерину? Хороший у меня выбор, да?

— А тебе не интересно, кто его проклял?

— Лиза? — предположила Алиса.

И тут Саша опять захохотала — да так звонко, задорно, что даже повалилась на кровать и схватилась за живот.

— Не могу... — она, наконец, вытерла слезы. — Извини... Знаешь, предположить, что Лиза вошла в связь с демоном, это все равно, что представить, будто Валуев — гомосексуалист.

— Валуев, который боксер? — уточнила Алиса.

— Да...

— То есть это нереально?

— На сто процентов! — заверила ее Саша.

— И кто же тогда его?..

— Выясни, и полдела будет сделано.

Наконец, одна из них догадалась, что продолжать разговор в палате не имеет смысла, суши неблагодарная Саша отнесла медсестрам, они еще немного потрепались и разъехались.

За рулем, двигаясь в неизвестном направлении, Алиса поняла, что догадывается, кто все это затеял. Цель была не очень ясна, отчего Алисе померещилось, что ее просто хотят свести с ума — и это единственная цель анонимных интриганов. Но если она права, выхода у нее нет. Другого выхода — кроме того, через который ее, в кандалах и под конвоем, ведут к решению проблемы, что устраивает ее невидимого врага.

Ладно. В конце концов, хватит строить из себя идиотку. У нее пока еще есть шанс всех их переиграть. Потому что у нее есть фора — ее держат за дурочку, а она, на самом-то деле, не дурочка.

Черт! А если они правы, и она все-таки дурочка?

Нет. Она не даст им себя в этом убедить. Сами они... дурочки.

Алиса сменила направление и вернулась на квартиру к Марику. Здесь все им пахло. Духи. Гель для душа. Одежда.

Может, он и не нравится Фае, но он нравится ей, Алисе, — и это именно тот мужчина, с которым она хочет быть так долго, чтобы даже не задумываться — сколько. И это мужчина, который принял ее такой, какая она есть — ведьмой. Он все о ней знает, и даже если бы под человеческой кожей скрывался бледно-зеленый инопланетянин, он все равно бы ее любил. В этом она уверена. Уверена первый раз в жизни. Это нельзя объяснить, понять — можно только чувствовать, и она знала — раз Марика подставили, чтобы добиться от нее того, чего они хотят, то она готова к войне. Она не пойдет у них на поводу, она сначала спасет любимого, а потом отомстит.

Алиса вытащила из сумки телефон, который, как всегда, выскочил из специального кармашка и затерялся среди всевозможного барахла, и позвонила Лиле.

— Ты ведь знаешь, где живет Екатерина? — поинтересовалась Алиса.

Лиля тяжело вздохнула.

— Я все равно узнаю! — пригрозила внучка.

— Ты не думала, что лучше оставить все как есть? — спросила Лиля.

— Думала. И пришла к выводу, что это самый плохой вариант среди худших.

ГЛАВА 27

Все-таки глупо было ехать на Черное море на машине. Алиса устала так, что даже мысль о шикарном доме ее подруги Татьяны, которая отстроила недалеко от Геленджика дворец из стекла и бетона, не возбуждала. Дом стоял на холме, из гостиной открывался шикарный вид на море, но все это не радовало, потому что очень хотелось есть, спать и мыться. Душем в гостинице Алиса побрезговала — он был какой-то подозрительный, словно в нем расчленяли трупы.

Ничего-ничего. Еще часа три, и она рухнет в джакузи. Как там зовут приходящую домработницу? Светлана? Вот у нее можно будет узнать последние сплетни.

Алиса рассчитывала, что за алмазом придется ехать куда-нибудь в Монако или хотя бы в Люксембург, но Екатерина остановила выбор на диком Черноморском побережье, в Краснодарском крае. Ладно... Чего уж там. Не развлекаться же она едет.

Минуты тянулись, как часы, но Алиса все-таки приехала, и главная мысль была о том, чтобы побыстрому загнать тут машину и купить билет на самолет. Потому что обратную дорогу она не осилит.

Сначала Алиса заехала за Светланой, показала ей ключи и письмо хозяйки, даже позвонила Татьяне, а потом они вместе поехали на гору: домработница должна была объяснить Алисе как чем пользоваться.

На экскурсию ушло минут двадцать, после чего Алиса пообещала Светлане отвезти ее домой, но только после чая.

До чая Алиса быстро помылась, а когда вернулась на кухню, обнаружила там чайник с заваркой, тортик и печенье.

— Это я себе покупала, — немного смутилась домработница.

«Наверное, подруг водит. А, может, любовника», — подумала испорченная Алиса.

Она вынула из чемодана бутылку вина, разлила

по бокалам, а после десятиминутного трепа ни о чем приступила к главному.

— Света, вы слышали когда-нибудь о Екатерине Слуцкой?

Глаза у Светы загорелись.

— А вы что, к ней приехали? — обрадовалась она.

— В смысле? — улыбнулась Алиса, которая действительно не поняла причину такого возбуждения.

— Ну... — Света прикусила губу. — К ней многие ездят. По своим делам...

— Света! Не мудрите! — расхохоталась Алиса. — Я от журнала, хочу материал написать об этой Екатерине. Мне черте-те что о ней нарассказывали.

Света как-то странно на нее посмотрела, вынула из шкафа свечи, поставила на стол, зажгла, выключила электрический свет и пригласила Алису пройти в гостиную, которую от кухни отделяла только барная стойка.

Да-а... Гостиную Таня отгрохала шикарную. Дом нависал над морем (Татьяна полгода хвасталась каким-то уникальным архитектурным решением, которое укрепило грунт так, что холм может хоть целиком сползти в море, а дом останется), а внизу бушевал шторм, черное небо раскинулось в бесконечность, и кое-где виднелись огни.

Татьяна подвела Алису к стеклянной стене, прижалась к ней носом и ткнула пальцем вниз и вправо. Там, на скале (про скалу Алиса знала из прошлого приезда — понятно, что в темноте такие детали разглядеть невозможно), светились окна большого дома.

— Вон... — кивнула Светлана. — Логово.

— Логово?! — опять рассмеялась Алиса. — Почему логово?

— Ведет туда козья тропа. Есть еще дорога, но без Екатерины никто туда не пройдет, — пояснила Света. — В прошлом году ей мебель везли, так она их встретила внизу, и они за ее машиной ехали, а на следующий день мой умник решил прогуляться... Это я про сына — ему семнадцать, и он все в Шерлока Холмса играет. Он у меня умный, в университет поступил, на психологию, но без головы — постоянно влипает в истории... Я его сама учила, я же учительница, в Новороссийске раньше в школе преподавала, а тут у меня у мужа дом. Мы несколько лет назад переехали, потому что в школе все равно платят мало, а здесь мы летом квартиры сдаем, да и муж — директор дома отдыха, а у Таньки я только зимой, когда отдыхающих нет. Летом у нее Зинка убирается, но Зинке дом не доверишь, у нее муж запил... Ладно, о чем это я? Ах, да!.. Так он с грузчиками навязался, всю дорогу с ними ехал, а на следующий день не смог найти туда путь.

— Как это?

— А вот так! — сделав страшные глаза, ответила Света. Она явно была довольна произведенным эффектом. — Неделю ходил, а дорогу не нашел!

Алиса задумалась.

— Сын ваш сейчас, надо полагать, в городе?

— Да, в Петербурге живет, — с гордостью подтвердила Света. — Хотя климат там... Лучше бы он уж в Москву перевелся, хотя в Москве у вас дышать нечем...

— А можно ему позвонить? — перебила Алиса болтливую домработницу.

— Можно... — растерялась Света.

— Я позвоню со своего телефона, вы с ним поговорите, если хотите, а потом просто скажите, что я хочу с ним побеседовать, ладно?

Света набрала номер сына, ушла в коридор, а когда вернулась, протянула трубку Алисе.

— Толик... — шепнула ей Света.

— Толя, здрасте! — воскликнула Алиса. — Вам мама объяснила... Тогда расскажите, что там с этой дорогой.

Голос у Толика был приятный, спокойный — казалось, врать он не способен.

— Понимаете, дом стоит очень неудобно, — объяснял Толик. — Там такой крутой подъем местами, что на мопеде, например, не проедешь, но все-таки проще на машине. Можно пешком по козьей тропе, но у меня два друга там сорвались, так что я не рисковал. А пешком по дороге просто лень было. Я отца уговаривал, но он сказал, что не даст машину. В общем...

— Простите, Толя, что перебиваю, но мне важно понять — почему вы так хотели туда попасть?

Толя немного подумал.

— Знаете... — не очень уверенно начал он. — Это глупо. Я не верю во всякую подобную чушь, но тут поверил, и долго думал — почему? Почему меня это так цепляет? И мне захотелось понять. Я когда родился, об этом доме уже ползли слухи. Хозяйка почти никогда не ходила в город — обычно она гуляла по берегу, а если и ходила, то вечером, почти ночью, и всегда так шикарно одета, в черное, между прочим. В детстве мы считали, что она вампирша, но потом я уже так не думал... — по неуверенности в его голове Алиса догадалась — думал. Еще как думал, но стесняется признаться! — Ну, и у нее такая служанка... Понимаете, не домработница, а именно служанка, она за ней зонтик носила. Здоровая баба, рябая, спина, как у моржа, и глаза белесые, почти бесцветные... Э-э.. Вы помните этого, с железным зубами из Джеймса Бонда?

— Да! — усмехнулась Алиса.

— Вот она такого же типа — будто из цирка просто. Ну, я и решил проследить. Мебель мы оставили в прихожей — она здоровая, как гараж, и там мебели не было, только вешалка, а в доме темно — я видел, когда эта служанка, Фрося, выходила к нам во двор. Ну, и на следующий день я решил все-таки проехать туда еще раз. У друга машину взял. Заблудиться там нельзя — дорога одна, петляет, конечно, но не разветвляется — я нарочно внимание обратил. В общем, ехал я, ехал, а потом смотрю — вниз машина едет, я и сам не заметил как оказался внизу. Я пошел пешком. И как я ни ходил, дорога либо на козью тропу выводит, либо к подножию холма. На следующий день я друга повел, но он обстремался и во второй раз не пошел. Потом девушку свою уговорил. Но ей еще на полпути дурно стало — она сказала, что здесь что-то нехорошее. Это, скорее всего, от страха.

Толя еще долго разглагольствовал о своих мытарствах, но Алиса уже все поняла — дорога заговорена от чужих.

Через час, напившись чаю, Алиса отвезла Свету домой, достала бинокль, пододвинула диван к стеклянной стене и взялась за наблюдение. Конечно, в темноте не так уж легко было что-либо рассмотреть, но она все-таки увидела дом, окна с задернутыми шторами и большой двор. Со двора вела калитка, от калитки ступеньки — а они уже плавно переходили в козью тропу.

И тут Алису как молнией ударило. А почему нет? Прямо сейчас, пока темно!

Усталость прошла сразу после разговора с Толей, так что она вполне способна... Алиса натянула удобные джинсы, теплый черный свитер, кенгурушку, кроссовки, повязала на голову черные платок — чтобы волосы не мелькали в темноте, и вышла из дома. Машину она взять не решилась — слишком уж слышен по ночам шум одинокого мотора.

Идти пришлось долго. Зря она потащилась по берегу — дорога только внешне казалась короче, а на самом-то деле идти по песку вышло медленнее. Но самое противное, что за песком начались камни — острые, большие, неудобные. Кое-как пробравшись через эти препятствия, Алиса столкнулась с неразрешимой проблемой — скала, иначе не назовешь, нависала над берегом и не было ни намека на то, как на нее взобраться. Алиса обследовала каждый сантиметр, но не нашла и следа тропы. Пришлось идти назад. Она отошла метров на двести и уставилась на каменистый холм. Начинался холм с отвесной песчаной стены, взобраться на которую мог разве что опытный Рэмбо. Она бродила у подножия не меньше получаса, прежде чем решилась раздвинуть буйные заросли кустарника, в глубине которых неприятно пахло, и пошла напролом. Идея казалась безумной, но кустарник был единственным шансом. Алиса уже прокляла все на свете, и с ужасом думала, *что* хуже — ломиться вперед или прорываться назад, как вдруг заросли стали реже. Осторожно, чтоб не выколоть ветками глаз, она проползла вперед и заметила, что впереди появилось некое подобие дороги. Не дороги, конечно, и даже не тропы, но кто-то когда-то здесь уже шел — грунт был утоптан. Дорожку размывали дожди, она поросла травой, но она все-таки существовала!

Алиса полезла на гору, что было не просто даже после кустарника, так как тропинка сыпалась под ногами и была такой крутой, что ползти приходилось едва не на животе. Алиса уже распрощалась и со свитером, который порвала в кустах, и с джинсами — надеялась лишь, что они выдержат до конца паломничества. Почти у вершины Алиса спряталась за валун и выкурила две сигареты подряд — надо было отдохнуть, сосредоточиться и набраться духу. И, наконец, она вступила на территорию врага.

Отсюда дом было хуже видно — он стоял немного ниже и правее. Зато казался больше, чем из Таниной гостиной. Света говорила, что когда-то давно (ей еще бабушка рассказывала) тут были развалины, а потом привезли камни, и развалины восстановили. Что это за развалины — никто не помнил, но уверяли, что жила тут ведьма, которую потом бросили в воду — прямо со скалы. Только Света честно призналась, что это уже бред и домыслы — правды никто не знает.

Алиса спрятала сигареты под валун — чтобы по дороге со страху не захотелось курить — огонек, да и дым, могли привлечь внимание. Козья тропа начиналась тут же. И, признаться, выглядела эта тропа отвратительно. Узкая, каменистая, а скала над ней не покатая, а, наоборот, словно наваливается на случайного путника, который сошел с ума и решил прогуляться вот тут, над морем, где берег обрывался и вода плескалась у самой скалы. Добро пожаловать, самоубийцы!

Алиса решила, что единственный вариант не свалиться в море — ползти лицом к стене. Она распласталась по скале, уцепившись вспотевшими пальцами за камни, и медленно двинулась вперед, ощупывая ногами тропу. Каждые три метра она отдыхала — от страха сводило дыхание, и скрюченные пальцы затекали.

Однажды ей попался довольно крупный выступ, за который можно было крепко схватиться и отдохнуть как следует. Отдохнув, Алиса выставила ногу вперед, потоптала дорожку, и только было отвела ногу назад, как поняла, что шнурок развязался. Ка-та-стро-фа! Что делать — непонятно. Можно, конечно, сбросить кроссовку вниз, но, во-первых, придется трясти ногой — и неизвестно, сможет ли она удержаться, а, во-вторых, как потом она будет возвращаться по каменистому берегу. Первый раз за путешествие посмотрев вниз, чтобы оценить масштаб бедствия, Алиса так ничего и не увидела — кроссовки были черные, шнурки тоже, тропа такая же, но когда она подняла глаза, то действительно чуть не рухнула вниз. Хвала инстинкту самосохранения: она не дернулась, не закричала, не взмахнула рукой. Просто замерла. Прямо перед ней, на этом самом сволочном удобном выступе сидел ворон. Здоровенный, сука, ворон с красными глазами, которые сверкали, как рубины в ювелирном — когда их выкладывают на черный бархат и подсвечивают лампочками. И тут у Алисы затряслись поджилки. А ворон, гад такой, стукнул клювом в сантиметре от ее пальца. Алиса потом уверяла, что спас ее не рассудок, а инстинкт — ее тело само по себе сделало шаг назад. Ворон же аккуратно перешагнул левее и стукнул клювом рядом с ее левой рукой. Алиса сделала еще шаг назад. Так они и передвигались — Алиса потихоньку пятилась, а ворон кружил у нее над головой, и стоило ей замешкаться, как он чуть ей на голову не сел. Вернувшись на холм, Алиса рухнула за свой любимый валун и заметила, что ворон все еще здесь, но кружит выше — только глаза поблескивают. Назло врагам она выкурила сигарету — с перепугу она была готова съесть пачку целиком — и кубарем скатилась вниз. И только прорвавшись сквозь кусты, вспомнила о развязавшемся шнурке. Ее колотил озноб — и сейчас Алиса наконец-то догадалась, почему. Свитер был мокрый! Такого с ней никогда не было — даже на тренировках, — чтобы одежда промокла насквозь. Она припустила по пляжу, и вот странно — после всех мытарств пробежка по отсыревшему песку казалась ей просто удовольствием. «Ладно, зато ноги накачаю!» — с оптимизмом подумала Алиса, поднимаясь к себе — по нормальной асфальтированной дороге.

Ночью она спала так крепко, как не спала уже долгие годы — и даже сновидения ее пожалели, оставили в покое усталую душу и разбитое тело.

На следующее утро проснулась рано — в восемь. Устроившись с кофе в кровати, решила для начала поехать через город, попробовать еще раз пройти по тропе, а если не получится, двинуть по дороге на машине.

Был у нее еще один вопрос к самой себе: что же она скажет Екатерине, когда прорвется, в конце концов, в ее резиденцию, но это Алиса собиралась решить позже, она уже думала об этом по дороге сюда, но так, собственно, ничего и не надумала.

Машину она на свой страх и риск оставила возле дома, который выглядел наиболее богато — Алиса рассчитывала, что воры, если такие появятся, решат, что кто-то приехал в гости к местным уважаемым людям, и побоятся отдирать зеркала. Подъем был тем противнее, что пошел гадский дождик, а когда Алиса, выжатая как лимон, добрела до проклятой козьей тропы, разразилась гроза. Рисковать здоровьем в такую погоду не было ни малейшего желания, и Алиса поплелась обратно, мучимая подозрениями, что гроза образовалась не просто так.

На следующий день Алиса попробовала заехать с дороги. Она без приключений добралась до поворота, и тут увидела черного козла, который смотрел на нее нехорошими глазами. Алиса отвернулась и поехала дальше, но дорога увела ее в противоположную от дома сторону. Но Алиса уже посоветовалась со старшими товарищами — вчера по телефону, так что достала заговоренный подорожник, найденный неподалеку от дома — вяленький такой, прошлогодний подорожник, прикрепила на стекло, прочитала заклинание — Лиля клялась, что это заклинание гениально в своей простоте, и, главное, его никто не знает — оно целиком и полностью принадлежит их семье с незапамятных времен, сплюнула через левое плечо и продолжила путь. Она почти добралась! Почти... Но на подъезде к дому случилось нечто странное.

У ворот был небольшой пригорок, Алиса даже попробовала определить угол его наклона — вышло что-то около тридцати градусов. Но отчего-то заехать на этот пригорок она не могла. Машина скатывалась вниз — словно она на лыжах пыталась взобраться на ледяную горку. Как следует намучившись и переживв очередной приступ отупляющей разум ярости, Алиса все же догадалась выйти из автомобиля и пойти пешком. И вот ведь удача — сразу же грохнулась (на ровном месте!) и подвернула ногу. Боль была жуткая. Даже в глазах помутилось. Алиса знала, что от болевого шока люди падают в обморок, поэтому быстро отползла в машину, забралась на сиденье и приготовилась помирать. Но сознание она так и не потеряла, к боли привыкла и не солоно хлебавши медленно возвратилась домой — медленно, потому что на педали нажимала левой ногой, пока вывихнутая правая отдыхала.

Света посоветовала ей врача, который дернул ногу так, что Алиса все-таки отключилась, а когда пришла в себя, обнаружила на щиколотке эластичный бинт, а у изголовья — медсестру с нашатырем.

И Алиса-неудачница отправилась из больницы домой. Хандра с видом на море оказалась приятным занятием — лежишь себе, тоскуешь, любуешься серым небом, серым морем, серым песком и серыми скалами. Все такое лордбайроновское или лермонтовское — «а он, мятежный, ищет бури, как будто в буре есть покой»... Такими вот вечерами, а уже и вечер наступил, хорошо читать стихи, удивляясь собственной восприимчивости к прекрасному, тихонько пить виски а, может, напиться? — блеснула у Алисы мысль. И подолгу глядеть в одну точку, пусть даже в телевизор.

Если бы все уже кончилось... «Никогда это не кончится!» — заорал отчаявшийся внутренний Алисин голос. — «Никогда!». Но Алиса, разумеется, обозвала внутренний голос глупцом и трусом, презрительно посмеялась и взялась за детектив Донцовой — не фига мусолить всяких депрессивных поэтов, нужно нечто простое и убедительное!

Несколько часов она сердилась на безалаберную Дашу Васильеву, но когда детектив закончился и негодяя посадили в тюрьму, Алиса осталась наедине со всеми своими страхами. Она даже серьезно задумалась: а не начать ли все заново, то есть не перечитать ли ей детектив еще раз (многое осталось неясным), но это уже было поражением чистой воды.

Что ей делать? Даже плана нет — хотя бы и самого захудалого...

С другой стороны, на фиг ей план? Конечно, и она не избежала нескольких мудреных интриг, а уж как она подставляла Олю — просто загляденье!.. Но Оля все-таки и сама была конченой сукой, и она ее, Алису, страшно раздражала, а эта неизвестная Екатерина не вызывала определенных чувств, даже скорее нравилась, чем не нравилась.

Так что остается одно — фирменный метод Алисы Трейман. То есть — действовать напрямик. Без обиняков. Интриг. Уловок. Идем с парадного входа — пусть и в грязных калошах.

 ГЛАВА **28**

На следующее утро, выяснив подробности у Светы, Алиса и ее больная нога подъехали на улицу с оригинальным названием Морская. У Алисы шумело в голове — она спала четыре часа, так как только в три ночи сообразила, что сначала надо позвонить домработнице, как-то привести себя в порядок — и только потом отправиться на разведку. Даже не на разведку.

На противоположном конце улице послышался шум мотора. Не рев местных «Жигулей» и не завывания местных же «Фордов» 1985 года выпуска, а благородное рычание дорогого мотора. К белому домику, напротив которого выжидала Алиса, подъехал черный «БМВ». Из «БМВ» вышла — точнее, вывалилась, она. Мисс Изящество. Миссис Грация. Сутулый, рябой Гулливер женского пола — служанка (или помощница) Екатерины. Зрелище было настолько устрашающее, что Алиса замерла на месте и не успела перехватить Гулливершу прежде, чем та вошла во двор. Алиса выскочила из машины и встала рядом с «БМВ», чтобы уж точно не упустить свой шанс.

Спустя десять минут Гулливерша вернулась.

От Светы Алиса знала, что Мисс Сутулое Изящество зовут хрестоматийно — Фрося.

— Здрасте! — воскликнула Алиса, предусмотрительно не отходя от дверцы с водительской стороны, чтобы Фрося не уехала без предупреждения.

Как ни странно, та ее сразу же не съела.

— Вы кто? — спросила она.

— Ну, меня зовут Алиса... — с фальшивыми, излишне оптимистичными интонациями (как начинающий жулик) начала наша ведьма, но осеклась, так как звучало все это ужасно. — Мне нужно поговорить с Екатериной! — воскликнула Алиса. — Просто поговорить! Это очень важно!

— Ну, я-то не против, — пожала огромными, как у гребца, плечами Фрося. — Говорите.

— Но я не могу к ней попасть, так что...

— А я-то что могу сделать? — перебила Фрося. — Уговаривать я никого не буду, даже не надейтесь.

— Не надо никого уговаривать! Просто передайте ей, пожалуйста, что я очень-очень прошу о встрече! — и она сложила руки, как для молитвы.

И тут Фрося странно на нее посмотрела. Не то чтобы совсем без злости, и не то чтобы Алиса отказалась от мысли, что Фрося питается младенцами, но все же в ее взгляде было больше удивления и даже скрытого восхищения, чем угрозы.

Алиса постаралась раньше времени не радоваться тому, что ее гениальная стратегия приносит плоды, но не сдержала некоторого внутреннего ликования.

— Может, я и передам ей, — буркнула Фрося, легким движением сдвинула Алису с места, села в машину и поддала газу, как заправский гонщик.

Алиса же еще долго смотрела ей вслед и тщилась осмыслить: что это? победа? поражение? смертный приговор?

Весь день она на всякий случай сидела дома. Ничего не произошло. Пришла Света, приготовила обед, донесла последние сплетни — сплошная бессмыслица, и ушла, оставив Алису в состоянии, близком к панике. Часы кто-то растягивал, как жвачку — время капало на мозг, и это было самой настоящей пыткой. Даже Донцова, которой у Татьяны оказалось немерено, не помогала — романы про Дашу Васильеву были сродни Монтеню, ничего не понятно, философия какая-то... Алиса не могла ни на чем сосре-

доточиться, все валилось из рук. Более-менее успокоилась она лишь к полуночи, и то лишь благодаря
смеси настойки валерианы и французского коньяка. Но только она начала понимать, о чем идет речь
в программе «Культурная революция», как в откры-
тое французское окно залетела птица. Не то чтобы
Алиса верила в приметы (большинство примет —
чушь собачья), но это был тот самый ворон с красными глазами. «Вот так люди и получают инфарк-
ты», — меланхолично подумала Алиса, положив руку
на сердце, которое готово было порвать лифчик.
Глаза застилала какая-то дрянь — то ли туман, то ли
просто в глазах потемнело, и она не сразу заметила,
что в лапах (или что там у птиц — ноги?) ворон дер-
жит белый конверт без имени. Конверт шлепнулся
к перебинтованной щиколотке, но Алиса из-за мед-
ленного реагирования не сразу поняла, что с ним делать. Несколько успокаивало то, что ворон вылетел
из комнаты — хоть и кружил неподалеку. Алиса решительно выхлебала остатки валерьяны, села на диван и подняла конверт. Белый конверт. Возможно,
там сибирская язва. Или что-то еще похуже. Алисе
неожиданно захотелось покончить жизнь самоубийством — и она распечатала письмо. Открытка с изображением дома Екатерины. Вид с моря. Она медленно перевернула карточку и уставилась на надпись:
«Алисе Трейман. Прошу сегодня ночью, с полуночи
до часу, ко мне в гости. Екатерина Слуцкая». Все.

Ворон завис в оконном проеме. Ждал. Алиса, неожиданно ощутившая последствия пьянства, Алиса,
у которой, кажется, резко поднялась температура,
Алиса, которая знала, что добром это не кончится,
медленно и нехотя пошла в спальню, достала из че-

модана черные джинсы, серый кашемировый свитер без рукавов и красную кожаную куртку с капюшоном.

Ворон ждал. Алиса вышла через окно на террасу и последовала за птицей. Шли они, как и в первый раз, берегом. Алисе пришлось все тем же путем лезть на холм — только вот заросли кустарника будто расступились, так что не пришлось уродовать руки, рвать одежду. На холме же ворон заманил ее на козью тропу, которая на этот раз оказалась шире — по ней можно было нормально идти, придерживаясь правой рукой за скалу, а не царапать брюхо об острые камни. Тропа, правда, жутковато извивалась, но у Алисы была сильная воля — она всего два раза посмотрела вниз, отчего ее едва не стошнило. Хотя, возможно, тошнило от валерьянки с коньяком.

И наконец, тропа закончилась. Прямо перед Алисой находилась калитка-решетка, которая, едва ворон перелетел через ограду и каркнул, бесшумно отворилась.

Все-таки не от спиртного ее тошнило! От страха. Самый подлый страх появляется тогда, когда назад пути уже нет. Алиса мечтала заранее как следует испугаться, но паника догнала ее на подходе к цели — и тут-то и почудились ей подвалы с машинами для пыток, страшные заклятия и кровавая безвестная смерть...

Внутренний двор вполне располагал к подобным мыслям: странные скульптуры в саду — по виду как есть смертные грехи, голые сухие деревья без малейшего признака почек, дорожки, вымощенные какими-то доисторическими камнями... Ну, и сам дом.

Тяжелый, мрачный особняк со здоровенными резными дверьми.

— Вас ждут! — проскрипели сзади. — Лучше бы вам поторопиться!

Алиса оглянулась и отпрыгнула назад. Скрипела Лепорелла, сатанинская Санчо Панса — Мисс Гламур года, Фрося. Ворона не было видно.

Решив вообще ничего не говорить этому женоподобному чудищу, Алиса двинула вперед. Но чудище все-таки ее обогнало — распахнуло дверь и пропустило вперед. Они очутились в том самом холле, о котором говорил Толик. Небогато. Массивная резная вешалка, коврик — и все. Но вторые двери вели во вполне симпатичную прихожую, где было все, что полагается: зеркало, комод, шкаф и лестница — все в том же пафосном готическом стиле.

Фрося велела обождать и ушла, а пока она гуляла, Алиса заглянула в зеркало — огромное, в полтора человеческих роста и метра четыре в длину. Алиса любовалась на простудный прыщ, вскочивший после грозы — как-никак, но она с ног до головы промокла, как вдруг заметила, что она в прихожей не одна. В зеркале мелькнула тень. Алиса осмотрелась, но ничего не увидела. Покосившись вновь на зеркало, заметила, что там, внутри, за ней подглядывают странные существа — вроде тени или призраки...

Кожа покрылась мурашками, и каждый волосок стал дыбом. И не то чтобы ей было страшно. Скорее не по себе. И это вот «не по себе» оказалось намного гаже привычной адреналиновой атаки. Чудилось ей в этих тенях что-то нехорошее. Тем временем ее отражение странным образом от нее отделилось и вошло в контакт с существами. Неохотно, но как-то его (ее?) искушали, манили, и собственное Алисино отражение от нее отвернулось! Алиса чувствовала, что все это не к добру, но что делать — не понимала.

И тут вдруг кто-то цыкнул — да так, что все тени разлетелись, а отражение, как ему и положено, вернулось к повторению того, что делала Алиса.

Фрося кивнула и повела ее на второй этаж. Лестница была покрыта зеленой ковровой дорожкой с рисунком — Алиса так загляделась на причудливые узоры, что не заметила, как перед ней открылась дверь, а Фрося прошипела:

— Входи, чего стоишь, дверь-то тяжелая!

Алиса зашла и увидела камин, диван, книги — библиотеку. В кресле из красной кожи сидела вполне современная дама лет семидесяти (на вид). Она до сих пор была красива. Обычно говорят: со следами былой красоты. Но тут все было наоборот, как ни странно сие звучит: это красота существовала со следами былого. Возраст был очень почтенный — намного больше, чем казалось, но он не обезобразил, не исказил черты: глаза были прекрасны, нос не превратился в крючок, слегка обескровленные губы все еще были полными и чувственными. Короткая стрижка. Седина. Изумруды. Серый костюм от «Джуси».

— Зеркало опять вытворяет чудеса... — нажаловалась Фрося.

— Иди, — кивнула ей Екатерина.

— Ты знала, что нельзя в любое зеркало смотреться безнаказанно? — спросила Екатерина у Алисы.

— Вообще-то нет, — ответила та, обнаружив, что горло нещадно першит.

Екатерина взмахнула рукой, приглашая ее устроиться на диване. Алиса устроилась.

— В зеркале ты видишь свою душу, — пояснила Екатерина. — Иногда мы не любим зеркала. Иногда не можем от них оторваться. Мы хотим увидеть, что же у нас внутри, но не всегда готовы к этому — и тогда зеркала рождают иллюзии. И души мертвых заглядывают к нам через зеркала, потому их и завешивают, когда кто-то умирает. И многие, знаешь ли, там остаются. Видела моих?

Алиса кивнула.

— Покажи руки! — неожиданно приказала Екатерина.

Алиса взглянула на нее с удивлением, но решила не спорить и протянула ладони. Может, она брезгливая и сейчас отправит ее в ванну?

Но Екатерина без всякого выражения осмотрела Алисины кисти, хмыкнула и предложила чаю.

— Кстати, что это за странный запах? — Екатерина поморщила нос.

Алиса принюхалась. Екатерина встала, подошла к ней, повела носом и всплеснула руками.

— Валерьянка?! — воскликнула она.

Алиса смутилась и стала что-то мямлить, но Екатерина лишь молча протянула ей чашку чая.

— Выпей. Пройдет, — коротко сказала она.

Чай был изумительный, с неописуемым, сложным ароматом.

— Не хочу, чтобы между нами было недопонимание, — совсем не светским тоном произнесла Екатерина, и Алиса догадалась — прелюдии кончились. — Я все о тебе знаю. И я тебя ждала. Тебя, Елену...

— Ну, раз уж мы тут запросто, без церемоний, тогда я смело и с удовольствием отвечу откровенностью на откровенность, — загнула Алиса. — Вы отдадите мне алмаз?

А что такого? Сейчас ей откажут и отправят домой. Попытка не пытка.

— Да, — ответила Екатерина. И Алиса выронила чашку. Чашка перевернулась в воздухе и зависла. Алиса быстро подхватила ее и поставила на блюдце.

— Мой любимый сервиз, — пояснила Екатерина. — Разумеется, он заговорен. Кстати, разбитую чашку, и правда, не склеишь. Главный принцип, основанный на нерушимости догмы о жизни и смерти. Ты можешь вылечить смертельно больного, но не оживишь мертвеца. Так что чашка просто замирает в полете, но если уж она долетела до пола — пиши пропало. Поэтому Елена и жива — она упала, но не разбилась. Зависла между жизнью и смертью.

— Я не поняла насчет алмаза... — очнулась Алиса.

Екатерина взмахнула рукой.

— Сейчас поймешь! Наберись терпения. — Екатерина налила еще чаю. В новую чашку. — Ты ведь примерно представляешь нашу историю?

— Вашу с Еленой? — уточнила Алиса.

— Нашу с Еленой и с тобой, — усмехнулась Екатерина. — Да, ты уже часть истории — хочешь ты этого или нет!

Алиса чувствовала, что скорее не хочет, но предпочла не возникать со своим скромным мнением.

— Демон, который считал, что ему принадлежит алмаз, имел в виду лишь моральное право, а не законное. Но Елену он все-таки крепко напугал — недаром же его предкам Сердце подарил сам Азазель. Мог ли он отнять у нее жизнь или не мог, трудно сказать, но она действительно боялась. Была у нее слабость — она влюблялась, а влюбленный отдает любимому часть своей души, поэтому нам так больно расставаться, что мы теряем не любовника — теряем себя, причем навсегда. А с этим хитрецом у нее была интрижка — видимо, все демоны этого рода чем-то ее прельщали, ведь она же получила камень от его предка. Она была уязвима: не могла его растерзать, так как терзать бы пришлось саму себя — ту капельку ее души, что навечно осталась с ним. Тогда она еще только училась управлять алмазом, брала по верхам, но знаешь ли ты, отчего она так стремилась им обладать, так боялась потерять, что даже рискнула отдать его в чужие руки — мне?

Алиса сочла, что слова излишни, и просто покачала головой.

— Алмаз не просто так называют Сердцем Дьявола, — продолжала Екатерина. — Когда ты привыкаешь к нему, понимаешь его, он принимает на себя все удары, под которые ты подставляешь свое сердце. Любовь. Злость. Ненависть. Отчаяние. Ревность. Сколько сил уходит у нас на эти чувства, и сколько шрамов остается в душе? У Елены была возможность всего этого избежать. Сохранить свою душу — так, как она это понимала. Для людей эти слова означают быть добрым и честным, а у нас, нечисти, они всего лишь синоним эгоизма. А чистый, неразбавленный эгоизм приносит хорошие дивиденды. Власть. Чтобы властвовать, ты не имеешь права сочувствовать. Ты просто должен видеть единственно правильное решение.

— Да ну... — Алиса все же подала голос.

— Сейчас мы обсуждаем ситуацию, которая сложилась именно из этих предпосылок! — отрезала Елена. — Так что хоть «обданукайся» — это ничего не изменит. Ты вообще знаешь — кто ты?

— Ничтожество и ноль без палочки? — предположила Алиса, проникнувшись патетичностью речей.

У Екатерины отвисла челюсть. Некоторое время она пялилась на Алису во все глаза, после чего расхохоталась — да так, что чашки запрыгали по столу.

— Не могу... — стонала Екатерина, вытирая слезы. — Ну ты даешь! Ничтожество... Ха-ха-ха! — и вдруг смех резко оборвался. — Это Лианка тебя подучила? Вот старая корова! Послушай! Ты — избранная.

— Да ладно! — оскалилась Алиса.

— Ну... — замешкалась Екатерина. — Точнее, тебе придется быть избранной. Не хотела сразу тебя пугать... — она полезла в карман, вытащила оттуда какой-то предмет, натянула его на палец и положила Алисе на колено ладонь.

Алиса сразу не поняла, но когда догадалась, зависла, как старенький «Виндоус». У нее на колене на пальце Екатерины было точно такое же кольцо с опалом, что ей досталось от бабушки.

— Объясняю, — не отнимая руки, Екатерина поудобнее устроилась рядом с ней на диване. — Много лет назад я очень любила Елену. Мы были как две сестры, понимали друг друга с полуслова, нам никогда не нравились мужчины одного типа и мы нуждались друг в друге, потому что были самыми сильными, красивыми и честолюбивыми ведьмами, а с такими мало кто дружит. Мы были молоды и хотели к кому-то привязаться. Но потом, когда идеалы юности поувяли, я поняла, что мы по-разному видим будущее. Елена меня уважала, боялась и любила, но ей даже в голову не приходило, что кто-то может стоять с ней на одном пьедестале. Она была нервной, ранимой и чувствительной, хоть и научилась это скрывать. Но меня-то нельзя было обмануть — я никогда не уступала ей в способностях и знала ее как облупленную. Мы уже придумали Кодекс, были знамениты, и я не ревновала — даже несмотря на то, что она всюду появлялась и говорила: «Я, я, я!». Но потом она нашла алмаз. И дело было не только в ее преимуществе, а в том, что у нее появились нехорошие мысли: люди — скоты, мы должны все улучшить... Это грозило войной — и с человечеством, и между собой. И тогда совершенно случайно появился демон, она всучила мне алмаз, а я нашла единомышленниц — четверых ведьм, которые видели ситуацию в правильном свете. Дабы благие намерения не увели нас в Ад, я придумала заклятие, которое обязывало каждую из нас служить общим интересам — пока смерть не разлучит нас. Клятву скрепила талисманами, которые были сделаны из большого черного опала — единственного в своем роде. Это пять колец, которые заговорены так, что их владелица привязана к кольцу кровью, а у тебя с твоей прапрапра... общая кровь, так что считай — тебе не повезло.

— И что? — отозвалась отупевшая от такого количества сведений Алиса.

Екатерина встала, подошла к окну и продолжала говорить стоя спиной к гостье.

— А то, что мне шесть сотен лет. Я хоронила мужей, любовников, внуков, правнуков, друзей и врагов. Я стара, Алиса. Мне надоело жить. Моя кожа насыщена влагой, но мое сердце иссушено страстями и переживаниями. Я заслужила покой. В этом мире мне все знакомо, все скучно, все предсказуемо. Я больше ничего не хочу. И ты — единственная, кому я могу доверять, потому что ты связана заклятием, против которого нет контрзаклятия, ведь никто не знает его секрет. Та, кому я отдала это кольцо, не была самой талантливой, умной и отчаянной. Но остальные унесли кольца с собой в могилу — завещали похоронить их с ними, а она — нет. Значит, она чувствовала, что на этом ее миссия не выполнена. Значит, ты — следующая. И я, Алиса, отдам тебе алмаз. Потому что хранить его у меня больше нету сил.

— А кольцо? — поинтересовалась Алиса. — Что вы с ним сделаете?

— Оно уйдет со мной. В жизни я сделала все, что могла. Даже вот с тобой встретилась. Но Алиса! — воскликнула Екатерина. — Бойся! Ты столкнешься с сильным и хитрым врагом. Уже столкнулась.

— То есть?.. — забеспокоилась Алиса.

— А кто, ты думаешь, привел тебя сюда? — Екатерина всплеснула руками.

— Кто? — Алиса отказывалась признавать очевидное.

— Конь в пальто! — заорала Екатерина. — Елена! Скажи мне, что ты сама не догадалась, и я тебя уничтожу!

— Догадалась! — огрызнулась Алиса. — Только я не очень понимаю, при чем тут Лиза.

— Я не поставлю за это душу, но уверена на девяносто девять и девять десятых процента, что Лизе Елена пообещала правую руку.

— Какую еще руку?

— Ну, что Лиза будет ее правой рукой. А за это она должна убедить тебя забрать алмаз.

— А они так уверены в успехе?

— Конечно, нет! — усмехнулась Екатерина. — Думаю, это не первая попытка. В принципе, я должна отдать камень. Не могу не отдать. Но до меня еще нужно добраться. Елена рассчитывала, что раньше или позже у одной из ее наследниц это получится. Уже лет сто шляются тут всякие.

— Послушайте, а вы не думаете, что отдать его мне — плохая идея?

— Не думаю, — довольно жестко ответила Елена. — Отнять у тебя они его не могут. Если хранитель его умирает, так никому и не завещав алмаз, тот превращается в уголь, в пепел. Так что им придется выкручиваться. Они будут тебя соблазнять. И вот тут, милая моя, надо быть осторожной. Ты и оглянуться не успеешь, как сама отдашь им камень. Поэтому тебе придется кое-что сделать.

— Н-да? И что же?

— Татуировку! — неведомо чему обрадовалась Екатерина. — Татуировку одного из индейских шаманов — ее придумали для воинов, которым требовалось не только сильное тело, но и несокрушимый дух. Ни пытки, ни соблазны, ни страх смерти не могли их прогнуть. Готова?

— А что, прямо сейчас будем делать? — испугалась Алиса.

— Ну, могу записать тебя на июнь... — с издевкой произнесла Екатерина.

— Тогда ладно... — смутилась Алиса.

— За мной! — воскликнула Екатерина, встала, дернула за шнурок, что висел у дверей, и вышла вон из библиотеки.

ГЛАВА 29

Они спустились на первый этаж, а оттуда, через потайную дверь, в подвал. В подвале было тепло и сухо — там тоже имелся холл, из которого вело несколько дверей. В одну из них Елена и пригласила Алису. В комнате уже хозяйничала Фрося. «Значит, имел место преступный сговор», — подумала Алиса, все же несколько обеспокоенная столь быстрым течением событий. Ее уложили на стол с мраморной столешницей, на котором лежала махровая простыня. Фрося протерла ей спину едким раствором, пахнувшим, как смесь нашатыря и перекиси водорода. Екатерина самолично преподнесла ей стакан с горячим напитком, который выглядел так, словно его сделали из смеси толченой древесной коры и прокисшего молока. Напиток практически вырубил Алису — она расслабилась и погрузилась в сладкую дрему, но краем глаза все же увидела жуткий предмет — длинную острую деревянную иглу.

— В чернилах содержится яд анчара, так что, извини, будет больно, — предупредила ее Екатерина.

И было больно. Хорошо, что ее напоили этой дрянью — она все же не так остро реагировала на то, что все вены и артерии горели пламенем — изнутри жгло так, что хотелось убежать отсюда и прыгнуть в холодное море. Алиса скрипела зубами, кусала полотенце, орала, капризничала, просила стакан яду, чтобы не мучиться, но Екатерина только бубнила «ничего-ничего», а сволочь Фрося держала ее за ноги.

И вдруг все кончилось. И боль, и пытка. Екатерина плюхнула ей на спину банку мази, которая впитывалась полчаса, но впиталась без остатка, и сказала, что можно посмотреть. Ее поставили перед одним зеркалом, сзади Фрося держала другое, и Алиса увидела наконец что на правой лопатке у нее теперь черный тигр, у которого на шкуре вместо полосок — загадочные знаки.

— Он защитит тебя, — убеждала Екатерина.

Но у Алисы уже не осталась сил, чтобы верить или не верить. Она устала, хотела спать и ни о чем не думать.

Екатерина не пустила ее домой — уложила в огромной спальне на такой огромной кровати, что к ней в самый раз было бы лестницу приставить, чтобы легче забираться. Кровать оказалась крейсером, который увез Алису в мир самых сладких в ее жизни снов. Без всякой Елены.

Екатерина держала ее у себя неделю. Учила. В основном тому, как ее, глупую Алису, могут облапошить. Алиса не жаловалась — с Екатериной было интересно.

Но однажды, в солнечный вторник, Екатерина сообщила, что наступила пора расставаться.

— Я скоро уеду отсюда, — заявила она. — Это место засвечено. Хочется туда, где никто меня не найдет. Может, в Тибет. Может, в Индию. Подальше. Ты хорошо запомнила то, чему я тебя учила?

— Лучше не бывает! — поклялась Алиса, которой действительно казалось, что за семь дней она поумнела лет на двадцать.

— Тогда прощай.

— Прощайте.

Они не пожали рук, не обнялись, не поцеловались. Но Екатерина смотрела ей вслед, пока машина не скрылась за поворотом.

Фрося отвезла Алису к Татьяне, открыла багажник, где лежал Он. Екатерина сказала, что Алиса должна познакомиться с Сердцем Дьявола лишь тогда, когда узнает о нем все, что знает Екатерина, но и этого будет мало, так как всего о камне не знает никто. А знакомство должно состояться без посторонних. Это традиция.

Поэтому Алиса спешно попрощалась с Фросей, схватила ларец из платины и закрылась в доме. Был уже вечер, стояла полная луна — лучшего времени и не придумаешь. Алиса зажгла побольше свечей, выключила свет, открыла окно, села на ковер, скрестив ноги, поставила ларец перед собой и с трудом перевела дыхание. Она волновалась.

Как и учила Екатерина, преклонила голову и произнесла — по мере возможности почтительно и уверенно:

— Призываю тебя на правах законной владелицы, по завещанию, с полного согласия завещателя — дай мне свою силу!

С этими словами Алиса нажала на хитрые застежки — и они открылись. Значит, все верно.

Дрожащими руками Алиса подняла крышку — и ее сердце замерло!

На серебристой бархатной подушке лежал самый красивый камень в мире. Казалось, ему не нужен солнечный свет — лучи переливались и искрились будто сами по себе, а изнутри шло удивительное красное сияние. Он не был алым. Вранье. Не был красным, как кровь. Не был и вишневым, как большинство рубинов. Он был странного красного, с синеватым отливом, с чернотой цвета — и завораживал, манил, на него хотелось смотреть бесконечно, как на костер.

Алиса все же вышла из оцепенения и протянула к алмазу руки. Почувствовала тепло. Он не был холодным — он действительно был живым, хранил жар Преисподней и страстную натуру первого владельца. Дьявольский камень. Алиса задумалась: а хочет ли она иметь его, несмотря на всю эту невозможную красоту, готова ли она стать одной из тех, кого отметил сам Сатана?

«Вот на этом ее и поймают!» — отозвалось в душе. Елена ведь обязательно скажет, что она, Алиса, не готова, что это не честь, а жертва... Ух ты! Какая она стала проницательная! Интересно, это алмаз уже действует?

Она вынула его из ларца. Камень крепился к изящной, почти незаметной оправе из платины, а к оправе, в свою очередь — кожаный ремешок. Глаза не видят — руки делают: Алиса и сама не заметила, как надела его на шею и устремилась к зеркалу. Вот черт, как же красиво!!! Сколько она там стояла? Год? Но оно того стоило — это было так прекрасно, что ни в сказке сказать, ни пером описать! Чистая, концентрированная красотища! Она будет с ним спать, мыться и заниматься любовью! Кстати, Екатерина сказала, чтобы она именно так и делала — не ради безопасности, а чтобы постоянно поддерживать с талисманом контакт.

Алису переполняла неудержимая радость: она сделала это, получила алмаз, всех обыграла! Так стоит ли ей, победительнице, оставаться в этой дыре? Спать ничуть не хотелось — тем более, она сегодня проснулась в четыре, так что в путь! Накидав вещи в чемодан, подхватив ларец, Алиса бросилась к машине.

Бедная Света, кажется, не очень поняла, почему ее будят в третьем часу ночи, но ключи забрала — а это главное, и Алиса отправилась в путь.

Обратная дорога уже не казалась такой долгой — знакомые места, да и она не спешила.

Через три дня, чистая и выспавшаяся, в половине двенадцатого ночи она въехала в Москву.

Ее терзали предчувствия. Добрые. Казалось, весь мир у ее ног!

Минут за сорок — в Москве даже ночью пробки! — добралась до больницы, и осторожно, накинув невидимые чары (конечно, она была вполне видимой, просто ее никто не замечал и не слышал — что-то вроде светоотражающего крема), подкралась к палате. Интересно, Марк уже жив? То есть не в коме? В палате слышались голоса. Наверное, медсестры по двое ходят.

Алиса только было собралась скинуть чары, но что-то ее остановило. Конечно, медсестрам она быстро внушит, что имеет право находиться в это время в больнице... Но... Присутствовало тут некое непонятное «но». Может, открыть дверь? Персонал ее уж точно не увидит. Но вместо этого Алиса прокралась в ординаторскую, похитила стакан, приложила его к двери — осторожно-осторожно, и прислушалась.

Это Марк! Точно Марк! Сердце подпрыгнуло и зависло в полете.

— И куда она делась? — сердился Марк.

— Да вроде выехала оттуда! Я звонила!

Голос точно принадлежал Лизе. Алиса не могла ошибиться. Свободной рукой она непроизвольно вцепилась в алмаз. Исходящее от него тепло успокаивало.

— Как ты думаешь, она его достала? — Марк казался обеспокоенным.

— Откуда я знаю?! — шипела Лиза. — Я волнуюсь не меньше твоего! Что ты делаешь? — она захихикала. — Черт! Здесь? А если она где-то рядом и сейчас завалится сюда? А?

Марк бурчал что-то невнятное, но Алиса уже не хотела слушать, потому что все и так было ясно. Они были в сговоре! Вот кто ее заговорил! Вот кто подстроил аварию и это якобы проклятие! Ну, Саша Лемм! Лахудра! Не догадалась!

Думать было больше не о чем. Алиса распахнула дверь и вошла в палату.

Немая сцена.

Он задрал Лизе майку, а Лиза вцепилась ему в причинное место.

— А вот и я, — сказала Алиса и села на вторую кровать. — Как поживаете?

Она никогда не думала, что выражение «позеленел» — это буквально. Лизина кожа приобрела страшный зеленый оттенок, кровь отлила от лица, а глаза будто запали внутрь. Марк же, наоборот, раскраснелся.

— Надеюсь, ты все это делаешь, не приходя в сознание, — сказала ему Алиса.

— Дело в том, что... — промямлил он.

— Ты достала алмаз? — Лиза неожиданно пришла в себя.

— А как ты считаешь, стоишь ты того, чтобы тебе отвечать? — поинтересовалась Алиса.

— Нет? — у Марка вдруг прорезался голос.

— Вы, наверное, думаете, что все так просто — я пришла к Екатерине, мы вежливо поболтали, она передала мне алмаз и проводила до аэропорта? — съязвила Алиса.

— Понятно! — буркнула Лиза и схватила сумку.

Алиса решила, что та уходит, но она лишь вытащила из сумки папку, из папки листок, нашла ручку и положила все это на тумбочку рядом с Алисой.

— Что это за хрень? — спросила та.

— Завещание, — усмехнулась Лиза. — Все творческое наследие, все права и все долги ты передаешь Елене, без вести пропавшей, когда бы она ни появилась, чтобы забрать их.

— Очень мило, — кивнула Алиса. — И с какой же стати?

— Извини, тебе не повезло. — Лиза всплеснула руками. — Как и многим другим. Нам нужна новая наследница.

— Лиза, не подумай, что я тебя отговариваю, или хочу на тебя, не дай бог, повлиять, но неужели ты не думала о том, что Елене не нужна столь бездарная, недалекая и глупая помощница, как ты?

— Зато я верная. И это ты в жопе, — хмыкнула Лиза. — К тому же у меня есть Марк.

С этими словами она прижалась к нему, и на лице у нее появилось отрешенное выражение по уши влюбленной женщины. Некая мысль сверкнула в голове Алисы, но, к сожалению, быстро исчезла.

— А с какой стати мне подписывать этот документ? — Алиса указала на завещание. — Что мне это даст?

— Все как в кино, моя хорошая, — произнес Марк. — Ты можешь принять смерть быстро и без боли, а можешь умирать — долго и мучительно. Просто за такую вульгарную развязку, но это работает.

— Сейчас, — Алиса подняла вверх указательный палец, — то есть ты со мной нарочно познакомился...

— Познакомился ненарочно, — перебил ее Марк. — Это судьба. Нам просто повезло. А вот дальше все развивалось по плану.

— Подожди! — воскликнула Алиса. — А это... проклятие?

Марк усмехнулся.

— Твоя Саша — пытливая девица, я даже испугался. Но магия слишком древняя и неизученная наука, поэтому кое-чего она все-таки не поняла. Проклятие было, но оно — лишь маскировка. Это удивительная техника, и владеет ею один-единственный демон. Мой крестный. Так что я всего лишь спал, а все считали, что я в коме или проклят — как угодно.

— Круто! — оценила Алиса. — А кто из вас навел на меня любовные чары?

— Я! — Марк широко улыбнулся и поцеловал Лизу в макушку.

И снова Алисе показалось, будто что-то тут не так.

— Подписывай! — Лиза указала на завещание.

— Слушайте, я что, и правда, умру? — спросила Алиса.

— Это не страшно. Ведь есть же загробный мир, — утешил ее Марик.

— Черт! Что у вас тут так душно?! — Алиса сделала вид, что волнуется.

А они лишь молча смотрели на нее.

И тут она резко расстегнула кенгурушку. И они замерли. Обомлели. Впали в транс.

— Твою мать! — заорал Марик и бросился к ней.

Чуть было не схватил алмаз, но вдруг согнулся пополам, словно от удара в дых.

— Даже и не думай, — посоветовала Алиса.

Лиза же просто тихо скулила.

— Он мой! — как самый настоящий псих заорал Марк.

— Я все понимаю, но формально он мой, — с подлой ухмылкой разуверила его Алиса.

Эти слова привели его в бешенство. Честное слово, более невменяемых людей Алиса не видела.

— Формально?!! Формально?! — бушевал Марк. — Это мой, наш алмаз! Он принадлежит нашей семье! И тебе, сука, и той твари он не достанется!

Марик с корнем выдрал из стены железный держатель для телевизора — все это сопровождалось страшным грохотом, так как ящик упал, и, разумеется, разбился — хорошо хоть этот псих случайно вырвал штепсель из розетки — и попер на Алису. Но она уже чувствовала силу талисмана. И, конечно, ничего у него не вышло. Марк размахнулся, но держатель улетел в окно.

— Я так и знала — тут что-то не так! — воскликнула Алиса. — Ты принадлежишь к роду того самого демона, который подарил камень Елене? А она знает?

Лиза покачала головой.

— На что вы рассчитывали? — расхохоталась Алиса. — Что я размякну от чувств и подарю ему алмаз? Вот этому? — И она ткнула в Марка, который, действительно, выглядел ужасно — лицо у него побагровело, в уголках губ скопилась запекшаяся слюна, а руки тряслись, как у заправского алкаша. — Неужели, ты, дурища, не понимала, что он ведет свою игру. Что он бы тебя бросил или уничтожил, как только я добыла бы алмаз? А если бы алмаз достался Елене, он бы метнулся к ней — думаю, на меня он не рассчитывал — умом не вышла, а вот Елена имеет необъяснимую слабость к мужчинам его рода! Так? — прикрикнула Алиса на Марка, который успел побледнеть и только глаза таращил. — Хороший план! — Алиса похлопала его по плечу. — И он бы, возможно, удался. Правда, есть кое-что, о чем вы не знаете, и это кое-что сильно вам помешало. А во-вторых, зачем вы развели шуры-муры в больнице? Здесь?!

— Я звонила, и мне сказали, что ты выехала сегодня днем, — произнесла Лиза. — Женщина с жутким голосом. Света, кажется.

Наверное, это было озарение.

Номер Светы все еще был у Алисы в трубке, так что она позвонила и осведомилась, все ли в порядке.

Света хрипела, сипела и гундосила. Она заболела, и вместо нее вчера в доме была Фрося — она и сказала как надо.

Алиса усмехнулась. Бонус от Екатерины.

— Ребята, вы упали в собственную яму! — сообщила Алиса и ушла, на прощание порвав завещание в клочья.

Конечно, обидно было потратить столько времени ради Марка, который оказался мерзавцем и скотиной. Но, с другой стороны, у нее есть алмаз. И она, кажется, первый раз в жизни хоть в чем-то уверена. В ком-то. В себе. На все девяносто девять и девять десятых процента. У нее есть все для счастья, и она не позволит себе все обгадить. И главные демоны — не те, что ждут нас снаружи, а те, что внутри нас, те, которых мы сами в себе взрастили.

— Фай! — прокричала она в трубку, когда ее, наконец, соединили. — Ты была права. Марк — презерватив!

— Ура! — возопила подруга. — Вернулась! Ты живая-здоровая?!

— Более чем! Я на коне и со щитом!

— А эта штука?

— При мне!

— Ух ты!.. — восхитилась Фая. — Ну ты даешь! Слушай, ты ко мне или сразу поедешь уничтожать этот долбаный банк, мать его?

— Ну, уж нет! Сначала к тебе! Я хочу есть, пить и веселиться!

— Тогда я позвоню Масику — он быстро все организует на высшем уровне!

Они распрощались, и Алиса поехала домой. Потому что дом — это не то место, где ты родился, женился и прописался. Дом — это там, где тебя любят.

Литературно-художественное издание

Арина Холина

КОГДА БОГ БЫЛ ЖЕНЩИНОЙ

Ответственный редактор *О. Рубис*
Редактор *Т. Семенова*
Художественный редактор *Н. Никонова*
Технический редактор *О. Куликова*
Компьютерная верстка *Е. Кумшаева*
Корректор *О. Супрун*

ООО «Издательство «Эксмо»
127299, Москва, ул. Клары Цеткин, д. 18/5. Тел. 411-68-86, 956-39-21.
Home page: **www.eksmo.ru**   E-mail: **info@eksmo.ru**

Подписано в печать 28.02.2008.
Формат 84х108 $^1/_{32}$. Гарнитура «Таймс». Печать офсетная.
Бумага Classic. Усл. печ. л. 18,48.
Тираж 10 000 экз. Заказ № 0803020.

Отпечатано в полном соответствии с качеством
предоставленного электронного оригинал-макета
в ОАО «Ярославский полиграфкомбинат»
150049, Ярославль, ул. Свободы, 97

АНТОН ЛЕОНТЬЕВ
коллекция дамских авантюр

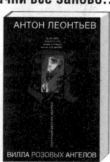

МАРИЯ

БРИКЕР

Романы Марии Брикер — увлекательное шоу, где каждому персонажу отведена своя роль в оригинальном сценарии с непредсказуемым финалом.

reality detective

В серии: "Не книжный переплет"
"Тени солнечного города"
"Изысканный адреналин".